猿與鳥

二百五十年後的幻想
另一類的科學思維

第一冊

陳永騰 著

文學叢刊
文史哲出版社印行

國家圖書館出版品預行編目資料

猿與鳥 / 陳永騰著. -- 初版. --臺北市：文史哲, 民 97.11
頁： 公分. --（文學叢刊；206）
ISBN 978-957-549-816-0 (全套：平裝)

1.科幻易理小說

857.7 97019990

文學叢刊 206

猿與鳥（全四冊）

著者：陳永騰
出版者：文史哲出版社
http:// www.lapen.com.tw
e-mail：lapen@ms74.hinet.net
登記證字號：行政院新聞局版臺業字五三三七號
發行人：彭正雄
發行所：文史哲出版社
印刷者：文史哲出版社
臺北市羅斯福路一段七十二巷四號
郵政劃撥帳號：一六一八〇一七五
電話886-2-23511028・傳真886-2-23965656

全四冊定價新臺幣一二八〇元

中華民國九十七年（2008）十二月 BOD 初版再刷

ISBN 978-957-549-816-0

猿與鳥 二百五十年後的幻想 另一類的科學思維 (一) 目次

第一象 冥界死寂物種巧制以跨渡龍族逃亡元首鑑選四人組

第一幕 就地起價

距今兩百五十年後，人類滅絕前夕，爲啓易元年的開始。伏羲甲子紀元，炎黃曆第一百二十五紀，啓易元年，十二月一日。不知道什麼時代形成的非自然物，掉落在南海的小島上，驚動了當地的天文愛好者。

炎黃曆

一月三十日
青龍日
二月三十日
三月三十日
四月三十日
朱雀日
五月三十日
六月三十日
勾陳日
七月三十日
玄武日
八月三十日
九月三十日
十月三十日
白虎日
十一月三十日
十二月三十日
每四年加一天啓易日
重大滅絕事件的開始則爲啓易元年

趙仰德，海南省富商，隕石收藏家。他的豪華別墅門前，來了一名年輕男子，身著右襟緊短的改良版漢服，看上去不像是距今兩百五十年後者，倒像是兩千年前的人。趙仰德家電腦的自動訪客感應器，把訪客訊息聯絡了趙仰德的腕錶。這男子站在門口良久沒有回應，想要回懸浮車上，沒有想到一個肥胖的男人在他背後出現。他問：「是陳先生嗎？」男子喜而回頭，回答說：「是的，您是趙先生對吧？」

兩人握手。趙仰德笑著說：「對不起，剛才去社區馬場騎馬，所以在你背後出現。你手上袋子裡，是談好的那件東西嗎？」兩人昨天在網路上談好了買賣。

陳先生微笑回答：「是的，我帶來了。」趙仰德按下大門口的指紋辨識器，門順勢打開說：「進房坐一下。」兩人進了這棟豪華別墅，入客廳沙發對坐。豪華的程度，讓這位陳先生吃了一驚。趙仰德呼喚一女子，拿出了鑑別儀器，還有一把放大鏡，仔細在這觀察了半天，這石頭大約有一公尺長，卻非常地輕，裡面似乎有包藏什麼東西，趙仰德觀看隕石的同時，這位陳先生卻在觀看趙仰德的表情，臉上任何的肌肉鬆緊都不放過。等到趙仰德說：「確實是塊隕石，那麼就按照昨天談的價格吧。」

陳先生終於在他的表情上，抓到了心理浮動的蛛絲馬跡，回答：「趙老闆，我得先跟您道歉，價格不能八萬那麼低，我是在海南外海的小島撿到這塊石頭的，但是我是廣西人。從您跟我敲定這塊石頭到現在，有半個月了，昨天才讓我來您這，我往來海南與廣西兩地，車費住宿這都得包含成本。」

趙仰德馬上變臉說：「陳先生，你這什麼意思？你要就地起價囉？」

陳先生回答：「趙老闆，您是有錢人，不會在乎這小錢，總不能讓我這小人物吃虧吧？我意思是，這成本不能包含八萬元內……」話語還沒有完，趙仰德馬上打斷說：「這是原則問題！你不守信用！」兩人便開始吵起來。

斷斷續續吵了十幾分鐘，陳先生右手用力搖動，左手抱回隕石說：「算了算了，您不買還有其他人買，我回去便是。」趙仰德大聲『哼』了一聲。陳先生硬壯膽這麼幹，以致於站起來的時候，還碰到了桌緣，但不敢喊痛。趙仰德心思：（罷了，我是什麼身分，是有頭有臉的大人物！不必跟這種小人物爭這點小錢。就算來硬的爭贏了，傳出去總會落人把柄。）

等到陳先生走到了門口，趙仰德大聲喊道：「好！你說多少錢！」

陳先生露出些微的笑容說：「我也不敢坑您這位大人物，一口價，別再吵，十萬成交。」趙仰德含怒，用力揮手地說：「好！我給你！」然後起身回房拿出十萬元，換來這塊隕石。陳先生笑腆著出門，回懸浮車上離去。

第二幕　怪物復活

半年後，啓易二年，六月二十一日。

趙仰德商業集團旗下，有一間綜合科學研究室，以生化科技爲其主力。國家元首也把這間研究室，當作生化科研重鎮之一。成果雖歸於國家，不過利潤都被趙仰德這樣的財團領導人掌握住。

忽然警鈴大作！安全人員趕忙跑到生化實驗室，被眼前的景象驚呆。巨大玻璃培育槽的兩隻怪物跳出來，殺死了好幾位實驗人員，只剩下一個女實驗人員躲在桌底下，尖叫斯喊，驚恐萬分。這兩隻怪物，頭比人類大兩倍，眼瞼從底下往上翻，雙手五指卻是同心圓狀分布，合手則併爲一點，兩腳膝蓋關節，是向後彎曲的，如鴕鳥一般可跑，也如蚱蜢一般可跳。只見一怪物打破實驗室櫥櫃的玻璃罩，裡頭有一個非人類製造的透明碟狀物，抓了這碟狀物就企圖逃跑。

兩名警衛當場對怪物開槍，槍聲伴隨著女實驗員的尖叫聲，實驗室內亂成一團，但是最終趴在地上的不是那兩個怪物，而是這兩名警衛。兩名怪帶著透明碟狀物衝出實驗室，一路往外奔跑與跳躍，消失在戶外。

首都，新河洛。元首大人在會議室拍桌，對著全國第二號人物行宰大人，大罵：「南十字星計畫，怎麼變成這樣？部署的安全系統，怎麼會有這種大漏洞？萬一這兩隻怪物跑出去，秘密洩漏，或是造成什麼危機，誰來負責？你是這計劃的總負責人，給我一個解釋！」行宰大人汗流浹背。坐在另一旁的趙仰德，更是提心吊膽，恐責任也降於自己身上，心思：（追根究柢，我只是一個有錢老百姓，不是什麼大人物！這責任，等一下汝等大人，不會怪到我頭上吧？我獻出那顆隕石內部的外星高科技物品，應該是大功一件！這功勞還沒酬謝，不該讓我背責任……）

行宰大人低頭緩緩回答：「這一切的疏失，來自於技術管控失當，以及我失察之過……。」

元首大人把目光，轉向坐在另一旁的管控部長吳力，吳力心思：（行宰這王八蛋！管控失當事大，失察事小。你在拿我當替罪羊！）吳力馬上接口回答：「確實管控失當，然而這種奇怪的系統，從來沒有遇到過，我們是按照過去所有實驗的標準流程來安排，而且在第一時間，安全人員都有到達，只是到達的時候怪物已然不見……況且當時情況，我也打了報告給元首大人了。關鍵在於，實驗中玻璃器材怎麼會這麼脆弱，麻醉藥物怎麼劑量不對，給麻醉中的怪物突然甦醒。」

元首大人把目光又從吳力，轉向負責採購器材與藥物的趙仰德，吳力心中竊喜，至少不會單獨扛責任。趙仰德馬上回答：「所有器材採購的質與量，一切按照科學家提出的標準，這是有驗收單據為證的。只能說是那些科學家，遇到了陌生生物，沒有經驗，操作疏失所致。」

達官貴人們，一連串往來牽拖，太極推手，把降罪的力道都推了出去。

元首大人大聲拍桌喊道：「這麼說，責任都在死亡的那些科學家身上囉？責任在死人囉！」眾人全部低頭不敢說話。會議室沉靜了約三分鐘。元首大人嘆了口氣，按下桌上的按鈕，隔著會議桌對面的螢幕，閃出南十字星計畫內文。接著說道：「不管怎樣，這計畫不能停。據過去了解，依隕石中透明物體，所投射轉移出來的外星生物，具有牠們過去的記憶，極可能是星際跳躍的關鍵器材，象徵外星的高科技含量在裡面。這絕機密計畫，仍然不能外洩出去！必須立刻動員一切軍警與特工人員，不惜一切代價抓回外逃的智慧生物！」

總算大家都沒有責任了！行宰大人率先緩緩回答：「怪物已經外逃，總會有外面的人發現，至少動員的軍人一定都知道，況且新聞媒體方面……」元首大人握拳喊：「我會下命令真理部新聞管制局，封鎖一切的消息，至少在公眾媒體上絕對不能出現！而你去協同一切軍警特工，給我抓回那些怪物！還有，監控一切與外國的往來與國境線，嚴格檢查離境人員！也不讓身份存疑的外國人入境！」行宰點頭稱是。

又沉寂半分鐘，元首大人說：「你們三人是這計畫核心幹部，竟然都不知道這計畫有多重要！歐美聯盟，對於我國的科學進展，緊追在後。外交形勢完全被孤立下，我們唯有掌握絕對的科技力量優勢，才能壓倒那些人。萬一這東西跑到國外去，給歐美聯盟搶了一個先手，獲得了超過我們的科學能力，我們豈不是全盤被動嗎？」三人都點頭稱是。

第三幕　龍族現身

又半年後。啓易二年，十二月十日。

元首大人辦公室，得到統帥本部的一項報告：「本部所屬海軍甲級校尉，李光旭，十小時之前率潛艇突擊大隊，在帛琉東方二十公里處的海底，發現大量不明海底建築物，經過探測潛艇偵查，非目前人類科技所能建造。疑似是半年前下達的，尋找南十字星命令中，所提及的目標物。」元首秘書，把報告緊急帶往府邸後院，交到正在看露天電影的元首大人面前。

他又驚又喜地喊道：「秘書！立刻通知軍方將級幹部來府邸，有重要會議！還有，行宰、管控部長、以及趙氏集團負責人趙仰德等三人也來參加。所有人在兩天後上午十點，全部來府邸開會。」秘書點頭離去。

兩天後，十二月十二日。元首辦公室會議廳。展開了潛艇拍攝的海底建築物畫面。

「……發現的這群不明海底建築物，分析結果，不是目前人類科技能夠做到的。而就在昨天，我軍監視的潛艇突擊大隊，遭受來自不明建築物，派出的五角星形機，突然襲擊。雙方短暫交火，我被擊沉潛艇一艘，死亡六名官兵，校尉李光旭率另外兩艘，撤回台灣母港。當時所發射的快速自動導向魚雷，無一命中星形機。推測這種海底戰鬥機器，不是目前世界各國所能製造的。」海軍大將軍林通貫，把潛水艇透過強力探照燈拍攝的星形機照片，放在大螢幕上，與會人員都大驚失色。正當林通貫要繼續講下去時，元首大人此時搖搖手開口說話，他只好停止敘述，立刻回座。

元首大人冷著臉說：「地球上從來沒有這種奇怪的東西。我敢肯定，這是半年前南十字星計畫中，逃走的兩個外星怪物所製造出來的！陸上沒有牠們的消息，卻在海底出現。才兩個個體，一個透明碟狀物，經過半年時間，就變成了這種龐大規模的海底建築，還出現了這種厲害武器。這說明什麼？」話語停滯了一下，眼神看往林通貫。問：「林將軍你說，這意味什麼？」

林通貫回答：「意味這種生物，超過人類的智能，還有透明碟狀物，具備超過我們想像的功能。」

元首大人搖晃了手指說：「你只知其一不知其二，錢將軍你說！」轉問空軍大將軍錢勝煌，錢勝煌回答：「可能這物種已經不只一隻！」元首大人繼續問：「還有呢？」錢勝煌搖頭苦笑說：「已經不知了。」

元首大人握拳說：「象徵這物種的發展模式將會越來越快！你們自己想，兩隻個體用半年，可變成這等規模。我們當初都有能力找出兩隻，牠們又有超過人類的智能，當然有能力繼續從透明體中，找到其他的同類。如此下去，按照自然常數的發展模式，這物種將可能會取代人類。」與會眾人不得不大為失色。

元首大人繼續問：「你們說怎麼辦？」大家面面相覷，沉默半分鐘。

陸軍大將軍孫光耀，開口說：「出動部隊，把這海底城攻打下來。」

元首大人憤然道：「亂搞！你沒有看到剛才影片，我們三艘潛艇才半分鐘交火，就被星形機器打沉掉一艘嗎？我們完全不知道怪物有什麼能力，能這樣貿然進攻嗎？」孫光耀低頭不敢再言。大家又面面相覷，似乎拿不出辦法。

元首大人轉頭問最末座的趙仰德說：「趙先生，你是南十字星計畫的民間賢達代表，你有什麼意見？」

趙仰德心思：（問我……我可不能隨便說，萬一提什麼意見出來，最後執行成功是你們這些當官的功勞，執行失敗，我卻難辭其咎。弄不好身敗名裂。）但是趙仰德，看了看大家的目光，都在注視自己，似乎不提意見，就會大失所望。轉思：（這種狀況不提意見也不行！要是不提意見，而當安分的庸才，元首大人大失所望，我的企業未來在政府面前，不就是站不住腳？那麼所有與政府單位的利益牽涉，尤其在科學合作方面，會有極不利的影響。）於是趙仰德咳了一下，緩緩說道：「我倒是有另外一個方法，能夠探測出外星怪物的底細，又不會損兵折將。但是不知道，我這老百姓的意見，元首大人是否認同？」

回答道：「你說！我聽聽看！」

趙仰德便繼續說：「我的意見分兩部分。第一，半年前我們極力封鎖消息，不讓歐美聯盟與其他國家的人知道，但是他們也不是笨蛋，肯定聽了些什麼風聲。如今我們反向操作，把發現的海底城，透過反間管道也好，故意走漏軍事消息也罷，讓歐美聯盟的人知道這項消息。最好能鼓動歐美聯盟政壇中，屬於我們收買的政客，讓他們去打頭陣，探索這海底怪物。我們只要準備好軍事整備，遠觀狀況，伺機而動。第二，根據過去研究南十字星計畫的現存資料，我們對外星生物的了解，多於歐美聯盟。以此爲基礎，成立一個直接對元首大人負責的行動小組，來當作情報先遣部隊。那麼局面若是有任何狀況，我們的反應都會比對方快一步。總而言之，以此兩部分，解決軍事與情報的兩種準備。」

元首大人聽完，微笑點頭。然後問其他人，「你們的意見怎麼樣？」

大家各自提出意見。有的贊成有的反對。最後行宰大人開口說：「我認爲趙先生說得對，而且情報行動小組的核心，最好由民間的優秀科學人士所組成，然後由軍方人士協同聽命，直接對元首大人負責，這樣不會爭功不讓，而行動對於科學問題，也有更好的銜接，判斷也更準確。」

元首大人頻頻點頭說：「就這麼辦！」轉頭問真理部長曾有能：「你那邊有民間優秀知識份子的名單嗎？」曾有能猛點頭。元首大人又說：「明天早上呈上來，附上所有人各自的履歷，我來勾選。」曾有能問：「科學界最高學歷，目前分四大類，秀士主演變脈絡，中行士主行動設計，參士主理論架構，法士主物態分析。是否就以此四大執照標準，來挑選名單？」

「沒錯，每一執照類別，給我三十人，最好都是我沒見過的新臉孔。我從當中每一類別挑一個出來，組成四人核心小組。」曾有能點頭稱是。

趙仰德鬆了口氣，心中竊喜：（這下變成，計畫成功我有功勞，計畫失敗，是真理部以及核心小組的責任了……呵呵！）

第四幕　智慧四人組

次日。十二月十三日。

名單呈上來了，但是元首大人面對這些新面孔，與其粗淺的經歷敘述，無法判斷該選誰。於是用電腦隨機抽樣，自動選出四人：

袁毓真，二十七歲，未婚，浙江省人，性別男性，執照秀士。賀嘉珍，三十歲，未婚，台灣省人，性別女性，執照參士。蔣婕妤，二十三歲，未婚，蒙古省人，性別女性，執照法士。楊恒萱，四十五歲，已婚，遼寧省人，性別男性，執照中行士。

選出這四人，在會議上公佈，元首大人宣稱此四人，是自己經過千挑百選，晝夜思考所找出的中華菁英。行宰以下眾人，在會議上紛紛鼓掌通過，建議這四人代號為「智慧四人組」，行動總計劃代號為「尋找南十字星」。元首大人搖頭說：「智慧四人組可以，但是尋找南十字星應該改為『獲取南十字星』。」於是大家又紛紛鼓掌，趙仰德特別用力。最終定下用「智慧四人組」去「獲取南十字星」的行動方針。搭配一支軍方的特工小組，組成的行動部隊三百人，由「智慧四人組」指揮。

十二月十五日傍晚，四輛專車開進了元首府邸。

頭一輛懸浮車，下來一中年男子，一米六八左右，頭髮已禿了一半，身穿寬衣古漢服，髮飾修短，臉色陰沉。乃楊恒萱也。

次一輛懸浮車，下來一年輕男子，一米六三左右，身材瘦弱，眼戴厚框老式眼鏡，身著右襟青衫衣，腰帶佩玉繞雄體，圖繡長褲下短靴，烏髮長束立於頭。其相貌雖不是英俊瀟灑，倒也斯文，兩眼炯炯有神。乃袁毓真也。

再次一輛懸浮車，下來一位是容貌並不吸引人的女子，但是卻有著獨特的成熟魅力，一米七左右，頭髮集束上捲，插上髮簪，身著開右襟之落地紅衣，藍邊繡花，足下雲鞋堆錦繡，腰間寶帶繞玲瓏，彷若古墓裡衣飾，又像壁畫中天女，氣質優雅兼文靜，年約三十出頭。乃賀嘉珍也。

最後一輛懸浮車，下來一個年約二十出頭的年輕女子，使所有男性官員目光都投射過去，約一米七二左右，貌若天仙下凡，衣著緊身奪目，身材如同魔女，頭飾上捲若垂，五官端正清秀。乃蔣婕妤也。

四人入於府邸會議室，拜會元首大人，男行拱手作揖，女行欠身彎腰，之國定古禮。會議上講述過去南十字星計畫的一切經過，以及趙仰德當前的提議種種，把「智慧四人組」與「獲取南十字星」的總體架構，重新講述一遍。元首大人激昂地道：「我故意選擇以年輕人爲主的核心領導，僅加一個中年持重的男性爲首。你們別在乎自己平民的身分，現在智慧四人組，就是直接對我負責的特使，全國所有官員都要配合！當然你們有權力指揮，調給的三百人軍隊。務必發揮你們所獲得的，四士最高學歷與專長。萬萬不可辜負國家平常供養知識份子的期待！」

這麼說來，楊恒萱是核心領導中的首領了。袁毓真雖然放心下來，但是仍然提著告知獲選時的擔憂，因爲自己的秀士執照，根本不是考來的。自己雖研究過「次易原理」這本書，但是第一次考核秀士的時候，根本沒有考上，而且還低分落榜。透過自己的九十歲祖父，過去的考場人脈關係，以及先進的作弊儀器，雙管齊下，第二次考核終於成功。而今聽到這計畫，面對著這麼大的攤子，不由得對自己的能力感到心虛。心思：（幾天前我還是失業在家，輕鬆遊蕩，靠國家給予秀士津貼來生活，且遊手好閒的年輕書呆子。怎麼眼前情境，才一晃眼的功夫，老母雞就變鴨了？是機會來了嗎？還是危機來了？）

在晚上的府邸宴會後，安排智慧四人組，於首都新河洛郊外的科學研究大樓，爲四人的住所兼指揮基地。四人隨著安排的官員，一到目的地，赫然一棟斜頂傳統建築出現在眼前，紫色屋頂，紅色漆壁，圓形外體，背倚山林，層數有十，環佈花草，門前石獅，一雌一雄，相對坐落。中央走道，兩側宮燈，夕陽斜照，排列相映，紅漫空氣，如迎貴賓。

袁毓真問：「怎麼會是紫色的屋頂？古代是祭天的建築才用這顏色的。」

隨行官員回答：「知識就是天給予的，所以替國家效力的知識份子，使用古代天子祭天的位階。這是元首大人，給四位的最高優待。期望各位達成任務。」四人內心並不感到受寵，卻同感一陣沉悶壓力。

大樓內部主要的色系是由紅，黃，藍，白，黑五種正色拼湊而成，型態則又頗像佛塔。各研究室房門，皆環對中央，由頂層往下打出的光柱。又有不少警衛把守，檢查往來人等的身分，似乎已是列管的大樓了。

第五幕　女大明星

四人同住在建築物最頂層，分住四個房間。房間同時也是豪華的辦公室，對楊恒萱來說沒有感觸，對袁毓真來說頗是新鮮，對賀嘉珍來說受寵而驚，對蔣婕妤來說歡喜異常。四個房間外，第五個個門進入則為會議室，外頭全天不分晝夜，都有警衛巡查。四人各自拿著一切有關南十字星計畫的資料，回房研讀。定時都要與元首大人有視訊會議，討論行動計劃且回應情報。

袁毓真的房門口，傳來電鈴聲，打開門一看，一位身高約一米八，身穿軍服，英俊瀟灑的男子。看了一眼，袁毓眞心思：（哇！原來軍隊裡面也有這種英挺的帥哥！）但是嘴巴上卻冷冷回答：「請問你是哪位？」

這男子回答：「我是海軍甲級校尉，李光旭。請問您是袁毓真組長吧？」

袁毓真搖搖頭說：「我是袁毓真，但不是什麼組長。」

李光旭笑著說：「元首大人欽點的計畫領導，我們都稱為組長的，袁先生與另外三人都不例外。」

「請問有何貴幹？」

「我是計畫中，負責行動與匯報的軍官，有責任向四位自我介紹。您打算讓我就站在門外嗎？」

袁毓真點頭說：「喔，對不起，請進。」

兩人進了房門，各自坐下。

李光旭從袋中拿出資料，說：「剛才已經分別，向另外三位組長自我介紹了，也報告了我率潛艇部隊，在海裡遇到怪物的情況。現在我向袁組長再報告一次……」

袁毓真打斷他的話：「你怎麼不招集我們，作一次報告，要這樣分別說四次？」

李光旭說：「喔！您等是元首大人欽點的，我怎麼敢招集各位？當然勞煩自己多說幾次。」

於是他照的寫好的資料，唸著下去。

袁毓真不奈煩，按下資料說：「你把資料放著就好，我自己會去看。」李光旭有點慚愧，笑著說：「抱歉打擾袁組長了。」答道：「沒有關係。」沉默片刻。

袁毓真疑問：「你還有事情嗎？」

李光旭結結巴巴點頭，說：「之後各位的行動與安全，都由我負責……而我確實還有點事情，想拜託袁組長。因爲……剛才三位我都不敢開口。看您跟我年紀差不多，又都是男人，應該能了解。」

「喔？什麼事情呢？」

回答：「今天另外一位軍官休假，輪我執勤。上頭長官說，我們對你們四位負責。但是今天，我的女友開演唱會，除非您出門去而我當您的護衛，不然我不能離開這建築物。」

袁毓真傻笑了一下：「喔！我懂了！但是還有另外三人在這，這裡沒有軍官怎麼可以？」

李光旭笑著說：「這裡有我手下代理，不會有差錯，您知道……這制度與現實嘛……呵呵，總有差距。」說罷鞠躬點頭示意。

袁毓真呵呵一笑，問：「你的女友開演唱會？女明星嗎？是誰呢？」

李光旭微微一笑，說：「就是蕭蘭心。」

袁毓真吃了一驚，蕭蘭心是全國最紅，最美的女影星，同時也是女歌星，藝名夢與，無論身材相貌，只要看到了她，就不會再想看其他女星。不管影視界、媒體界、歌唱界，都把她譽為最完美的女人。之所以被稱為完美，原因是她與其他女星不同，沒有任何富家公子或有錢企業主，能見到她一面。同時她也學富五車，從歷史學、生物學、物理學無一不通，在媒體上言談如同大學問家。媒體報導說，除了她的經紀人趙仰德，可以在工作之外的白天時間，去她家談事情，沒有任何人可以進她家門口，除非工作需要，也很少出門。除了有八卦媒體在跟拍追蹤之外，沒有人能真正看到她廬山真面目。即非拍戲時間，絕不露出面貌。使得大眾對這位完美女人，產生極端的神秘感。只要有任何她的消息，全國媒體都絕不放過。

袁毓真甚少看娛樂影音，對大家耳熟能詳的女明星，大多都不認識，因為他認為這些都是有錢有勢者，包養的「寵物」。惟獨對蕭蘭心，卻不陌生，甚至有些好奇感。

這回換袁毓真結巴，睜大眼睛問：「她……她……她是你的女友？」

李光旭驕傲地點點頭。

袁毓真回過了神，說：「喔……你身材高大。長相也英俊帥氣的，能當她男友也不奇怪。你幾歲啊？」

李光旭回答：「二十五。」又問：「蔣小姐很漂亮啊，年齡也差不多，怎麼不請她去而要找我？」答道：「因為我不希望被人誤會，這是在任務當中勾引上級，所以請您幫忙！」

袁毓真拍他肩膀說：「好吧小老弟，我幫你一回，當作去看演唱會。不過你當我的司機，我們兩人同行即可，不能給其他人知道。而且我說該回來的時候，就得立刻回來。」

李光旭說：「沒問題！您說回來就回來。」

兩人同出研究大樓，驅車前往首都市區的演唱會場地，好不容易找到停車位，徒步走到露天演唱會場，李光旭竟然準備了兩張門票，可見是有備而來。

真是萬人空巷，熱鬧非凡，巨大音響轟鳴，五光四射奪目，還有歌迷潮組成的人形波浪，與組合看板寫著「我愛蘭心」「永懷蘭心」「我愛夢與」等等標語。兩人擠在人潮外，袁毓真見台上只是「前戲」，就已經瘋狂成如此德性，不知道等一下蕭蘭心出現，會有什麼場景。聲音轟響下，袁毓真跟李光旭說話，也只能在耳邊高喊。李光旭則興奮地，握拳融入熱鬧場景。

演唱台階是由鋼筋搭出來的高台，約有二十多公尺之高，觀眾只能遙望台上的偶像，但是遠觀卻看不清楚，只能用演唱台，周邊放大的螢幕，來一睹偶像的廬山真面目，及其歌唱的豐姿。除了後台佈景外，面對觀眾的三面，都是強化壓克力板斜坡，其坡度甚緩，即使從上滾下來也不會跌死，斜坡底下都是柵欄，防止觀眾失控衝上去。

忍受了將近半小時，終於聽到台上主持人說：「我們歡迎，全世界最完美的女人！歡迎男人最熱戀的女人！歡迎大家作夢都在思念的女人。夢與！」最後兩字更加重語氣地大喊著。

頓時間，音響霹靂，全場哄然，天空中同時出現，媒體雇用的直升飛行器，在空中交互盤旋俯拍。李光旭則哭了出來，全場以十萬計數的觀眾，各有表情，從哭、從笑、從瘋狂、從搖頭晃腦，甚至有人已經昏倒而緊急送醫。袁毓真只感覺被周邊的人，擠得汗流浹背，但是又怕被群眾衝散，只好喊著跟李光旭說：「等一下假設找不到我，就通隨身電話！到停車場那邊集合！」李光旭只點著頭，但是目光卻緊盯著台上。

蕭蘭心出現了，但只是遙遠的小人點，高倍數望遠鏡此起彼伏，但是高台上五光十射，望遠鏡也因此炫光，根本看不到真人。大家只能看著周圍放大的實況螢光幕，陶醉在她的相貌、身材與歌聲之中。

她唱著：「哪一天，午夜夢迴間，我的心在遙遠的銀河，那牛郎織女相望，而我的情人你在哪裡？」唱到這，李光旭喊著說：「在這裡！」袁毓真突然感覺奇怪，你李光旭不是她的男朋友嗎？怎麼反倒像歌迷而已？也許因爲女友在工作中，不方便接近……。況且聽說，她不願意她與男友的情形，曝光給媒體知道。

第二首歌，又伴著巨大音響唱出，音調更加地亢奮：「我的愛人，你在星辰，你我共同了脫凡俗。愛情的滋味總讓人陶醉。誰願意替我殉情？誰願意爲我而死？」這時候還不只李光旭，大家都在喊：「我願意！」

袁毓真昏頭了，心思：（什麼爛歌詞，連「死」都唱出來了！）

突然間，看到舞台的斜坡上，衝出一名男子往上爬，目標就是那夢與！舞台上有伴舞的男性，似乎對這種狀況不陌生，順著斜坡攔截衝上舞台的男子，兩人把男子抓到舞台底下去。但是才抓完一名，又出現第二人，第三人，甚至不只男人，連女性都有。只見台下有人往上衝，台上有人往下截，在斜坡上演出一場追逐戰。

這場斜坡追逐，舞台上的伴舞是否能攔截歌迷而保護夢與？趙仰德引誘歐美聯盟的計畫是否能成功？智慧四人組又是否能達成任務？欲知後事如何，且待下象分解。

第二象　舞台高潮歌迷難息激情戲
隔岸觀火緊急任務迫逼來

第一幕　水漫高台

話說藝名「夢與」的蕭蘭心，歌聲繚繞，底下不少觀眾衝上斜坡，直撲舞台。台上伴舞的男性充當保鏢，拼命攔截，在斜坡上演出一場追逐戰。但是畢竟是往上衝的人多，攔截的保鑣少。眼看著舞台快要被歌迷圍攻而失守，但是主辦單位早有計算，台上突然出現幾根大水管，頓時往斜坡下灑水，使得斜坡上追逐與攔截的兩方人馬，一同滑落到台底下。

同一時間，舞台上的夢與，卻更加地高聲唱出了第三首歌：「男人啊！你的心在何方，爲什麼離我遠去，你去何方？我心碎了，我夢碎了，愛情的傷痛勝鹽巴！」這「巴」字拉高了八調，高鳴且繚繞了全場。

袁毓真心思：（歌詞越來越爛，什麼叫做傷痛勝過鹽巴？唉，聽不下去了。）雖然不欣賞歌舞，不過從來沒看過演唱會，舞台斜坡上的笑話，讓袁毓真啼笑皆非，倒令他想繼續看下去。

李光旭含著淚喊著：「我沒有離妳遠去啊！」

夢與接著又唱出：「彼岸的仙女銀河，無盡地閃爍，伴隨著我的失落，站在今日的河洛，情人爲何不再含情脈脈？傷痛的鹽巴像聲波！」這「波」字又拉高調，全場觀眾又是搖頭晃腦，又是高聲伴唱。袁毓真心思：（這鹽巴還會像聲波？這比兩百五十年前的『次易原理』這本書，還要玄了……天啊……快受不了啦！）

台上「水漫金山」一般地瀑布，讓歌迷無法攻上舞台。但是你有張良計，我有過牆梯，不知道歌迷們從哪裡拿出來，可以伸縮的梯子。一下出現三副，架在有水滑過的斜坡上，約略數十人，沿著三路往上攀爬，如同古代的攻城之戰。台上的男保鑣，見狀立刻展開備案計畫，馬上兵分兩路，一路繼續拿水管不斷往下沖，另一路所幸滑到底下，攔截其他想沿梯子向上爬的人。頭一個爬上的歌迷還沒有看到夢與，便看到舞台上臨時天花板，自動滑出幾個圓球，圓球分成兩半，灑下乾冰與粉末，使得歌迷張不開眼睛。幾個保鑣就衝上去把他制服。上來一個制服一個，然後架著他們，往斜坡下滑。另一路的保鑣在舞台下，終於把梯子收拾掉，這兩回合，終於以舞台上方的保鑣，獲勝告終。

然而攻方不甘失敗，忽然天空中出現一男子，背著全新式的單座噴射背包，從十幾萬觀眾後方，往舞台方向飛去，右手持擴音器大喊：「夢與，我愛你！」左手還拿著一束鮮花。舞台上的保鑣不敢對空噴水，怕那男子因此從空中掉落，而造成人命傷亡，只好在夢與前面，建立一道人牆陣，等到男子空降到舞台上，人牆左右衝出兩壯漢，將其背包與所有道具解下，另一人扭著他從台邊上離開。那男人不過只瞄晃到夢與一眼，根本瞧不清楚，但被扭走時，卻大喊：「我看到夢與了！我看到夢與了！」

登城、雲梯、空降，都沒有辦法讓歌迷們對「夢與」獻花，歌迷隊伍只好拿出最後一招，在舞台底下忽然出現拋射道具，把鮮花捆成一束一束，用拋射道具往舞台上展開火力密集地砲擊，一時火力四射，舞臺上群花亂舞，保鑣們無法阻擋住，紛紛敗陣下來。正在此時，忽然所有音響停滯，所有螢幕關閉，大家都驚呆了，頓時全體沉靜下來，安靜得讓天空中媒體租用的飛行器，所發出之引擎聲音都顯得吵鬧。正當大家狐疑時，螢幕與音響又頓時展開。只見夢與出現在螢幕上，抱著大批的鮮花，對大家鞠躬說：「謝謝各位！謝謝大家！」舞台下又開始群起激昂。

又忍半小時，演唱會終於結束。

雖然此時是冬天，外頭有飄雪，袁毓真與李光旭卻都滿身大汗。回到車上。準備開車回郊外研究所。

袁毓真才說：「老弟，原來你早有準備，進來的時候兩張門票都準備好了。」

李光旭回答：「是啊！可是花了我半個月薪水，才買到的兩張門票，就等今天想辦法來這。另外一張本來是替我弟弟準備的，可惜他今天值班不能來。」

袁毓真皺著眉頭問：「夢與不是你的女友嗎？怎麼你還要花錢買門票？」

李光旭點頭說：「是我的女友啊！我常常跟她通電話，也時常用互聯網聊天。」追問：「你沒有回答我的問題，怎麼會需要花錢買票？」只好慚愧地說：「因爲我們還沒有見過面。」

袁毓真大吃一驚，發飆說：「什麼？沒有見過面的女友？那麼你今天純粹就是騙我出來，讓我看頭痛的演唱會？」李光旭臉紅耳赤，含著淚，點頭道歉說：「對不起，袁組長，我實在想要看一看女友的現況……才會這麼做的。」

「你還堅持她是你的女友？」

「真的是啊！不然怎麼有時間常通電話呢？」

「你確定說話的是夢與嗎？」

「我敢肯定！有視訊螢幕爲證。」

車子終於回到了郊外研究所。下了車，袁毓真大不高興，李光旭又道歉說：「對不起組長，希望這件事情不要告訴別人。」袁毓真搖手回答：「放心，我不是多嘴的人。但是你腦袋有毛病！」李光旭含淚地說：「對不起！我還有最後一個請求……」袁毓真皺眉說：「你有完沒完啊？」看到他含淚痛心，且他負責四人小組安全與行動，確實很辛苦，爲免之後任務因此出差錯，只好緩和一下說：「什麼請求，說吧！」李光旭從車上拿出一封信，說：「我苦戀夢與一年，聽說她的經紀人是趙仰德。而我在接受這次任務的時候，看到絕密資料，資料上說南十字星計畫，起始於趙仰德撿到的隕石。您是這次小組的核心人物之一，面子比較大，我希望您透過趙仰德，把這封信交到夢與的手上。事成之後，我願意替您做任何事情。」袁毓真頗爲訝異地說：「你不是能跟她通上電話？有事自己找她說。何必要我來轉交？」答道：「不知道爲什麼，夢與最近不肯接我的電話，用電腦過濾程式，自動把我擋在外頭，我有話不能說……」

袁毓真傻笑了半刻，收下信說：「帥哥！你去幫夢與做任何事吧！不需要幫我來做！只要任務的事情，你別失職就好。」他趕鞠躬彎腰，非常恭敬地說：「謝謝組長，絕不失職！絕不失職！」

第二幕　緊急事件

十二月十六日清晨，紫頂研究所的會議室。

趙谷川，三十歲，高級特務軍官，東瀛省人。對智慧四人組報告一項緊急事件。會議室前的螢幕，展開了衛星偵察的高解析度照片說：「這張是海底探測衛星，在五個小時前，凌晨三點所拍攝，海底有大量且異常的水流擾動。另外，我們潛伏在帛琉的情報人員，在兩天前就有回報，有爲數眾多的歐美聯盟海軍，活動於該海域。依照情報部門分析，帛琉東方海底，必定發生過海底的戰鬥。獲取南十字星計畫，引誘歐美聯盟先行動手的計策，已經初步實踐。元首大人一小時之前，聽此匯報後，就命令將此事告知四位組長。希望各位提出意見。」

楊恒萱問：「元首大人是希望我們提出行動的方案嗎？還是意見而已？」

趙谷川回答說：「抱歉，我沒有說清楚，是要行動方案。元首大人認爲，我軍方暫時不能採取行動，但是不代表四人組不能採取行動。希望我方的行動是，沒有政治的後遺症。而請四位研擬出一套，用最少的人，卻最有效的辦法。萬一南十字星怪物，不敵歐美聯盟的進攻，我們也能奪回南十字星怪物的各種新科技，尤其是隕石內部的透明碟狀體。」

賀嘉珍疑問：「假設有你說的這種『萬一』，那整個行動小組，也只有三百人，能夠闖進歐美聯盟的大部隊當中，搶回這種東西嗎？」

趙谷川答：「這三百人男女戰士，都是精銳部隊，是陸、海、空、宇四軍種最優秀的戰士。若採取非硬攻的其他辦法，都可以一擋百。」

袁毓真雙手枕在頭後方，倒在會議沙發椅背說：「這意思是用竊取嗎？這恐怕很難，我們這三百人，都是黑頭髮的東方臉孔，就算有優良特工裝備，歐美聯盟軍也不是軟蛋，不可能被滲透的。除非他們軍中，有我們收買的奸細。況且我不認爲，歐美老外打得過南十字星怪物。」

趙谷川說：「這只是預防萬一。不管誰勝誰敗，元首大人都希望能夠藉這種混亂局面，拿回原本屬於我們的東西。」

袁毓真說：「東西應該在怪物的海底基地，潛入談何容易？即使潛入，在不明怪物內部狀況下，變數就非常多。恐怕會犧牲不少。」

趙谷川笑著回答：「這不是問題，因爲今天早上，元首大人令我轉告各位：要不惜一切代價拿回來，以確保我國家利益。而且希望四位，『最少』能夠坐鎮帛琉指揮，『最好』能親自參予行動。」

此語一出，四人都是一怔。袁毓真心想：（之前猜的沒錯，果然這些權力人物，這麼優待我等平頭百姓，肯定是要我們吐血，準沒有白搭的。反正這『不惜一切代價』，當中的代價是我們出……。）沉靜了片刻。

袁毓真緩緩地說：「那麼我們開始，四士聯合作業，討論行動計畫吧……」

蔣婕妤說：「等一下，理論暫時別設得太早，因爲對目前戰局，以及海底基地內部的情況，都不清楚。先行設計恐怕還不是時候。」轉頭問趙谷川：「請問國家目前掌握的情報，就只有這些了嗎？」

回答道：「都在桌上，以及剛才螢幕放出來的這些了。」四人一聽，面面相覷。才這一點情報，就要「不惜一切代價」奪回，也未免來得太早。但是沒有人敢說一個「不」字。在智慧四人組名號「受封」的那天宴會中，四人就已經簽約，得到很多金錢與物質供應，且四人都記得合約中，內文中有一條：「不許中途退出，不許拒絕命令，必須盡一切所有，貢獻國家，否則願受法律最嚴厲之制裁。」

袁毓真緩緩說道：「好吧……我們明白了。」

楊恒萱問：「請問趙隊長，我們有權限使用的裝備有哪些？」

趙谷川說：「目前只有男女三百隊員，所有人的專長，都已經傳送電子信件給四位。」袁毓真抓了抓束起的漢式頭髮說：「這我們知道，幾天前我們就熟讀隊員簡歷了，現在的問題是，這任務肯定需要類似潛水艇、航空器、輕重武器等等軍方的裝備。我們能有的權限在哪裡？」

趙谷川已經看出四人表情都頗爲緊張，便笑著說：「各位放心，今天稍早元首大人有告訴我，各位可出動的人員雖然有限制，但是武器裝備方面，只要是國家有的，你們都可以調用。由我負責調集行動計畫中，所需要的一切裝備。有問題找我就是。」四人才放下心。

楊恒萱緩緩地說：「知道了，我們四人先從各方面的概念架構開始，資料擺著我們研究，趙隊長請先下去休息吧。等計畫完成，再請您作最後討論。然後送交元首大人定奪。」趙谷川點頭稱是，便走出會議室。

沉靜片刻。賀嘉珍以特有的女性理智及冷靜，緩緩說：「我敢肯定，我們這些人只是南十字星計畫的馬前卒，先遣探路用的棋子。不然不會在這麼缺乏情報的狀況下，就要我們立刻行動。」

袁毓真半身攤在桌上，說：「當然啦，我們只是棋子而已，難道會是下棋的人嗎？」蔣婕妤說：「別說這些了，開始討論吧……」

於是四人各自研究手中僅有資訊，然後攤開一張大紙，四士概念聯合操作。但是袁毓真執照是作弊而來，秀士執演變的水平很差，勉強應付而已。討論完成之後，楊恒萱問：「毓真老弟，你怎麼好像心不在焉呢？」

袁毓真傻笑了一下，強作鎮定回答：「我正在想讓搬救兵的事情。」蔣婕妤問：「救兵？是誰？」

「我的祖父！」

又問：「你祖父幾歲了？」

答道：「快九十啦！」

三人都笑了出來。

楊恒萱說：「現在不是開玩笑的時候，請你祖父安心養老，別驚動他老人家，不然你就是不孝孫子。」袁毓真繃緊表情說：「我這樣子像開玩笑嗎？我祖父可不是普通人，況且他又不需要參與行動，只需要借我一些東西用用。」

三人幾乎同時問：「什麼東西？」

回答：「可以保命以及完成計畫的法寶，呵。等計劃交出去，明天晚上到我房間，我給你們看看。」樣子頗神秘。又指著蔣婕妤說：「這些東西暫時不方便透漏給太多隊員知道，所以今天晚上希望蔣小姐到我家一趟，跟我一起找我祖父，幫忙搬寶貝吧！」然後又握著拳頭說：「把我當馬前卒？那就來一個傻卒立大功！」另外三人，伴著疑惑與期待，看著他說話。

第三幕　非主流思維學者

計畫交出去後，蔣婕妤與袁毓真，前往飛機場，一同乘坐軍方專用飛機來到浙江省。將隨從護衛留在機場等候，兩人乘車回到家中，已經午夜十二點。

但是袁毓真才剛敲門，他祖父不到兩秒鐘就立刻應門，但門卻也不全開，只露半扇。眼前出現一位披頭散白髮，嘴角都是白鬍子，身穿破爛衣，滿臉交錯皺紋的老頭子。

袁毓真叫了一聲：「爺爺！」

而老頭子看到袁毓真，與一個漂亮女孩回家，先是笑容滿面，發出怪異低沉的聲音問：「這女孩是誰？是你的情人嗎？辦結婚手續了沒有？」蔣婕妤聽了頗爲詫異，不由得臉上泛紅。

袁毓真傻笑著說：「爺爺，不是的。她還不是我的情人！我有打電話告訴過您，我現在幫元首大人做事，這位是我的同事。」

老頭子馬上繃緊臉孔，眼皮低垂說：「既然不是情人，更沒有結婚。那你回來幹什麼？滾回新河洛去。」於是馬上要關門。袁毓真趕緊雙手推著，不讓他關，急說：「等一下！我有事情要求爺爺！」老頭子才又半開門，說：「長話短說，到底什麼事？」袁毓真趕緊加快說話速度，急道：「因爲元首大人派我去執行危險任務，所以我希望能夠借幾樣寶貝最好是……是是……」

老頭子又要關門，急匆匆說：「路上沒有想好，就來找我說話，代表事情並不是很嚴重。你可以走了！」袁毓真又急忙推門，大喊：「等一下！事情非常嚴重！不然不會帶美女來給您看啊！」老頭子才又半開門說：「那就快點，你想借什麼寶貝？」

袁毓真喘口氣說：「怪鐵蛋！怪鐵棒！怪箱子！還有怪……」老頭子馬上碰一聲，關上門，只聽到裡面傳來他聲音說：「現在對我來說是關鍵時刻，這三樣就夠了，其他就別說了，我自己還要用呢！」

蔣婕妤被這對祖孫，弄傻眼了，緩緩說：「他……他真的是你親爺爺嗎？」

袁毓真傻笑著說：「是啊？哈哈，很奇怪喔？我是已經習慣了。」

蔣婕妤半閉眼睛，嘟著嘴又說：「但我敢肯定，其他人一定不習慣……包括我在內。」袁毓真說：「妳又不需要跟他生活，緊張什麼？」

此時老頭打開門，把一個兩公尺長大箱子拖了出來，上頭還擺著一公尺長的鐵蛋，還有一公尺半長的鐵棒。然後馬上回頭要關門，袁毓真急推門說：「怎麼又要關門，您不跟我多說幾句話嗎？」

老頭子回答：「你已經快二十八歲了，竟然一個女人都沒有碰過，我實在不想跟成年的處男孫子多說話！等你被女人玩『破身』之後，再來跟我聊天！」用力碰一聲，門又關上了。

袁毓真大喊：「你快九十歲啦！不怕死了沒人幫你收屍嗎？」裡面傳出老頭聲音大喊：「這你不用擔心，我跟隔壁鄰居有作法律公證簽約，他們每天都會來看我有沒有呼吸，假設呼吸停止，會有人收屍的！假設我先死，你還沒有被女人玩『破身』的話，就別來替我上香！」說罷，就怎麼叫都不回應了。

蔣婕妤從未見過這種怪人，下巴落了三公分，目瞪口呆。

袁毓真笑著說：「我祖父是出了名的怪人，實在對不起。呵呵，幫我一起抬箱子吧！」蔣婕妤緩過神說：「我從來沒有聽過，這麼奇怪的親子對白。」然後兩人各持一邊，緩緩把沉重的箱子，一段段抬上出租車，開往機場後，讓警衛人員扛上軍用飛機去，兩人才輕鬆了下來。

在飛機上，蔣婕妤不由得問袁毓真，：「這三樣東西，到底做什麼用的？」

袁毓真摸著要來的箱子說：「到時候會告訴妳的，總之都是我祖父發明，並親自製造的秘密武器。我小時候看過這些東西的試驗過程，還玩過一陣子。但是自從我成年之後，我祖父就說，成年處男孫，不要在家裡住，會帶來不好的命運。幫我弄一個秀士資格，然後轟到對面的房子住。我就沒有再玩過了。不過使用方法我還記得。」

蔣婕妤怪沉沉地笑著說：「呵，別在我面前提，你是處男的事情。我到現在還想不通，怎麼會有這種對白？」

袁毓真說：「可別小看我祖父，他是非主流的思維學者，兼理論實踐家。只是不合流於現實社會而已。我小時候，父母親以及祖母，三人都說過，說我還沒出生的時候，我們家有龐大遺產，而且家財萬貫，幾代人都花不完。但是就被祖父研究的這些怪東西，全部花光光了，之後我父母與祖母也都過世。唉……不提也罷。」蔣婕妤忽然低垂眼皮，表情怪異地小聲問：「你會不會是同性戀啊？」

袁毓真睜大眼忿忿地說：「胡扯！我才不是同性戀！我只是沒有女生要我而已。」蔣婕妤用手捂嘴，呵呵地笑。

說著聊著，飛機飛回首都，已經是凌晨四點。兩人回到研究室，洗完澡昏睡了一整天，直到第二天下午三點。

第四幕　飛天遁地鼠

十二月十七日，下午四點半，會議室四人小組。

楊恒萱說：「上回呈報上去的計畫，只擬定以帛琉旅館爲基地，但是元首大人對於我們四人只在島上監視，不潛入海底基地，頗有不滿，還對我說：『時代不同了，知識份子應當與戰士一樣，同入虎穴，爲國盡忠！決不可逡巡於後方！況且我已經派了三百精銳部隊保護你們，怪物的基地情況不明，推測必定有超過想像的科學技術，假設你們有知識的人，不在裡面掌握第一線情況，讓那些戰士怎麼應付？』今天晚上希望能夠重新定案下來，然後即刻出發。因爲時間不等待我們……唉，以爲韓信登臺拜帥，原來專諸淪爲鷹犬。」

賀嘉珍身穿緊身旗袍，垂髻髮型，沉穩地緩緩說：「當然啦，拿了四士執照，每個月都有國家無條件給付薪水，出現問題，能不強逼你上場嗎？」

蔣婕妤內心頗是恐慌，實際上她只是書香世家的小女孩，雖然成長過程中，非常地獨立自主，任何事情都勤奮不懈，一心向上而考到法士執照，但是對於冒險上場，雖好奇卻也有幾分膽怯。對著袁毓真說：「袁大哥，你向祖父拿來的三樣東西，真的有用嗎？」這一說，楊恒萱與賀嘉珍都轉眼看著袁毓真了。

袁毓真回答道：「放心，肯定有用。」於是拿出鐵棒，接著說：「這是直升飛機，航行力可以越過半個太平洋。」又指著鐵箱說：「這是萬能百寶箱，裡面的武器戰鬥力，可以抵得過十台陸軍戰車，以及兩台空軍最先進的戰鬥機。」另一隻手又抱起那一個大鐵蛋說：「這叫做液化戰鬥兵，戰鬥力可以抵得過兩百精銳突擊部隊，而且有高超的智能反應。」三人都不約而同，嘴巴落下三公分。

賀嘉珍搖搖頭說：「現在不是開玩笑的時候，這種冷笑話解決不了事情。」

袁毓真皺眉頭說：「誰說我在講笑話了？我可是很正經的！去海底基地，我就真的要帶這三樣東西去。」

賀嘉珍不想繼續跟他說下去，轉臉問楊恒萱說：「早上你不是找了一個本事高強的朋友嗎？能否現在引薦一下？」

楊恒萓說：「是啊，現在就在樓下會客室等我們。」

袁毓真不甘心被冷落，反問楊恒萓說：「能否在引薦之前，先介紹一下他的來歷？不然對於計劃與組織，怕有後續配合與默契上的衝突。」

楊恒萓遂在投影機，打出一張照片。螢幕上出現一個男人半身照，西式髮型，梳得油油亮亮，鷹勾鼻、招風耳、惡狼目、方塊臉、短薄唇。另外三人遂盯著螢幕看。

楊恒萓然後接著說：「此人名叫馮翰之，有三十項前科，但是每次坐牢都越獄成功。而事後自首，免去越獄死刑之責。他自己說，只要不判他死刑立刻執行，就沒有任何監獄可以關得了他，監獄對他來說，只是另外一個想去就去，想走就走的高級住宅。法院曾經把他關到海南外島，甚至西藏最偏遠的高山監獄，他都在三天內成功逃出來，而且方法都不一樣。因此得了『飛天遁地鼠』之外號。甚至有一次，在警察對其躲藏地方包圍，亂槍射擊中，他絲毫無損地奪下了警車，而成功僞裝警察逃走。警察卻被自己火力所中，傷亡三人。因此又得了『踩不死的蟑螂』的外號。另外，他每次犯案，都選擇防備最嚴密的國家保險庫來偷竊。屢屢得手，事後都會歸還三分之二，以免除死刑，一進監牢就逃出來。最後法律對他無可奈何，只有跟他妥協，給了他一個『逃跑專家』的職位，每個月給付予四士職位相同的薪水，才終於不偷東西了。他則自稱自己是『百變神通虎』。」

停了一會兒，又手指地上接著說：「現在他就在樓下。」

袁毓真問：「這種人雖然有本事，道德畢竟有瑕疵，一旦危險當頭，難免自己逃跑保命，而棄大家於不顧。我們有什麼方法，能夠保證他盡職呢？」

楊恒萱說：「我已經與他簽約，有法律作擔保的。只要這次任務我們平安回來，組織的行動費用，將給付他八十萬酬勞。」

袁毓真搖頭說：「剛才才說法律制伏不了他，這種擔保，恐怕……」

楊恒萱回答說：「這你放心，我早上已經告知元首大人，假設這次他拋棄大家自己逃回，就立刻對他下達『一級格殺令』。這是他最怕的。」

蔣婕妤說：「但是他也很會鑽法律漏洞，能否看一下簽約內容？」

楊恒萱遂拿出合約內容，交給另外三人。

袁毓真看完之後說：「原先的計畫，是我們四個人都要去，但是合約中，署名受負責的法定對象，是楊組長您。爲了怕他鑽法律漏洞，來了死無對證。我建議楊組長您，這次行動就別去了。」又看著賀嘉珍與蔣婕妤道：「妳們兩個都是女人，也別去冒險，乾脆四人小組由我當代表。我帶頭去！」

楊恒萱微笑而默不說話。賀嘉珍則看著楊恒萱，蔣婕妤卻說：「不行，我一定得去。元首大人不才說，知識份子要跟戰士一同親臨前線嗎？假設只有你一個去，那麼元首大人就會看扁我們四人小組。」

袁毓真笑著說：「可你是女孩子。」

蔣婕妤皺著眉頭，雙手插腰，說：「可你是處男呢！」這一把他底掀出來，使得他爲之一怔。

賀嘉珍笑著說：「別爭了，我看這樣吧。因爲楊組長是四人核心的領導，這裡又唯獨他有妻小家室，另外這位逃跑專家，還需要他來制約才成。我們的報告就以這三點理由，讓楊組長留守這裡，冒險的事情就讓我們三人帶隊吧。」蔣婕妤立刻舉手喊：「贊成！」袁毓真只好點頭說：「好吧。」

楊恒萱反有點不好意思，勉強笑著說：「那就這樣吧，但我也並不能閒著，我們隨時用強力衛星通訊，保持聯絡。並且我會多找些幫手。假設這位『踩不死的蟑螂』，有任何不受控制舉動，你就立刻通知我。這樣他就會投鼠忌器，全力支援你們。且我會做好後勤供應。」

計議已定，四人擬制出整個計劃表後，就到樓下介紹「逃跑專家」給所有男女隊員認識。

第五幕　使命第一！性命第二！

元首大人看了新的計畫，大加讚許。在晚上的宴會中，找來空軍大將軍錢勝煌，海軍大將軍林通貫，下達命令，準備隱蔽快速戰艦一艘，附屬潛水艇三艘，並給予全力的情報支援，務求使眾人順利潛入海底基地。

晚宴才剛結束，馬上就命令派專機，把所有參與計畫的人，全部飛送到港口的船上，並下達敕令，要求即刻出發。核心領導依次爲：賀嘉珍、袁毓真、蔣婕妤、戰鬥隊長趙谷川、副隊長李光旭等，共三百名男女突擊特務，另外帶著逃跑專家馮翰之。乘坐快速艦，頂著月光，往帛琉島東方海域，快速奔去。

船長室讓賀嘉珍、蔣婕妤住下，袁毓真在隔壁副船長室，因爲領導爲女性，所以門外有三個身手不凡的女性特務爲貼身護衛。然而賀嘉珍等三人無法安眠，在船上的會議室，與趙谷川、李光旭、馮翰之等人開會。

袁毓真正使力，一步一挪地，拖著鐵箱子等三件法寶，到會議室門口。忽見一個身高約在一米七五以上的美麗女子，她身材比例，除了在螢幕上見過的「夢與」之外，勝過任何女明星，身著紫衫開右襟，腰繫繡帶配手槍，紫巾纏髮垂細條，長褲綁腿短皮靴。胸前別有識別證，名喚姜麗媛，這服飾正是這次計畫中女隊員的制服裝扮。而她相貌若王嬙，顏如楚女，賽過文君薛濤。

姜麗媛說：「袁組長，要不要我幫你扛？」

袁毓真揮汗笑著說：「不必了，這東西很重，我都得拖著去，何況是妳這女孩子。」沒有想到姜麗媛往前跨一步，兩手一扛，包括鐵箱在內，上面擱著的鐵蛋與鐵棍都一同拾起，往樓下會議室走去。等一同到了會議室門口，往地上一擱，仍臉不紅氣不喘。袁毓真結結巴巴地說：「這……這位，妳……妳力量還真大……」門口站了另外兩個女隊員，都笑了起來。

兩名女子，識辨證上一名喚黃敏慧，另一個名喚何彩艷。黃敏慧相貌雖略輸給姜麗媛，但是身材與本事卻不在她之下。何彩艷則是氣質不俗的女子，袁毓真感覺她像極了賀嘉珍，但是長相與身材，卻又在賀嘉珍之上。衣著全都與姜麗媛一致，爲紫色緊身，開右襟的漢服。

何彩艷笑著說：「袁組長，你嚇一跳吧！這裡除了我是工程技術女兵之外，另外兩位都是武藝高強的年輕妹妹喔。無論槍枝射擊、各類武器使用、赤手空拳武打搏殺，都是軍隊中最優秀的。」

袁毓真呵呵傻笑了一下說：「打架都是一流喔？難怪力大無比，但是我從妳們的長相與身材看上去，不像呀！」

姜麗媛走上前，袁毓真聞道一陣淡香水味，她說：「很多事情，從外表上是看不出來的。我還曾經空手，一次打死五個身高比你高，力氣比你大的男人。」袁毓真看到她眼神突然轉成銳利，瞪大眼嚇了一跳說：「是喔……呵呵……真的看不出來……」轉身打開會議室門，想要進去，一不留神踢到鐵箱子，痛得袁毓真哀哀叫，三名女子都笑了出來。何彩艷笑著說：「從來沒有看過這麼蠢的領導！」黃敏慧搭腔笑著說：「呵呵，是啊，傻斃了。」

所有人都到齊。

袁毓真、蔣婕妤、趙谷川、李光旭、何彩艷、姜麗媛、黃敏慧各自入座。賀嘉珍則站在會議室前面，兩側都有落地窗戶，外頭還是黑壓壓平靜的海域一片，月亮高掛在空中。袁毓真心思：（假設沒有任務，這種情境還真是海上郵輪之旅，好浪漫啊！）眾人都就定位後，唯獨馮翰之，斜躺在會議桌旁邊的沙發上，嘴裡叼著一根菸，像是第三者，傲慢地看著賀嘉珍展開的計畫圖。

賀嘉珍列開圖表於螢幕上，先講述最新的情報，然後說明計畫：「趙隊長剛才告訴我，我們這快速艦船，還有八小時就到帛琉海域了。而情報部門剛才來訊，歐美艦隊在該海域傷亡慘重，有一部分官兵退往帛琉島駐防，而海空戰鬥仍然在繼續。看樣子，歐美軍隊也打不進怪物的基地，反而被怪物打退到陸地上。原先預計以帛琉島爲這次行動的指揮中心，必須要改變了。」

指著組織圖表說：「目前計畫改以這艘船爲指揮中心，兵分兩路，第一路爲海底探測隊，由我、馮先生、李光旭、趙隊長、何彩艷與戰鬥突擊隊、海軍潛艇隊員等，共一百人組成，先派遣無人海底探測器，靠近海底基地探勘海底的狀況。第二路由袁毓真、蔣婕妤共同指揮，姜麗媛、黃敏慧等其他兩百人，秘密登陸帛琉島，架設陸上的策應基地。等到第一路探測完成，定出座標系統，立刻派水陸用潛水艇，接應第二路隊伍，約定同時潛入怪物海底基地。行動綱要大致如此，各位有什麼問題嗎？」

李光旭問：「帛琉島上不是有歐美軍隊嗎？會答應讓我們建立陸上基地麼？」

賀嘉珍說：「不管他們答應不答應，我們都得駐防陸上。第一，帛琉不是他們的領土，他們能去我們也能往。第二，我國駐帛琉大使，已經告訴帛琉總統，若是帛琉給歐美軍隊借用，那麼我們探測海底之時，也可以借用。第三，據最新情報顯示，之前歐美聯盟與怪物的海戰很激烈，我不敢說這艘船，到底會不會受到攻擊。假設這艘船受傷害，至少也有一個穩固的地方可以轉移。」

李光旭又問：「萬一歐美軍隊不答應，要我們的繳械。我們該如何反應？」

賀嘉珍回答：「這元首大人有給了指示，必須據理力爭，倘若不行，撤到大使館內部建立基地。假設他們又阻擾，那就准許我們自己『臨機應變』。但是千萬別弄出政治事件出來。」

袁毓真問：「我們的目標是透明碟狀物，現在在哪裡？」

回答：「從情報部門給我的分析，目前仍然在海底基地。歐美軍隊既然還沒有撤走，代表他們的目標也沒有達到。」

袁毓真搖頭說：「這半年來怪物變成怎樣，都不清楚，所以歐美軍隊的目標不見得跟我們一樣，說不定是想要佔領整個海底基地。而他們動員那麼多軍隊，都沒有打下來，我們這三百人恐怕很難。」

趙谷川奮然說：「不能臨陣退卻！元首大人既然已經下令，要探清楚海底狀況，那我們就一定要執行命令。就算有危險，也得把探測的情報，傳回給我國的衛星知道。好讓政府能有下一波行動。」袁毓真心頭一怔，之前在紫頂研究猜測，這次是「馬前卒」的衝鋒行動，而今看到趙谷川激昂的表情，更使得袁毓真確信，自己被派到「敢死隊」裡面當領導了。

賀嘉珍拿出一封親筆敕令說：「這封信，是元首對這次行動所有人的命令，現在宣讀。」所有人趕緊起立，注視元首敕令。賀嘉珍看了馮翰之一眼。但他還半躺著吸菸，緩緩地說：「這是元首給你們的，我只是按合約僱傭來的專家，不必起立聽命。」

賀嘉珍皺眉冷冷地說：「但你還是中國人吧？國家領導人有親筆命令，你還敢躺著嗎？」馮翰之哈哈大笑，搖了搖頭，才按熄了菸，站了起來，擺著三七步，既微笑又不屑地看著敕令信。

賀嘉珍唸道：「奉炎黃列祖列宗，民族大義，國家憲法，之承運大統。今獲取南十字星計畫，以賀嘉珍、袁毓真、蔣婕妤三人所領導，共三百零四人，為民族之先驅，入海赴險。當義無反顧，旨在獲取南十字星，遺失之目標物。全體隨從隊員，當依照軍事法之組織架構，恪守紀律。若或有不服從命令、或有逡巡不前、或有貪生怕死、或有遺誤契機，而造成國家民族利益之損失。將受軍法之最嚴厲制裁！決不寬貸！授予賀嘉珍等三人，臨機決斷的一切特權，若尋找不得目標物，亦必須將海底基地內詳細情報，輸入衛星情報機器人，發回祖國。使命第一！性命第二！萬不可辜負國家對汝等知識份子之期待，否則亦將以最嚴厲法律之……」唸到這，賀嘉珍看了另外兩人一眼，壓頓語氣繼續唸：「之制裁！至此！」

袁毓真聽了睜大眼睛，為之大慟，心思：（什麼？使命第一！性命第二！我怎麼莫名其妙就變成炮灰了？）

至此二字唸完之後，賀嘉珍收回親筆敕令，緩和地道：「各位知道事情的嚴重了，所以各自繃緊神經，服從計畫，奮勇向前吧。」馮翰之哈哈大笑，說：「好兩個分別制裁方式！大家不拼命都不行了！」

又詳細把計畫與情報，再重複了一遍，才告散會。

散會後，袁毓真強作鎮定，拍了一下姜麗媛的肩膀說：「幫我把剛才三樣東西，再抬回我房間去。」姜麗媛皺眉怒道：「喂！袁組長，你欠揍啊？我當你這東西開會要用，結果抬上抬下，一點用都沒有！」袁毓真被她進門前的威勢唬住，嚇了一跳，說不出話來。

趙谷川說：「戰士二十三號，妳沒有聽到剛才元首的敕令嗎？我們若或有抗命，將受軍法制裁。從現在開始，就用妳在軍隊服從領導的態度，來服從這三位領導吧！」

姜麗媛哼了一聲，才對袁毓真行軍方抱拳禮，說了句：「遵命，袁組長。」

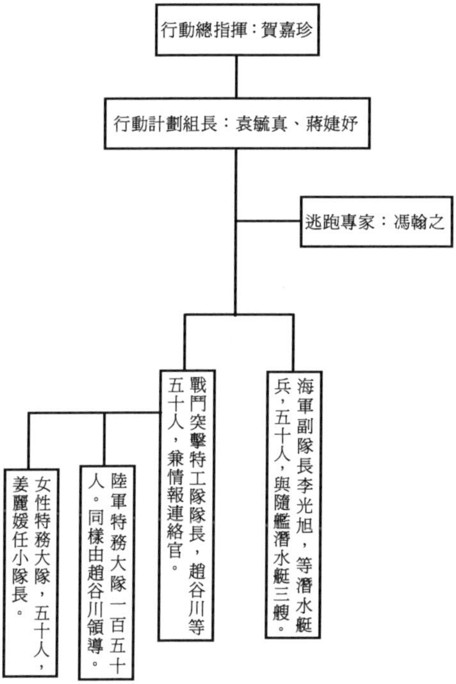

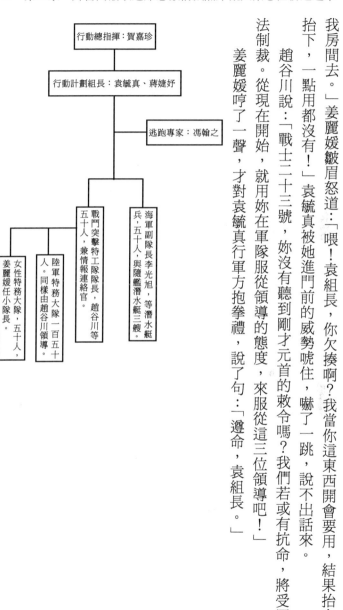

行動總指揮：賀嘉珍
行動計劃組長：袁毓真、蔣婕妤
逃跑專家：馮翰之
海軍副隊長李光旭，等潛水艇兵，五十人，與隨艦潛水艇三艘。
戰鬥突擊特工隊隊長，趙谷川等五十人，兼情報連絡官。
陸軍特務大隊一百五十人。同樣由趙谷川領導。
女性特務大隊，五十人，姜麗媛任小隊長。

李光旭那封情書真的能交到夢與手上嗎？本事高強，有備而來的「飛天遁地鼠」馮翰之，在任務中將有什麼驚人之舉？賀嘉珍等三人，又將怎麼面對如此情報不明卻又急切的任務？欲知後事如何，且待下象分解。

第三象 帛琉衝突第二大隊顯神勇 海底冒險詭異空間求脫身

第一幕 馬前卒的心情

回到了房門內，袁毓真泡了個熱水澡，換上緊身漢服與短褲，躺回床上。但心裡仍然忐忑不安，手摸著三樣寶物，眼睛盯著牆上的鐘，無法平復入眠。

只好走出船艙，到甲板船頭上，吹風乘涼。遠離都市的海上，天空星辰密佈，銀河從正頂上流盪而過，月光皎潔，海面風平浪靜，快速艦很平穩地向前進，沒有搖晃之狀。

袁毓真手扶著欄杆，頂著風，看著天上的銀河，心思：（我怎麼就這樣被綁在戰車前頭衝鋒陷陣了？這南十字星計畫，肯定還有其他組織成員，而我們只是第一波衝沙灘的馬前卒而已。）握緊拳頭，哼了一聲，轉思：（我不是英雄烈士，才不願意這樣壯烈成仁。我得想辦法，在這次行動中，保護我自己才行。但是國家元首的命令是這樣，不能不服從啊……不然就算自己逃回，馬上也會被判刑，敕令上的「最嚴厲制裁」，不就是死刑嗎？爲之奈何？）無意之間開始摸著自己的下巴，凝望天際。又思：（那三樣寶物，威力雖然很大，功能也檢查過了，但是現在面對的敵人，畢竟是比人類還要厲害的生物。我必須讓寶物保護我自己就好。去他媽的『使命第一！性命第二！』）

忽然背後有一隻手，拍了一下他的肩膀，袁毓真嚇了一跳，回過頭看原來是李光旭。袁毓真皺眉說道：「喂，你不出聲就從我背後出現，嚇到我了！」

李光旭趕緊彎躬抱拳，陪笑臉說：「對不起，袁組長。實在抱歉！」

袁毓真揮揮手說：「算了，有什麼事情快說，我正在思考任務怎麼完成呢！」

他輕聲地問：「請問組長，上次那一封信……是不是已經？」

袁毓真往後晃了一下頭，笑著道：「現在什麼時候了？你還想著，給女大明星的一封信啊？」

「沒有辦法，這是我現在唯一的心願啊！」

「我已經用我的名義寄信給趙仰德，隨封附加了你的信。說明請他把你的信，轉交給夢與大明星。不過我先說好，人家如果不理睬，我可也沒辦法啊！」

李光旭鞠躬笑著說：「沒有關係，您能這樣幫我，我就滿意了！感謝組長！」袁毓真揮手道：「你可以走了，我還要思考問題。」李光旭點頭稱是，趕緊退下。

袁毓真抓著綁束起來的古代漢式頭髮，哼了一聲說：「思緒都被這個大情聖給搞亂了！你不怕死，我可怕死！」天空的銀河，很快地又讓袁毓真回過精神於思考狀態。

（置之死地而後生？不成，這是對情況都了解的大局下，才可以使用這種險步，風險才會是最低。）（增強防衛，隨時注意逃跑的機會？這得獲得足夠交差的情報，或是得到某些怪物的有科學價值之物品，才可以逃跑。但還是得跟怪物交手……）（況且還有歐美聯軍的部隊在，假設被歐美聯軍抓了，還不一樣會讓元首大人大失所望？況且一登陸，就有可能先跟他們打起來！我相信鬧出政治事件也比任務失敗，罪責還要輕得多。所以登陸帛琉後，假設歐美人來找碴，我就下令開火。但是三樣法寶必須在進入海底基地後，拿來當作保命用的。）（但是東西很重，沒有戰鬥最好，假設遇到戰鬥，必須讓姜麗媛外加一個人，來保護法寶。）（總之保命之道，主力放在對付怪物，次要力量來對付歐美人。只要得到任何一件科學中有價值的東西，我就立刻想辦法撤退，保住自己性命。）

思慮已定，就安了心，回艙房內小睡片刻。

第二幕　馬前卒的拼殺

啓易二年，十二月十八日，早上十點。

按照原訂計畫，袁毓真、蔣婕妤，帶領著兩百人，從戰艦上乘坐登陸艇衝向帛琉。袁毓真一手抱著鐵蛋，另一手拿著鐵棒，姜麗媛扛著鐵箱，包含蔣婕妤等其他人，都全副武裝上岸，卸下各式武器以及裝備於沙灘上，已經是正午十點。整隊向帛琉的中國大使館出發，陸軍特務大隊副隊長梁大成，看著姜麗媛這麼辛苦，就對袁毓真說：「報告組長，不如那個鐵箱讓我來搬吧！」

袁毓真還沒有回話，姜麗媛皺著眉頭說：「不必啦！這東西以後都是我搬了，免得袁組長說我抗命，判我死刑！」袁毓真笑著說：「我沒有這樣說啊，妳不想搬的話，就交給梁副隊長搬吧。他比我憐香惜玉，呵呵。」

梁大成說：「我妻子就在這次行動中，我哪來什麼憐香惜玉啊？」

袁毓真問：「你妻子是誰？」答道：「就是被指派為賀嘉珍總指揮的女衛兵，何彩艷。」袁毓真笑著說：「她現在還在船艦上面，你不用怕。大可多對女孩們施展關愛。」

姜麗媛扛著箱，流著汗說：「人家可是忠貞又恩愛的夫妻，誰像你袁組長啊？花心大少爺一個！」

蔣婕妤哈哈一笑說：「這妳姜小姐就大錯特錯了，袁組長是一個女人都沒有碰過的處男！」

姜麗媛等幾名女兵，都為之大吃一驚，相互竊竊私語。袁毓真臉紅耳赤，怒罵道：「蔣小姐，妳怎麼每次都喜歡在公開場合中胡說八道！」

女孩們卻不理會他發火，各自繼續討論。姜麗媛疑問：「妳怎麼知道他是處男啊？」蔣婕妤笑著說：「這是我親耳聽他爺爺說的，呵呵呵！」然後又繼續小圈子討論。袁毓真說：「這個無聊的問題，請以後再談！現在要打仗啦！忘記元首大人的敕令了嗎？『使命第一，性命第二』喔！」眾人才安靜了下來。心思：（唉，我不是軍人，戴了這個斯文的眼鏡，罵人都沒有威嚴。）

正在行進前往大使館時，忽然前面冒出一彪人馬全副武裝，伴隨幾台戰車，以及數架陸軍用低空飛行器，攔住了袁毓真等人的去路。原來是歐美聯軍的駐紮部隊。眾人停了下來，為首的一名軍官乘車來到跟前，站起來用英文喊東喊西。

袁毓真不懂，回頭問：「你們當中誰懂英文。」

梁大成站出來說：「交給我去交涉！」袁毓真點點頭。

梁大成走上前去，機哩瓜拉和他說了半天，樣子似乎都很不高興。

梁大成回頭對袁毓真說：「他說我們擅闖歐美聯軍的禁區，必須立刻繳械。」袁毓真怒火中燒，用鐵棒指著那軍官說：「告訴這個洋鬼子，死老外，我們不可能繳械！我國政府已經跟帛琉國總統說過了，他們已經允許讓軍隊，進入我中國自己的大使館！要他們立刻讓路給我們過去！」又基哩瓜拉起來。

梁大成又回頭說：「他們不肯，歐美聯盟政府，已經在新聞公佈，帛琉周圍已經是歐美聯軍的管制區，不准任何其他國軍隊進入，我們只有繳械，不然視同開戰。」

袁毓真說：「告訴他，我們是保護大使館的衛隊，不是軍隊！」梁大成又回頭積李瓜喇。但是回頭得到的答案是：「他說我們人數太多，不像是衛隊。立刻得繳械，他們會安全遣返我們。」

袁毓真忍不住了，大罵說：「去他的遣返！告訴他。我們不是要攻擊他們，但是必需讓路。假設再不讓路，我們就要開火啦！造成兩國交戰或世界大戰，責任由他負責。」梁大成遂又基哩瓜拉。結果那個洋軍官趕快坐車回去。眾人一陣歡呼，以為嚇退洋兵洋將。但是卻發現前方攔路的軍隊越來越多。

袁毓真問梁大成：「怎麼他們不讓路？」

梁大成說：「我也不知道，看樣子他們是回報了上級，不肯退兵了。」

蔣婕妤問袁毓真：「現在該怎麼辦？要不要打電話回國問清楚？」

袁毓真心思：（馬前卒的最佳規則，就是要明白上意。而這些權力者與政客，心態是很複雜的。假設我避免了戰鬥，但是卻造成任務失敗，那麼一切責任都要我來承擔，他們卻安心地說「避免了一場戰爭」，而我反成了卑躬屈膝的洋奴才了。況且現在的元首大人，是一個貪念很重的人，會幫主人咬人的狗，就算咬錯，不過打幾下。不會幫主人咬人的狗，可能就會被宰來吃了。至於寵物狗，以我長相，還沒這麼可愛。）

袁毓真便搖頭說：「任務時間緊迫，沒有閒功夫搞外交！梁大成！」梁大成點頭稱在。「向對方喊話，馬上給我讓路，否則我們立刻開火。」梁大成遂依話大喊，結果引來對方一陣戒備。

袁毓真便趴下，大喊：「找掩護！戰鬥隊形！我們要按標準時間打到大使館！」眾男女戰士，遂各找掩護，全面戒備。袁毓真第一次面臨這種狀況，緊張地把原來內心計畫給忘了，立刻抱著鐵蛋，準備若有支撐不住，就按下啓動鈕。後面突然有一個士兵，向歐美聯軍開了幾槍，引發一場激烈的交火。蔣婕妤雖然也穿著防彈衣與頭盔，卻緊抱著姜麗媛不放，一同趴下。

對方低空飛行器突擊過來，投擲兩顆炸彈，使得我方被炸死五名男性戰士。梁大成拿起肩射飛彈，對空射擊，立刻把飛行器打下來。並且所有戰士把拋射導彈，全部依次發射，歐美聯軍車輛與部隊，被炸得東倒西歪。

梁大成大喊：「第一小隊，向前突擊！」馬上有三十名戰士跳出石頭掩體，往前衝鋒射擊，後面狙擊手全面掩護。姜麗媛放下鐵箱子，與黃敏慧使了個眼色，兩人持槍左右交叉，跟著梁大成衝鋒過去。袁毓真大喊：「女孩子別衝過去！」但是她們卻似乎沒有聽到，蔣婕妤只好爬著躲到袁毓真身旁，緊抓不放。

一下就把對面攔截的部隊，打得落花流水，接著大家全都往前衝。梁大成左右指揮，一下一台車轟掉，一下架飛行器又被打下來。而其他隊員掃蕩對方的狙擊部隊。就這樣邊走邊打，打垮一百多名歐美士兵，以及諸多戰鬥武器。正當快到大使館的時候，梁大成回頭問姜麗媛：「兩位組長呢？」姜麗媛說：「沒有跟上來，可能還在原地！」梁大成說：「妳立刻回去把他們拉過來！對面可能還有援軍！」姜麗媛點頭道：「遵命！」然後持槍快跑，奔如閃電。回到原來地方，看見袁毓真與蔣婕妤，縮在鐵箱子後面，都在發抖。姜麗媛用槍，輕輕敲了一下袁毓真腦袋說：「報告袁組長，敵人已經肅清啦！要躲就躲在大使館，不然敵人可能有援軍。」袁毓真緩過了神，摸了摸胸口說：「我還活著嗎？」然後站起來，長喘一口氣。蔣婕妤抱著姜麗媛，哭了出來。

看到她哭了，袁毓真只好說：「對不起，都是我的錯。」姜麗媛搖頭說：「你沒有錯，反而做的對！剛才我才心想，你袁組長假設敢對老外讓步，我回去肯定把你這軟蛋，打得鼻青臉腫！」

他指著滿地屍體說：「可是這……」姜麗媛說：「假設怕死，那就別當軍人！假設領導不想死人，乾脆別派我們來！既然要派我們來！還管那麼多幹麻？」

袁毓真又喘口氣，點頭說：「你說的非常對！」姜麗媛一手扛起鐵箱，一手持槍，帶著兩人往大使館，奔跑而去。

眾人進了大使館，梁大成清點了人頭，報告說：「袁組長，原有男性隊員一百九十名，女性隊員十名。剛才一戰，陣亡男性隊員十五名，重傷十名，而女性隊員重傷一名。」袁毓真傻了，第一次有人因爲他的意念而死亡，頗是感傷。忽然鐵蛋與鐵棒掉落地上，砸到自己的腳。「哇！好痛啊。」引來大家一陣淺笑。

蔣婕妤哭著說：「別笑了……有人死很好笑嗎？」眾人安靜下來。

姜麗媛對蔣婕妤說：「報告組長，我們是軍人，死亡對我們執行任務來說，是無法避免的喔。哪怕演習，都可能死人，何況真槍實彈？」蔣婕妤卻抱著她，繼續哭了出來。

忽然來了一個穿漢服的中年男子，後面跟著幾個黑皮膚的帛琉女子。走道袁毓真這邊作揖說：「我是這裡的中國大使，王聞。這位是袁秀士吧？」

袁毓真點點頭，反禮後說：「是的，請王先生幫忙照顧我們的受傷人員。我們等一下還有任務要辦！」

王聞卻忽然作色說：「沒問題……但是你剛才怎麼不先跟我通個電話，讓我去跟他們交涉，卻自行下令打起來啦？剛才行宰大人還來電話，要我出面解決哩！你這樣做，後果嚴重了！」頗有責備袁毓真的樣子。

袁毓真看到他的官架，冷笑了一下：「行宰閃邊去！這次任務是元首大人親自給我的命令，你管得著嗎？」

王聞怒道：「你這個秀士！懂規矩嗎？拿元首大人壓我，拿雞毛當令箭嗎？連行宰大人你都敢罵啊？要是惹起戰爭，你擔得起嗎？」袁毓真更怒，又罵：「我不過秀士，你也不過是大使，擔誤我們任務，你又擔得起嗎？」

王聞怒指大罵：「你造反啦？秀士能管誰……」正當他想繼續罵下去，忽然梁大成掏出手槍，頂住王聞的腦袋，另一隻手抓起他胸前衣襟，大聲說：「袁秀士能管我手上的槍！我們就是造你的反，你能怎樣？」王聞嚇了一跳。黑膚的帛琉女子也都嚇得後退數步。

梁大成轉頭問袁毓真：「袁組長，你只要點頭，我馬上把他槍斃，上頭問下來，我們就推說，他是被流彈打死的。大家都可以做證！」後面所有男女戰士，都紛紛說：「沒錯，他是被流彈打死的！」

王聞嚇得要死，說：「不不，我剛才開玩笑的。你們別這麼衝動……」轉頭又笑著問袁毓真說：「袁組長，剛才對不起，你的任務我一定全力配合！我馬上命令大使館所有人，幫忙照顧傷員。任務要緊，別讓意氣之爭耽誤。」

袁毓真其實內心也真怕王聞捅出去，趕緊見好就收，遇到臺階立刻下。遂說：「梁隊長，算了，就別計較啦。我們還有任務，需要王大使幫忙！」梁大成遂放下槍並對他說：「還不趕快幫忙？」王聞趕緊說：「我立刻去安排床位與醫藥。」

忽然袁毓真身上通訊錶響了三聲，賀嘉珍發來登船暗號，袁毓真說：「王大使，等一下！」王聞一聽，馬上回頭注視，如見長官。袁毓真繼續說：「等一下歐美軍一定包圍這裡，我留守五十名戰鬥隊員，以及傷員在這。你就以大使身份去交涉，說是誤會。而我們馬上要出發了！」王聞說：「好的好的，交涉我擅長！」

袁毓真回頭說：「所有女性隊員，以及第三小隊男戰士留守，在這架設連絡站與供應基地，由姜麗媛帶領。」姜麗媛說：「不，我要跟著去執行任務！讓梁副隊長留守！」梁大成說：「這是命令，妳別瞎扯！」蔣婕妤說：「讓姜麗媛還有黃敏慧保護我去吧！我得跟著去海底，這是元首大人的命令。」

袁毓真點頭，重新下令說：「好吧，妳們跟著去！讓第三小隊長帶頭留守，建立安全基地。並且保護傷員與其他女隊員。」

於是大家分頭進行，眾人跟著衝出大使館外，快速整隊，向潛水艇預訂地點奔去。說也奇怪，一路上的歐美軍隊全部不見了。

第三幕　海底驚慌

「賀組長嗎？我是袁毓真，我到預定地點了，情況怎麼樣？潛水艇到了沒有？」持著移動電話緊張地問。

回答：「已經派過去了，目前海底沒有任何戰鬥物體。我們得快點突入海底基地，因為衛星情報說，有大量的歐美潛水艇與水下戰鬥機，在靠近海底基地當中。」說完，還真的配合緊湊，海灘上出現水陸兩用潛水艇。眾人登上之後，潛入水底，與其他兩艘潛艇會合。

潛水艇很窄，一百多人擠在船上。正當大家繃緊神經之時，忽然駕駛潛艇的士兵說：「報告袁組長，李光旭隊長說，海底出現大量的海星怪物，與他之前發現是一樣的。」

袁毓真問：「賀組長知道了嗎？」答道：「她說放出小型的誘餌潛水艇，主力潛艇仍然齊頭並進，突入海底基地！但是李隊長想問你的意見！」

袁毓真心思：（賀嘉珍這女人瘋了！不知道以前海星怪，打沉過潛水艇嗎？不過現在也已經箭在弦上，後悔也難。不然就是逡巡不前之罪……就算要死，也有那麼多人陪我一起死！）便說：「我的意見跟賀嘉珍一樣，就往前衝，按照原突入計畫。」說完雙眼緊閉，心中暗暗祈禱。所有隊員也都緊張萬分，雖然潛水艇空調適當，卻都汗流滿面。

誘餌潛水艇，果然引開了海星怪。而三艘潛水艇，沿著海底，加足馬力往前衝，前面的鑽頭，各自鑽開基地牆壁，半身闖了進去。鑽開時，轟隆一聲，大家在潛水艇內東倒西歪，等爬起來後，前面水兵說：「鑽進去了！正在打開前方突入攝影機！」眾人歡聲雷動。

須臾，水兵又說：「攝影機偵測結果，裡面有氧氣，各項安全係數合格，可以展開突入工作！」

袁毓真感覺這未免太簡單了，但不管怎樣，過了最危險的一關，心中大石丟了一半。便下令全體突入。三艘潛艇的眾人，各自魚貫從艙門進海底基地，所有人都大吃一驚。眼前出現一個廣闊的空間，像是停機坪，頂上的建築不像是鋼鐵製造，似乎是有韌性的纖維組成，而且會自動發出螢光，使得大廳出現泛青黃的光芒，照亮空間。

馮翰之與眾人的目光不一向，回過頭，用手摸了摸才突破的牆壁，大喊一聲：「大家注意！這牆壁是活性的！現在正在自動補牆。」眾人全都回過頭，圍著潛水艇，看見牆壁確實在蠕動，不斷擠壓堅硬的潛水艇鋼鐵。一時鼓譟了起來。

趙谷川走到另一邊，喊道：「別吵！所有人列隊集合！面對我排成五列！」除了袁毓真、馮翰之、賀嘉珍、蔣婕妤四人，其他男女官兵都依隊長命令，集合於一處。

袁毓真說：「我聽到鋼鐵的擠壓聲了，假設現在不回去，潛水艇可能都會被擠壞掉！」

賀嘉珍思索了一下，走到隊伍前說：「現在分兩路，由李光旭帶領水兵隊，全部回到潛水艇中待命。等我們離開這個大廳，就下令你們把潛水艇開走。利用海底地形躲起來！等待我使用衛星通訊的暗號，你們就再來突破一次。把我們接走。盡量避免與海中任何武力戰鬥！」李光旭遂出列，指揮水兵隊各自回潛水艇。其他人，則由賀嘉珍等指揮，一路縱隊往裡面走去。潛水艇開走後，忽然後面的士兵大喊：「海水灌進來啦！」眾人一回頭，果然大水奔騰而入，眾人紛紛往內狂奔。

大廳前方有一個半圓型門狀物，但是有纖維封閉。袁毓真最早奔到此處，用力使鐵棒敲打半圓，結果纖維自動打開。回頭大喊道：「這有門，大家快進來！」眾人失去隊形，爭先恐後，拼命往門口擠進去。袁毓真反倒擠不進去了，被推在最後面，吃了一大堆海水，眼看快被捲走了。姜麗媛也在人群後面，一手扛箱子，另一手抓住袁毓真的頭髮，就往裡面擠，終於趕上末班車，擠了進去。而半圓形的門，自動關閉隔艙，牆壁的纖維自動開始吸水。

眾人才稍安，袁毓真用力閉眼睛，緊抱鐵蛋與鐵棒大罵：「剛才誰把我推出去的？害我差點被海水捲走！我找到門口救大家，結果大家卻要把我推到海裡！有良心嗎？」

裡面的空間也很大，是一個大半圓的穹廬。梁大成以副隊長身分，站出來喊：「所有隊員集合，面對我排成五列！」眾男女兵又各自集合。趙谷川有點尷尬，不知道自己該不該入列，剛才自己也嚇得半死，用力往前擠，想到其實就是自己把袁毓真推出去的，深怕被怪罪，左右晃了一個眼神。趕緊隨著梁大成，走到隊伍面前，跟著罵說：「你們這些少爺兵！還有姑娘兵！越來越不守紀律，竟然把長官推出去！難道忘記部隊訓練，如何採取撤退快走隊形嗎？」心思：（法不罰眾，罵一罵替袁毓真順順氣，就沒事了。）

梁大成接著說：「要搞清楚，各位是軍隊中的精銳特務部隊！如此貪生怕死，就可以軍法從事。假設還有下次這麼混亂，就立刻槍斃！」

袁毓真走到隊伍前面，反而有點緊張，因爲自己根本不是軍人，從來也沒有指揮過任何一個人。結結巴巴罵道：「去他的……去他的李光旭！沒有收到訊息，就馬上把潛水艇開走！想要大家死啊！趙隊長！」

趙谷川嚇了一跳，怕袁毓真認出是自己推他出去的。趕緊立正答：「在！」袁毓真說：「回去之後提醒我，一定要報告上級，治他李光旭的糊塗罪！」趙谷川認真地答道：「是的，一定報告！」馮翰之在旁邊竊笑不已。

蔣婕妤緩緩地說：「好了，別指責人了，現在想辦法完成任務吧！」

賀嘉珍、袁毓真、蔣婕妤、趙谷川與馮翰之，遂在半圓型纖維發光體內，四散找門。而梁大成仍盯著眾男女一百八十多名士兵，列隊站好。

正愁找不到門的時候，忽然半圓體大空間，發光變色，眾人爲之大驚。

第四幕　被踩死的蟑螂

發光後的半圓大空間，在周圍牆角冒出相鄰的四個半圓門。這些活性纖維架構的海底空間，似乎就是用這種半圓門，相互連通的。對此情境，大家又有股騷動。

趙谷川回頭對男女士兵說：「都不准動，讓長官先！」眾人又立正站好。

賀嘉珍問袁毓真：「你認為該走哪一個門？」

袁毓真滿身冰冷海水，隨便找了一個說：「我認為都可以，只要沒有海水就好。」正要選最左邊一個進去時，馮翰之跨前兩步，抓了他的肩膀衣角，把他拉了回來。袁毓真正感覺奇怪，馮翰之瞪大眼睛，露出兇樣說：「你打算死啊！」

袁毓真疑問：「什麼意思？」

馮翰之脫去外衣，捲了起來，往剛才袁毓真想進的房門，扔了進去。結果那外衣頓時著火，四個門洞都黑鴉鴉的，所以著火特別醒目，最後掉落於地，變成灰燼。不只袁毓真，所有人見了，都大驚失色。袁毓真內心直呼好險，還對馮翰之頗為佩服。

馮翰之回頭對所有人，大聲說道：「各位看見啦！我們現在來的是什麼詭異之地。從現在開始，由我來發號施令，你們自己跟著我背後走。假設不聽我的，我當然不會有什麼制裁，但是像剛才那件衣服，發生意外，我可不會回頭救各位啊！」眾人都被他所折服。

袁毓真慚愧地笑了笑說：「果然是逃跑專家，佩服，佩服。」

馮翰之微笑後，並指了他一下說：「請叫我『百變神通虎』！」袁毓真頻點著頭。眾人的目光，全部轉到馮翰之身上。

馮翰之走了過去，看了看中間兩個半圓門，皺眉頭說：「這兩門都有危險，壓力、溼度都不正常。」最後走到最右邊那個門說：「這個門才可以進去。」

邊往前走，邊側身回頭，微笑著說：「各位自己跟緊，假設跟丟了，動作太慢，或迷迷糊糊弄不清楚狀況，我決不責怪，但是後果自行負責！」

趙谷川遂回頭說：「隊形解散，各自跟著專家背後走！」所有人便三三兩兩走了過去。袁毓真頗爲失落，正準備進門。

忽然聽聞一聲，拉長八調的慘叫：「啊！」

眾人同時大驚失色，還沒搞清楚怎麼回事，馮翰之從門口搖搖晃晃爬出來，倒在地上，胸口大量冒血，且還冒著煙，似乎是被特殊的激光武器所擊中。

趙谷川大喊：「醫護兵！快點過來！」於是兩名女性士兵，拿著急救裝備，衝上來開始施救，不到十秒鐘，一名女兵看著趙谷川說：「沒有辦法，打中大動脈，他死了。」然後用手闔上，他因驚嚇而無法瞑目的雙眼。

梁大成呆著目光，看了屍體，又望著大家，大聲說：「什麼？我有沒有看錯？逃跑專家就這樣死啦？」眾人不禁面面相覷，目瞪口呆。

趙谷川走上前去，在馮翰之身上搜出一堆奇奇怪怪，從未見過的金屬工具，都是他隨身的法寶，然後說：「哼！什麼踩不死的蟑螂，現在變成死蟑螂了。」

袁毓真也走過來，嘆了口氣，用鐵棒指著死掉的馮翰之，狠狠地說：「我還指望你給我帶路呢！」搖搖頭：「呸！」了一口，繼續說：「什麼『百變神通虎』、『飛天遁地鼠』？哼！浪得虛名！」

賀嘉珍對袁毓真說：「好了，現在不是情緒的時候，至少剛才他還拉了你一把，現在問題是誰來探路？」大家沒有人敢回應，連聲名大譟，政府都無可奈何的專家，沒有幾秒鐘的探路光景，就已經變成死屍，怪物的機關房門這麼厲害，誰還敢帶頭進門？

趙谷川看著士兵們說：「先鋒偵查小隊，立刻出來！」結果姜麗媛放下鐵箱，與黃敏慧，還有十名男性士兵站了出來。趙谷川指著男士兵說：「你們像剛才一樣，先用衣服丟進去探路！假設安全，你們就得帶頭進去，誰都不可以退縮。否則軍法從事！」

蔣婕妤走上來，罵趙谷川說：「你沒有看到隊伍裡面，有女孩子啊！叫女孩子當先鋒，你還是不是男人？」

趙谷川笑著回答：「報告組長，這是出發前的任務編隊，沒有辦法。冒險碰死的事情，當然是男生先去，女生在中間，長官們殿後，請放心。」

兩名男性士兵，脫下了身上的防彈背心，各自往另外兩門丟進去，結果都安全沒事。其中一名男士兵小心翼翼往前其中一個門進去，又聽到一聲慘叫「哇！」奔逃了出來，全身被腐蝕溶劑包住。梁大成大喊：「醫護兵！」兩名女兵又上去噴灑弱鹼性藥粉以挽救，結果全身被吞蝕不成人形，顯然沒有救了。

另一個士兵嚇得哇哇大叫，根本不敢上前，趙谷川對他說：「三個門都危險，代表這一個安全，進去探路然後回報！」

士兵看著兩具屍體，死命搖頭說：「我情願被軍法審判，也不要這樣慘死！」眾人也都同時被嚇得面如土色。

趙谷川說：「你信不信我馬上以臨陣退縮罪，槍斃你！」說著拿起手槍，往那個被視爲安全，卻黑鴉鴉的門口，猛射了幾槍。

那士兵哭了出來，只好硬頭皮，向另一位隊友，借穿了防彈背心，端著槍，往前走去。正要跨進去時，袁毓真看著這士兵的哭臉，喊了一句：「等一下，我來探路！」士兵如獲天恩，瞪大眼看著他。其他人也都投以驚訝的眼神。

第五幕　神兵降臨

袁毓真說：「現在該是用救命法寶的時候了，一直不用，老扛著也挺重的。」於是把鐵蛋擺在地上，用力按下凹陷的按鈕，然後退後五幾步，大家也跟著袁毓真紛紛往後退，盯著這個鐵蛋看。按鈕更內縮，出現圓孔，流出大量的液態金屬，接著這些液態金屬凝聚，變成了身軀與四肢，而金屬蛋變成了頭腦，圓孔則出現一個探測器針頭，最後塑成一個液態金屬機器人。

機器人擺出了一個架式，喊出話來，聲音就如同袁毓真的祖父。只是說話前會發出嗶嗶的聲響。喊道：「神兵超人，液態金屬戰士，鬥神二號，在此現形！」

神兵二人組

眾人目不暇給，看著袁毓真以及這個機器人。袁毓真則拿著鐵棒，同機器人，擺出了一個相反搭配的姿勢。先哼了一段卡通歌曲，然後說道：「天慌嗎？地哭嗎？人悲嗎？白陽末世，群魔亂舞，看我神兵二人組，捍衛正義，鬥神一號，在此現形！」

所有男女都看得目瞪口呆，袁毓真笑著說：「各位別奇怪，我小時候沒有玩伴。八歲時，這台機器人跟我一起玩過神兵超人的遊戲，我搶著當一號，所以剛才回憶了一下。當時你們當中有些人，還沒有出生呢！」

神兵超人嗶嗶地說：「袁毓真，你祖父讓我問你，你的處男之身，到底被女人玩破了沒有？」眾人一聽雖笑不出來，卻也都目瞪口呆。

袁毓真緊閉眼，雙手握拳頭，忿忿地說：「鬥神二號，現在不是說種事情的時候！快給我探路！不然我可能死在這海底基地！」仍然是各自竊竊私語。直到神兵超人，分別在四個洞口掃瞄，趙谷川咳嗽對大家示意，才都安靜了下來。姜麗媛看到鐵蛋有用，才開始注視鐵箱，不然剛才她放下鐵箱時，還真的想把它丟了。賀嘉珍與蔣婕妤，則不約而同想到，之前在紫頂研究所時，希望都擺在「百變神通虎」身上，根本不在乎袁毓真的東西，現在才感覺自己錯誤，於是緊跟袁毓真的背後。

神兵超人蛋頭轉了轉說：「這四個洞的佈局，不是人類的科學方式所做！但是原理與老頭子所想的，『四象返迴法則』有很大的類同！」袁毓真問：「那個洞才安全？」

神兵超人反問：「嗶嗶，都不安全，但是剛才哪一個洞的機關有觸碰到？」

袁毓真指了指說：「這三個洞都有觸碰。另一個開槍打過，也丟進去防彈背心，但是沒有反應。是不是這安全？」

神兵超人說：「四個洞外似分立，其實是相互聯通的。只要觸碰運作，那麼洞內機關運行的分布，就會被改變，改成二的三次方模式，『四象生八卦』就產生出來，那麼第一環節的八種武器就會出現。假設最後一個機關觸動，那麼就返迴相乘，八乘八，變成六十四卦。也就是六十四個機械方式，組合成六十四種攻擊武器，分布於五百一十二個空間。就是說這四個共通的洞，就顯現降冪格局！那麼現在站立的空間，就會全部被某些物質給塞滿。把各位擠到降冪的五百一十二個聯通區域中，面對六十四種，相互關聯的致命武器。」賀嘉珍、蔣婕妤與袁毓真都聽得懂，其他人則鴨子聽雷，不知道這鐵蛋在說些什麼。

袁毓真問：「那現在觸碰三個了，爲之奈何？可以從另一個洞進去嗎？」

神兵超人說：「不可以，四象分爲，陽陽、上陽下陰、上陰下陽，以及陰陰。只有陰陰才可以過去，到達兩儀共通處。每一次觸碰，不只是機關組合成倍變多，四象環節的安全門分布，就會改變。在這當中，最後一次啓動機關之門，才是真正的安全門。」蔣婕妤指著中間的一個門說：「剛才最後闖的是這一個門，那就是這一個了！」

袁毓真說：「鬥神二號，由你來打頭陣，幫大家探路。」

神兵超人轉了轉蛋頭，對大家說：「請問誰可以給我武器？」

姜麗媛把背著的衝鋒槍，還有彈匣帶，都丟給機器人說：「用我的槍吧。」這是她第一次跟機器人說話，頗爲緊張，多看了機器人兩眼，緩緩扛起鐵箱後，問袁毓真說：「這箱子是不是還有更厲害的東西？一起放出來保護大家吧。」袁毓真搖頭說：「這東西不一樣，還不是使用的時候。」

神兵超人遂拿著槍，往裡頭走去。袁毓真跟在其後，苦笑著說：「怪物竟然跟老頭子一樣，想一些深邃的法則來玩弄人，假設要殺我們，直接把武器亮出來不就好了？」

神兵超人把蛋頭轉回來說：「這你就錯了，這種方式才是最好的空間防禦機制。這些空間，肯定是怪物時常使用的地方，假設有外敵突然入侵，那麼己方可以不冒任何抗敵的危險，也可以完全不必接觸敵人，直接退到安全之所。組成空間的機體，可以因此自動辨識，誰是外敵，誰是己方，而利用機關把侵入者摧毀。而常用的空間，利用本身轉換空間分佈，就可以協助機關，去殺掉外敵。形成聯通的整體協助機制。」

賀嘉珍則跟在後面，若有所思地說：「沒錯，整個海底基地，本身就是活性的。而這就是一種整體空間與防禦器械，相互支援的深度防範，有生路也有死路，可以靈活作出消滅敵人或是擒獲敵人的選擇，從而也可分析出入侵者的性質。而防禦體系深藏在深帶的關聯體中，任何的情報刺探，都沒有作用，一般性的直接探索，根本無法把情報帶回去。整個防禦體制的數制架構，是複雜兼淺用的武器兵制，銜接於簡單兼深邃的空間分配。在數制的角度來看，是絕對穩固體。各種臨變的方式都想到，可見怪物的智能，遠遠在人類之上。」

神兵超人說：「是的，這位年輕姑娘學問很淵博。袁毓真，你可得多向她學習。四象帶空間，往升冪的地方走過去之後，就是兩儀帶，我猜測你們要找的那些生物，就在兩儀帶更深入的太極帶。」

眾人跟在「神兵二人組」之後，往內部的空間走去。

怪異的空間使用方式，眾人將會再遭遇何種攻擊？基地外面的海裡來了大量歐美潛水艇，與水下戰鬥機，往這進攻，基地是否會反擊？眾人又是否安全？欲知後事如何，且待下象分解。

第四象　兩儀混元空間滑帶戰鬥體海中激戰歐美船艇險覆滅

第一幕　兩儀空間滑帶象

話說，神兵超人領著眾人，穿過了一道活性纖維所組成的半圓柱形走廊，裡面黑鴉鴉一片，眾士兵打開手電筒，緩緩跟著向前進。約莫走了兩百步，又來到另外一個半圓體大空間，內有燈光。眾人看了，相互聒噪了起來。

袁毓真說：「這空間跟剛才一樣啊，那來的什麼兩儀帶？」

神兵超人說：「兩儀是我們定義的相對動態結構。既然是動態，型態就會變成不重要，而可以隨機選擇。你可別掉以輕心！」

才剛說完，腳下的活性纖維地板，開始變質，越來越沒有摩擦力。眾人剛開始不感覺，有一女兵跨一步，滑倒下去，另一人想拉她，接二連三梯瀑式滑倒。倒下去之後就站不起來了。最後只有神兵超人、蔣婕妤、還有扛著鐵箱的姜麗媛三個，沒有倒下去，但是一點都不敢動，只要一動就會倒下，進而四處滑移。

梁大成喊：「大家不要動！越動越滑！爬也爬不起來！」

於是眾人最後全部趴在地上。

蔣婕妤說：「大家想辦法把地板破壞，恢復物理摩擦力！」

趙谷川立刻用手槍，往地板開了一槍，企圖破壞活性纖維，結果凹洞沒有五秒，就自動補回去，還是無法破壞地板。

梁大成脫下防彈外衣，鋪在地面上，用匕首用力將之插入地板，然後站在衣服上，另一腳壓住匕首把柄邊端。對大家喊：「各位看到了嗎？照我的方法來做！」

於是有不少人都依此站了起來，但是袁毓真與賀嘉珍卻沒有匕首，只好扶著別人。正當大家紛紛站起之時，忽然半圓頂上打開一洞，飛出一台半透明，由錐形體組成的飛行物，並且向眾人開火，發射出各種色系的光炮，不少士兵當場就被打死。

神兵超人拿著姜麗媛給的衝鋒槍，對其猛射，喊道：「嗶嗶，大家快開槍射擊！」眾人不約而同對空開火，一時之間槍聲大作。蔣婕妤、賀嘉珍、袁毓真三人，都嚇得滑倒在地，雙手抱頭，相互捲在了一團。

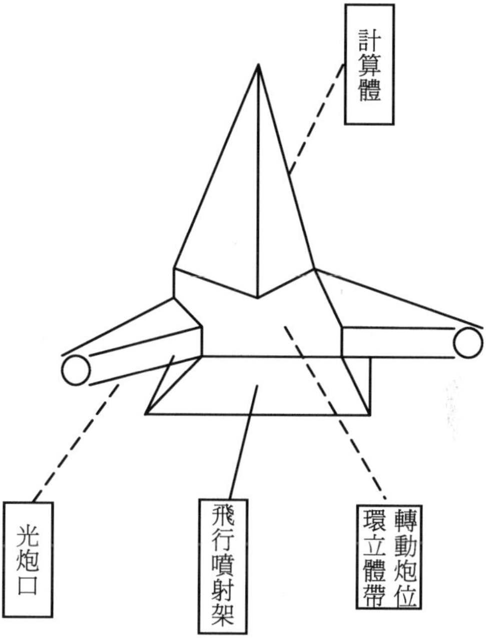

經過激烈的射擊，終於把這個自動武器擊落。眾人正當以爲安全之時，忽然纖維地板瓦解，塌陷變形，掉下一公尺多，眾人本來穩固的相對位置，混亂成一團。女孩子們首先大聲尖叫，袁毓真等三人更是跌到最低點，被不少人擠壓。差點喘不過氣，好在神兵超人，把人堆一一拉開，才救了袁毓真等人。

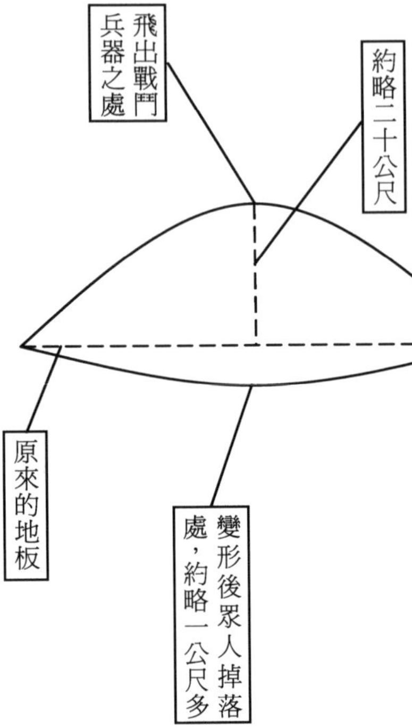

凹弧形地板，也是特殊纖維所組成，同樣光滑異常，除了神兵超人之外，沒有人能站得起來。而神兵超人，是將雙腿變形成吸盤狀，才能勉強移動。大家痛得哀嚎片地，不少人已經死了。

神兵超人拉起袁毓真說：「你快點指揮大家，危險還在後面呢！」

袁毓真剛才差點斷氣，喘了喘，緩緩對大家說：「活著的快點報名！」結果統計了一下，賀嘉珍、蔣婕妤都只被擠壓了一下，疼痛輕傷而已。姜麗媛、黃敏慧、何彩艷都沒事。趙谷川重傷，梁大成輕傷，同時陣亡了三十多名男性士兵與兩名女性戰士。其餘男女士兵大多都有輕重傷，少數沒有受傷的，也無法爬起。只有醫護女兵，邊爬邊擠在其他戰士身上，做醫護工作。所有人都被嚇得魂不守舍。袁毓真問：「鬥神二號，快告訴我該怎麼辦啊！」

神兵超人說：「我們跌入了兩儀環帶，剛才的頂棚爲陽，現在的光滑板面爲陰。兩者是交互運作，並且交互啓動其動態的。最早的光滑地板，陰陽交錯處起了變化的頭，啓動頂上的陽剛動健的飛行器，再來就是地板纖維收縮，讓大家跌落到這弧形地板上。等一下必定又是上面的天花板，會出現動態武器，然後又會是地面再塌陷一次。倘若我們跑不掉，那這地板會有一次次的塌陷，直到怪物設定的最底面機關。」

袁毓真問：「最底面會怎麼樣？」神兵超人回答：「無法判斷。」袁毓真哭著大喊：「你快給我想辦法啊！」

神兵超人說：「只能往頂上攻擊，但是都是厚厚的活性纖維，你們手上的武器就算打穿了，也爬不過去，除非大家都能沿著飛行武器來的洞口飛過去。」

趙谷川重傷說不出話了，梁大成喊道：「鬥神二號！我們都沒有翅膀，怎麼飛那麼高的天花板？」

神兵超人說：「我也不會飛，這你問袁毓真。」

袁毓真拿起鐵棒說：「我手上這是飛行器，但是最多只能拉五個人上去。現在這裡至少還有一百個活人，你要我怎麼飛？而且上頭洞裡面是什麼，還不知道呢！」

姜麗媛大喊：「袁組長！這鐵箱到底是什麼東西？可以用嗎？」

袁毓真被她一提醒，便說：「有了！」然後說：「鬥神一號，你跟我一起把鐵箱拉上去，你與鐵箱負責戰鬥，且破壞兩儀動態系統，別讓地板再塌陷，然後我回來一次拉五人飛上去，二十趟就能全部拉完。」

蔣婕妤早已經被嚇哭，哽咽地說：「萬一你上去就不下來呢！要我們死在這嘛？」其他男女也紛紛跟著說：「對啊，對啊。袁組長你不能丟下我們！」

袁毓真說：「沒有時間跟你們解釋啦！不然等一下上面又會飛下來，我們又要再跌一次！」於是操作伸縮鐵棒，鐵棒上頭出現垂直螺旋槳，下頭展開兩把柄。

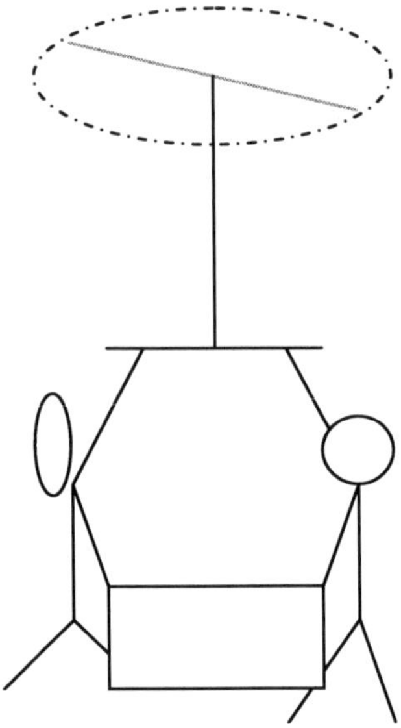

於是神兵二人組，各提鐵箱的一邊把手，往頂上快速飛了過去。

第二幕　機器人大戰

袁毓真與神兵機器人，拉著鐵箱，撐著螺旋直升飛機，飛過了洞口。從另外一間廣大的四方體空間，地板的孔洞飛了上來。

上來之後，嚇了一大跳，發現四周螢光牆壁上，其中有一面停滿了剛才類型的戰鬥兵器，至少二十多架，只是尚未啓動。

神兵超人說：「你快下去接那些人上來！我來開啓萬能百寶箱！守住洞口，只要這些戰鬥兵不下去，那麼這種以型態開啓動態的兩儀體，就不會繼續運行！」

袁毓真說：「好，神兵二人組，合作無間。」於是袁毓真駕著飛機又飛了下去。眾人看到他沒有多久就下來了，不禁鼓掌歡呼，一擁而上搶成一團。

袁毓真擔心搶位置而起衝突，於是說：「女生優先！然後傷員。誰都不要搶！機器人會守住洞口，兩儀體不會繼續啓動。」於是女兵們，或拉著把柄，或抱住袁毓真，一時擠成一團，三十八名活著的女兵，至少擠了二十幾個人在上面，賀嘉珍、蔣婕妤，更是各自抱著袁毓真兩大腿，死死不放，全身上下都被抓遍了，袁毓真還從來沒有這麼受女士的歡迎過。臉紅耳赤說：「這樣太重啦！飛不起來！」

丟在底下了。

梁大成說：「姜麗媛！管好你的部下！」她才拉開了一些人，按順序編排。五個五個地上去，女生都接走後。接著是趙谷川等傷員，最後全部都接走。剩下陣亡人的屍體，只好都丟在底下了。

最後一批飛上來時，所有怪物的機械兵器，仍然都沒有動靜。神兵超人開啓萬能百寶箱，隔著約十多公尺，與那些一動也不動的怪物機器對陣。趙谷川已經跟其他三十多個傷員，躺在地上了。剩下男兵七十一人，女兵三十八人，排成方陣，前三列蹲下，後兩列站立。

袁毓真收回鐵棒對眾人說：「大家要小心戒備！」然後轉頭問神兵超人：「現在是什麼情況啊？怎麼都沒有動靜？」

神兵超人說：「我也不知道。我建議你們把裝備、傷員，全部退到後面去。現在房間活性纖維牆壁的螢光色系，與最初上來時看到的，已經有些變化。」

袁毓真看了看，說：「沒有啊！」

神兵超人說：「你們人類眼睛看不出來，偵測器上感應到了。」

梁大成問袁毓真：「現在怎麼辦？是否要開火射擊那些怪物製造的機器？」

袁毓真搖頭說：「按照鬥神二號的指示去做，你們退到最後面，擺出戰鬥隊形，我和其他兩位組長，去看看動靜。」於是所有人都退到了另外一面牆。

賀嘉珍、蔣婕妤、袁毓真，跟在神兵超人後面，往前走過去。賀嘉珍頭上有綁著一條帶子，帶子正中央額頭處，有一枚圓柱裝飾品，實際上正是一台攝影機，隨時把看到的影像，都傳給蔣婕妤背包上的發射器，除了備份，還可連通帛琉島上基地的強波器，再轉到人造衛星那邊，通訊給首都的元首大人府邸。

袁毓真看的她額頭攝影機，心思：（這麼深的海底，這些通訊還能傳過去嗎？我看頂多在蔣婕妤背上的儀器錄影，就傳不上去了。真的現在就想大罵這個可惡的任務！可恨啊！）但是怕影音真的可以傳得出去，終究不敢罵出來。

賀嘉珍靠近了不動的兵器說：「我看這些怪物，肯定有什麼顧忌。不然若照鬥神二號所說，就沒有理由停止攻擊。」

蔣婕妤說：「這一定有陷阱，我建議帶走一個損壞的怪物兵器，就叫潛水艇來接我們吧。」

袁毓真說：「嘉珍姐，我也這麼認爲，現在可以通訊到潛水艇上嗎？」

賀嘉珍操作了手上的定位系統，搖頭說：「不行，剛才進了滑動的房間，就已經通失去外界通訊了。」袁毓真聽了，才大膽罵：「可惡的元首大人，這個混帳的昏君！王八蛋到底了！給我們這種送死的任務！我們現在首要目標就是離開這危險的地方。」

三人又繼續商量，怎麼樣才能脫離。

神兵超人，突然嗶聲大作：「快點退後，有動靜！」果然怪物所有兵器都開始發光，三人拔腿就往後跑，袁毓真順道拉了鐵箱，往士兵們那邊竄逃。

半透明戰鬥兵器，開始飛了起來。並且發射光砲。眾士兵不等命令就全面射擊，一時槍聲大作。姜麗媛雙手拔起兩腿的手槍，左右開火，打下不少飛蝗般的兵器。神兵超人被猛烈的光炮打中，仍然奮力作戰。袁毓真閉上雙眼，雙手抱著賀嘉珍與蔣婕妤，以鐵箱當掩體，緊縮著動都不敢動。雙眼緊閉仍然感覺外面五光十射，忽然一具屍體滾在他們身旁，一看是受傷的趙谷川被砲火所中，袁毓真嚇得屁滾尿流大聲呼救。

一場混亂，終於把所有怪物兵器都打掉了。袁毓真聽了安靜之後，頭探出鐵箱，看見神兵超人只剩下鐵蛋，滾了回來。沿途除了怪物兵器的零件外，還散佈著液態金屬，可見神兵超人已經被打爛了。回頭看，很多人就以陣亡者或是傷員當掩體。

命令梁大成點名，又死了數十人，傷員更多。活著的，總共四十一名男兵，二十八名女兵。連趙谷川都陣亡了。所有人不禁縱聲大哭。

還沒有收拾眼淚，忽然對面的活性纖維，又開了一洞，活著的人無論是否受傷，都停止哭泣，嚇得全部把槍指著洞口。洞口傳出嗘喞怪聲。

梁大成也把手槍，隨著大家指著該方向。袁毓真喊道：「大家不要開槍！我來對付！」於是又按下了萬能百寶箱的按鈕，伸出透明面板，袁毓真輸入密碼與戰鬥模式，箱子逐漸開啓。箱中有三排方形的金屬塊，一排十個，共三十個。

袁毓真拆解透明面板下來，直接操作戰鬥，第一排的十個方形塊立刻彈出，一下子變形成各式各樣的小機器人。有的持方形小剛炮，有的持小槍，有的是雷射武器，有的變形成飛機形狀。

其中一個比較大型的小機器人，用低沉的電腦語音喊道：「第一戰隊向『小猿猴』報到！

『老猿猴』要我問你，處男之身被女人玩破了沒有？」所有男女兵，剛才雖都哭了，看了這情境，內心都出現安全感。

袁毓真緊握鐵棒，另一隻手還按著移動透明板說：「現在不是開玩笑的時候，我命令你們對付洞口裡面的怪物！」一下子十個小機器人，或飛或跑，紛紛往前衝，在洞口周圍，陳列武器。

梁大成對所有男女士兵說：「把死去的戰友，堆起來當掩體。所有人採取防衛射擊姿態。」大家便照命令去辦。看到趙谷川與一些死去的男女兵，血淋淋堆起來的模樣，大家都爲之鼻酸，強忍著以之爲掩體，架上各型槍枝，或趴在後面。袁毓真、賀嘉珍、蔣婕妤三人則繼續躲在鐵箱後面。

洞口衝出一條長蛇形，菱頭怪物，對門口的小機器人，噴出光炮。小機器人立刻組織反擊。一時混戰成一團。梁大成問袁毓真：「我們要不要支援射擊？」

袁毓真搖頭說：「不要管，讓我來！」於是又發射了箱中十個方形鐵塊，變形成蛙、鳥、昆蟲等形狀。各自上面也都有槍砲、小飛彈等武器。馬上又跳入了戰圈，支援前面的諸多小機器人。小機器人火力有限，一旦發射完畢，就衝過去貼上機械怪蛇，自動引爆。袁毓真抱著賀嘉珍、蔣婕妤躲在鐵箱後，不敢抬頭，問梁大成：「看一下什麼情況！」梁大成抬頭看了一下，馬上低頭報告說：「亂七八糟！到處閃光！看不清啦！」袁毓真猶豫了起來，不知道該不該把最後一隊派出去。姜麗媛也持槍抬頭，看了看說：「不行，怪物還很活！」袁毓真只好把最後一隊都派出去。十個零件組成一個更大型的機器人，伸出十幾管槍炮，衝入戰圈，猛烈開火。兩邊機器人，大打出手。只見零件四散飛舞，聲音光影，煞如混沌霹靂，忽然一下靜了下來。

袁毓真心跳加速，不知道勝負如何，又沒有膽量抬頭看。姜麗媛望了一眼，笑了出來，點點頭。袁毓真才知道是贏了。大家緩緩伸頭，然後走了出去。

一台小機器人，腳下踏著滑輪走過來，說：「向『小猿猴』報到，我方第三戰隊被轟垮而全滅。第二戰對陣亡六架，第一戰隊陣亡八架。戰力損失慘重，但是戰局大獲全勝！」眾人皆開懷露出笑容。

袁毓真笑著大喊：「哈哈！你們這些臭怪物，知道厲害了吧！」

賀嘉珍說：「我們趕快把怪物的零件，撿一撿回去交差，然後找退路別打下去。我看這種情況，你已經沒有多少武器了！」

袁毓真說：「我也不想打去，只有往原來的方向退回去！」

忽然洞口又傳出嘆唧聲，小機器人說：「又有敵人來了！」大家紛紛躲回去。冒出第二台蛇形怪物，然後又是一陣機器人大戰。梁大成說：「所有人快幫忙機器人射擊！」所有士兵協助射擊。忽然一陣大爆炸，零件飛舞，大家又全部趴下。原來小機器人全部貼上去，同時引爆，採取同歸於盡的作法。

第三幕　下跪求饒

終於又把第二台蛇形機械怪物解決，眾人正在慶幸探頭時，洞內傳出第三次怪聲。大家都趴著看袁毓真，袁毓真苦喪著臉，喊嗚說：「唉呦，怎麼打不完啊！我的法寶都用光光了！得靠你們自己啦！」梁大成說：「接連好幾場掃射，我們的彈藥恐怕不夠了。」姜麗媛說：「使命第一！性命第二！跟怪物拼了！」

聽到姜麗媛這麼喊，袁毓真百感交集，不甘心真的去死，喊說：「大家都不要動，我還有法寶！」眾人為之一喜，期待袁毓真拿出新法寶。

袁毓真探頭出來，看怪物還沒有出現，於是爬著出去，喊道：「你們別打啦！我們投降！」眾人全都大為錯愕。本還以為他有奇招，結果竟然是求饒。但是一方面確實也打不下去，二方面袁毓真剛才也救了大家好幾回，不敢指責，梁大成只探頭問：「袁組長，怪物聽得懂我們的語言嗎？」

袁毓真不理會他的疑問，狗爬式緩緩往洞口去，邊爬邊說：「我們投降……別打啦……饒命啊……我們投降……」聽聞洞口的聲音，不再是越來越尖銳，而停了下來。袁毓真感覺到怪物可能聽懂了，又感覺狗爬給大家看到太丟臉，慢慢爬起來，雙手舉高往洞口走說：「投降，我沒有武器了。」

慢慢爬出第三條怪蛇，眾人不禁又把槍口對準它。袁毓真及忙後喊：「你們別開槍，別開槍！把槍都丟掉！這怪物聽得懂！」姜麗媛仍手持雙槍，說：「袁組長，你太丟臉了吧！」

袁毓真回頭狠狠道：「我們還有多少力量可以打？這是要保住大家的命啊！」梁大成對大家說：「我們還是棄械吧！」兩個領導都已無戰意，頓時部隊奪氣，都往外丟出槍枝。機械怪蛇突然貼近袁毓真。碰的一聲，袁毓真跪下了，還把頭磕在地上，軟軟地說：「投降，我們真的投降！」大家遂都高舉雙手，走出來。

怪蛇似乎也就往旁撤去，洞口走出三隻怪物，還有一個女人。怪物長相就如同研究所逃跑的那兩隻一樣，嘴微尖，頭有人類兩倍大，沒有毛髮，雙手五手指確呈同心圓狀，眼皮由下往上翻閉，兩腿膝蓋往後彎曲。只是現在身上都穿著，銀色亮服，大頭戴著半圓型金屬罩。而女人，全身穿著紅衣漢服，紅色綢褲，腰繫紅帶，長相就如同中國女子，黑頭髮黃皮膚。然而面貌姣好，長相秀麗，頭髮短俏，身高約略與姜麗媛相當。眾人頗感怪異，怎麼怪物陣營會有人類？

女子開口竟然就是標準的中國話說：「全部給我跪下！」眾人只好隨著袁毓真，一同下跪。女子問：「你們當中誰是領導者？」

眾人不約而同或看著賀嘉珍、或看袁毓真與蔣婕妤。袁毓真不敢應，怕怪物第一個要殺的就是領導人。

女子從身穿的制服型態，大致就看出來了，指著三人問：「是不是你們三個？」賀嘉珍說：「沒錯，我是這三人小組中的最高負責人。要先殺我嗎？」

女子回頭對三隻怪物說話。三隻怪物，輪流用高頻尖銳的聲帶，機基咕咕，對女子回應。女子耳戴翻譯器，點頭彎腰，似乎就是怪物的部下。

女子走到賀嘉珍面前說：「剛才我們在監視器中，看見一個人，施放很多戰鬥兵器，造成我們的損失，而這些兵器不像是人類慣用的武器……」然後忽然指著袁毓真，使了銳利的眼神說：「你是發明者嗎？」

袁毓真拚命搖頭，說：「不是！不是！我是使用者而已！那些東西是軍隊的秘密武器，我完全不知道來歷！」

女子狠狠賞了袁毓真一個耳光，打得他耳內發鳴，眼冒金星，罵道：「說謊！」然後指著破碎的神兵超人，狠狠地說：「你跟那個液態機器人之間的對話，我都有全程監控，你以爲我不知道嗎？重新說一次！」袁毓真摸摸嘴，緩緩回答說：「那是我爺爺發明的，不過我爺爺半年前就死了，我拿著他遺留給我的遺物來這裡，只是想要保命而已。」蔣婕妤早就把他的事情，八卦流傳遞的方式，告訴所有隊員，所以隊員們都知道他又說謊，不過爲了自保，都紛紛點頭說：「是啊，是啊！」。

女子大聲說：「我沒有問你們！全都住嘴！」大家都低頭不敢說話。

賀嘉珍說：「我們已經投降了，妳就放我們回去吧。」女子回頭對龍族怪物說話，怪物之間討論了一下，用怪頻調回話。女子便對大家說：「我的龍族主人決定，暫時要把你們囚禁起來。你們最好乖乖聽話，或許會有一線生機，否則誰也無法活著離開這裡。」

蔣婕妤看了那麼多死傷，動駭於心，終於忍不住激動，含淚指著女子罵：「妳這不要臉的賤人！當怪物的走狗！背叛者！」

女子微笑了一下，走到蔣婕妤面前，彎下腰，兩個漂亮的臉蛋相當靠近，蔣婕妤則瞪大眼睛看，頗爲不遜，女子緩緩說：「這位姐姐，我猜妳年紀大概二十出頭吧，妳知道什麼叫做『背叛』嗎？妳又真了解，背叛的真正涵義嗎？」

蔣婕妤說：「當然知道，就像妳一樣！」

女子忽然伸出右手，食指頂住蔣婕妤額頭，大拇指上扳，成手槍形狀，但是食指頂尖，卻套著金屬環，並且開始發光，似乎是一種小型武器。接著說：「這麼膚淺的頭腦，不如別活了！」

袁毓真趕緊喊：「等一下！」然後爬到兩女跟前，說：「兩位妹妹都別衝動。」然後對蔣婕妤說：「快道歉，快道歉啊！」蔣婕妤不以理睬，反而硬頂著腦袋。

紅衣女子收回右手說：「不用道歉，沒有我龍族主人的命令，我不會殺人的。」然後回頭透過翻譯器，對三隻怪物說話。其中一隻怪物，指示在一旁的蛇形戰鬥機器，快速爬到眾人背後。女子指著賀嘉珍、袁毓真與蔣婕妤說：「這三人跟我走，其他人雙手舉高，跟著龍族主人走。別輕舉妄動，否則所有人全部殺光！」

眾人被驅趕著，到了另外一個半圓大空間，但是有著弧形的坡梯，螺旋圍繞整個空間的半空中，坡梯沿途都有小房門。至少有數十隻怪物，雙手都持著奇怪的發光武器，驅趕整群人，一個蘿蔔一個坑，把所有人各自趕到小房間內。

姜麗媛被驅入房後，回手一摸，房門是全透明的，根本看不到門的存在，但是卻如同玻璃一般，擋著出口，只是這透明物，似乎是軟膠狀的。外頭的聲音全然都聽不見了，而房間內壁同樣是活性纖維製造，透著螢光。

第四幕　神秘藥水

忽然上面露出一洞，開始往下灑水，姜麗媛嚇了一跳，以為這是怪物要淹死大家，急忙往外踢打，卻全不濟事。好在水位積到了胸高，就立刻停止。奇怪的是這些水，帶有芳香味，讓姜麗媛不得不喜歡這種水，嗅覺的緩慢刺激，讓她甚至陶醉於其中，甚至全身受傷處，開始舒坦了起來，不得不解開了外衣，僅剩下內衣，在裡頭遊起水。

姜麗媛心思：（這難道是一種醫療方式？傷口一點都不感覺疼了。這些怪生物，到底想把我們怎樣？）沉迷這藥水一小時，牆上的活性纖維，遂把水都吸走。天花板又開洞，掉下來飲用水與食物，吃喝完之後，姜麗媛昏昏入睡。

袁毓真等三人，被紅衣女子帶到一個方形的大廳，大廳兩列坐著共二十多隻龍族怪物。說在半圓型圓柱上「坐」著，但是型架十分怪異。其中一個用很尖銳的聲調，其抑揚頓挫的起伏頻波，明顯比人類的聲頻寬廣。賀嘉珍心思：（可能這些外星人，相互溝通的詞彙與意念，比人類豐富且深層許多。）

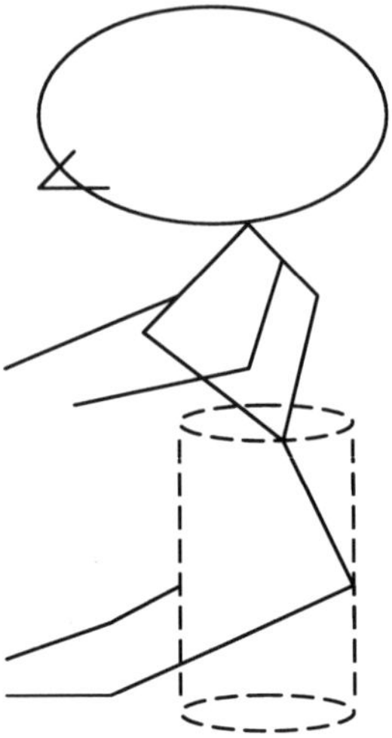

紅衣女子立刻對「眾龍」，雙膝下跪，然後對三人說：「你們快點跪下，這些是龍族主人！」袁毓真立刻跟進，賀嘉珍與蔣婕妤，被袁毓真硬拉才肯勉強屈膝。

紅衣女子透過翻譯器聽完怪物的語言，然後對三人說：「主人們，對於你們使用的武器系統頗有興趣。另外，你們能看出，基地體的降冪活性防衛機制，主人們都很驚訝。只要你們肯配合，把一切的原委都說清楚，就可以免你們一死。甚至可以給你們像我一樣的待遇，替龍族主人們效力。」

蔣婕妤說：「作夢！我們沒有妳這麼賤！」

紅衣女子，氣得臉色如同衣色說：「妳嘴巴再不放乾淨，就殺了妳！」

蔣婕妤說：「請便！」紅衣女子更是氣急攻心，但是又不敢在這裡造次。

袁毓真急忙圓場，牽著紅衣女子的手，說：「紅衣妹妹，別生氣。她是一時氣憤，有什麼問題我來回答！」紅衣女子才正有氣沒地方發，正好來了送上門的，反手再閃袁毓真一耳光說：「我名字叫做紅，不是你的妹妹！」

袁毓真又感一陣耳鳴眼星，趕緊說：「喔，是的，紅、紅。」賀嘉珍搖搖頭，對袁毓真這種表現，頗爲失望。一隻怪物又尖頻發聲，紅趕緊匍伏磕頭，甚爲恭順。

等怪物說完話，紅對著袁毓真道：「主人說，你祖父既然是這武器系統的發明者，你應該懂得裡面的理論吧？只要把製作理論交給我們，可以放你走。」

袁毓真說：「從理論創作到實踐，都是我祖父一手包辦。他就這樣把我們家豐厚的祖產，就這樣花光了。而我並不理解裡面的內涵。」紅於是又跟其中一個怪物交談。然後又問：「你祖父既然死了，他所留下的其他物品或是理論手稿，你還有保留嗎？」

袁毓真心思：（機會來了，這些怪物既然有所求，那麼就有機會可以談條件。）於是回答：「有，不過放在家裡。」紅於是又跟怪物交談。回頭又說：「那麼你只要肯交出來，主人們願意放你自由，不追究你對基地內物品的破壞。」

袁毓真微笑著說：「交出來可以！但是請妳的主人們，放了被抓的所有人！」這時賀嘉珍與蔣婕妤心理才舒坦了些，袁毓真還沒有完全失去意志。

紅目光忽然銳利，大聲道：「你別得寸進尺，你沒有資格談條件！基地外頭還有人類在進攻，但是很快就會被消滅光。要知道，這是交戰狀態，主人們能放你狗命，已經算很客氣了。」

蔣婕妤指著紅，說：「妳才是狗命呢！」

紅大怒，把蔣婕妤打倒在地，用食指套上的環槍，指著她後腦說：「我忍妳很久了，妳敢再罵我一次！」這一來，龍族怪物們出現騷動。紅嚇了一跳，趕緊伏地磕頭。

袁毓真結結巴巴說：「別生氣，都別生氣。我想辦法都交出來便是，只要放了我們所有人，一切都好說。況且外面那些進攻的潛水艇，是歐美聯盟的軍隊而不是中國的軍隊。紅妹……喔不是，紅小姐。妳也應該知道中國與歐美聯盟的差異。請告訴龍族主人們，我們只是好奇來探情況，沒有敵意的！基地內的事情完全是自我防衛，我說的是真的！」怪物透過頭罩翻譯，聽得懂人類說什麼。

怪物與紅交談後，紅對袁毓真說：「你講的事情，龍族主人都知道。但是闖進基地就是敵人，本來打算把你們都殺死，只要肯配合剛才所提的條件，可以例外地放了你們所有人。」

袁毓真終於開懷笑了，拼命點頭說：「成交！成交！那趕快把大家都放了！」

紅繃著臉說：「少來這套！把東西都拿過來，才能放人！」

袁毓真說：「這裡是海底……只要我回去，元首大人肯定知道……唉，問題很複雜……況且我拿了，怎麼找你們？」

紅說：「這你放心，我陪你回去拿東西，自然有辦法自由來回兩地！」袁毓真點頭說：「好吧，我們遵命。」

但是忽然基地發生震動，龍族怪物們呱呱大叫。紅也露出慌張神情說：「你們三個跟我來！」袁毓真急問：「那什麼時候帶我回去拿東西？」紅說：「要行動時我會通知你。」

三人遂跟著紅，走出了四方空間，被帶往與姜麗媛一樣的小房間。紅說：「你們三人在這待著，我會回來找你們。」這裡與關押其他人的地方相同，透明的門，外頭面對很廣闊的空間，可以看到對面的小房門。

袁毓真拉緊了眼鏡，仔細一看，說：「對面好像是姜麗媛也！」賀嘉珍、蔣婕妤也趴在透明膠門上仔細看。蔣婕妤說：「對啊！她怎麼泡在水裡游泳啊？」袁毓真說：「天啊！她還真開心，衣服只剩下內衣了。」賀嘉珍推開袁毓真說：「少在動歪腦筋！」

忽然房間上也開了個洞，開始噴出藥水。

袁毓真說：「不會吧，怪物也要讓我們游泳？」三人正在驚慌間，忽然感覺到香味撲鼻，如同姜麗媛一般，都昏沉了起來。等到水位停到胸間，三人都忍不住在裡游水，袁毓真忽然脫了上衣，原始獸性大發，緊抱蔣婕妤不放。蔣婕妤被嗅覺所惑，抵抗也越來越沒有力量。賀嘉珍本來也想脫上衣，讓肌膚多染藥水，但是看到袁毓真的行爲，忽然驚醒，游過去把兩人分開，袁毓真睜大眼睛，同時也抱住賀嘉珍，狠狠地說：「我忍不住了，我們就一起來！」

賀嘉珍急忙賞他好幾耳光，眼鏡都打掉了，罵道：「禽獸！快醒來！這是那些外星人的詭計！」這力道竟然不輸給紅打的耳光，同樣金星滿眼。

袁毓真晃了晃，說：「好了，我沒事了，眼鏡呢？」

賀嘉珍摟住蔣婕妤說：「掉到藥水裡了，自己找。你最好離我們兩人遠一點，別靠近！也別碰我們！」

袁毓真心思：（少在裝模作樣，這種情境妳會受得了？況且就算真的玩起來，那又怎麼樣？我就不信，妳過去在那種社會上，都是乾淨的！反倒是我真正乾淨的男人，被妳這疑似污穢的女人排斥。哼！真是噁爛！）

賀嘉珍心思：（目前假設要脫困，肯定需要他幫忙。得安慰他一下，不然的話，萬一他心有怨望，不肯拿出他祖父的東西救我們出去，那就糟糕了！）於是說：「喂！袁毓真，對不起，剛才你樣子太可怕，只是怕你傷害我們而已。」蔣婕妤也說：「是啊，相信賀大姐也不是故意的。」

袁毓真揮揮手說：「好啦，我知道了。不過這氣味，容易讓人恢復原始本性，而失去理智。」蔣婕妤臉紅地說：「是啊，我剛才也差點忍不住。不過說也奇怪，傷痛的地方感覺很舒服，肯定是一種醫療方式。」

賀嘉珍說：「依照單細胞演化的順序，感應物質結構比感光還要早，代表嗅覺是比視學更原始的感觸方式。假設真的用一種恰當物質，觸發嗅覺的深層感觸，肯定比視覺還能影響人的行爲。」袁毓真點點頭說：「沒錯，兩百多年前『次易原理』的作者有敘述，內界變易乾綱原始。原始架構只要運行，必定奪回整個體系的動健，而有重新設定型態走向的趨勢。」兩人藉著講述知識，逐漸化解尷尬的場面。藥水也逐漸被纖維牆壁吸收，同樣掉落水袋與食物，三人吃喝了起來。

第五幕　海底大戰

十二月十九日夜晚。

整個海底基地外，出現了歐美聯軍三十艘潛水艇，與四百架水底戰鬥機，上頭還有上百艘船艦助威，詳細訂出座標與戰鬥系統，於頂上投擲深水炸彈助戰。海底基地，則出動二十多架的海星怪物迎戰。一時周圍上百公里，變成戰場，殃及淵魚，水母、海馬、章魚、深海魚類等，四處奔散。此時，李光旭率領的三艘潛水艇，以及船艇留守人員，苗頭不對勁，趕緊就撤回。

眾人在海底基地的最核心深層，仍然感覺到外頭的轟鳴聲。終於停頓下來，這一波海底交戰，外星人打敗了外國人，歐美聯軍損失過半，差點全軍覆沒，而怪物僅損失五架海星怪。

歐美聯軍不得不緊急撤退。

過了半天，袁毓真、賀嘉珍、蔣婕妤，三人吃喝過後，躺在房內呼呼大睡。紅按下門外的半球光體，撤掉了透明牆，進來喊道：「那個男的，給我出來！」

三人都緩緩爬起，袁毓真戴上眼鏡，惺忪地說：「怎麼了？」

紅說：「跟我出來，我帶你回去，拿你祖父的遺物！」

袁毓真打了哈欠，伸懶腰說：「外頭仗打完了嗎？」紅把他拉了出來，說：「你少廢話！小心我揍你！」袁毓真被拉出去後說：「等一下，房門裡頭沒有大小便的地方，我們都很忍著呢！」

紅指著房內的一個半圓球體說：「妳們用手摸那個球體，纖維牆壁會在牆角出現洞口，妳們自己知道怎麼解決。」說罷，又關上透明牆。

紅帶著袁毓真到另一房間，裡頭出現星型機械怪。袁毓真愣看著說：「啊，原來這就是海星怪物。沒有想到才半年多，怪物們就可以製造出這麼多奇怪的兵器。」

紅說：「少廢話，給我上去！」兩人一同上了海星怪。上面並沒有駕駛座，只有半菱形體休息艙。紅戴上了特製的頭盔，半菱形體休息艙的其中一牆面，出現了外界的景象，紅遂用腦波控制，外頭的纖維牆壁開了個大洞，海水灌入，海星怪游了出去。

袁毓真說：「我可以問一個問題嗎？」

紅正在用腦波操控海星怪，不耐煩地說：「從沒見過這麼嘮叨的男人，有話快說！」遂問：「妳是中國人吧？怎麼會替那些外星來的怪物做事？」

紅說：「沒錯，我是跟你同物種的，但是精神狀態不一樣。早在半年前，我就捨棄一切，專心替龍族主人服務，我比你高等多了。」

袁毓真歪嘴列牙，笑著說：「基地內有多少像妳這樣的人類呢？」

紅說：「只有兩個，『紅』與『白』。主人們不需要太多的低等人類！而我們兩人是特選出來的。」

袁毓真問：「『白』是男的還是女的？」紅忽然回頭，怒目說：「你再囉嗦，干擾我的思想駕駛，我就把你嘴撕爛！」袁毓真抓著頭髮，露牙苦笑，不敢再問。心思：（竟然敢這樣對我又打又罵！這女孩腦袋有毛病，當外星怪物的奴隸，會比較高等？難怪蔣婕好要罵妳賤。假設有機會妳落到我手上，我要妳加倍償還！哼！）

忽然前方菱面變色，出現怪異的符號，並且顯示出潛水艇與水下戰鬥機，同時顯現海面上的各類船艦的圖像。紅頓時緊張了起來，坐在地上閉上眼，建立各種連通於機械的邏輯概念，袁毓真看了面板，展現出來幾種畫面與層次的三角切割。

從其型態而觀，最下層是海星感應器，展現外界的畫面結合。再上一層，是各種感應的扭曲畫面，袁毓真猜測，這就是駕駛員，「紅」的思維感應立體空間。再上一層出現各類看不懂的符號，以及符號之間的連線，猜測這是計算面板，計算剛才兩種感應層次之間的差距，並且勾勒出邏輯架構的偏差。最上一層三角形，出現或偏左或偏右的曲線，左右相互跳動，並不會同時出現。袁毓真見了，心思：（這種分層感應與邏輯切割的方式，果然比人類先進很多。但是這最上層，實在有點看不懂，爲什麼是這種型態。從剛才方格的漸變象，逐漸往上建置的趨勢推論，應該是「總體變化」與「目標行動意義」之間，兩者的差距與調整。每一層次之間，就如同微積分流數與數字規則的關係，人類通常只運用一層，而怪物竟然建置了三層。這……這比秀士掌管「演變」的概念，還要有根本效率。難怪這女生會這麼驕傲，不過就是讓外星怪物，教妳兩招邏輯分層運用而已。但是在怪物面前，妳還不跪得比條母狗都不如。哼！）

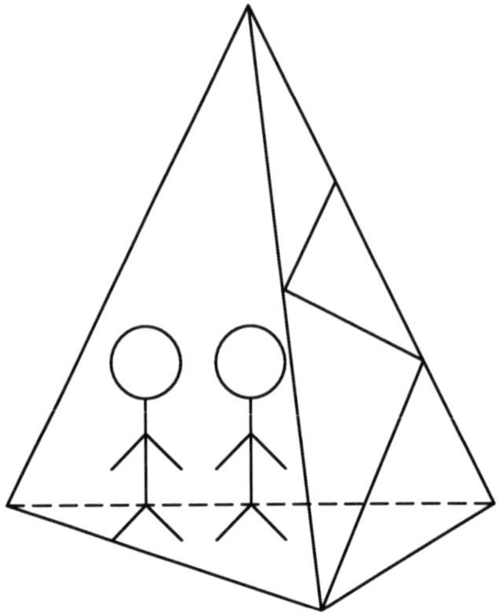

再往左右方向看，另外兩個面板也沒有閒著，出現各種符號與結構圖，袁毓真猜測，這就是海星形戰鬥機械，所展開的武器系統。這兩種面板會顯現不同的色系，從色系會有變化，或少或多來猜測，會不會跟最上層的面板顯現有關？袁毓真很想開口問，但又怕紅真的把自己的嘴撕爛，不得不忍著這好奇心。

忽然海星怪的前後左右，圍過來十多架水下戰鬥機，發射諸多快速魚雷，海星五角則各自伸出孔洞，發射出大批的圓球狀物體，魚雷在圓球狀物體周圍，就被引爆而無法靠近海星怪。海星怪於是發射為數龐大的菱形尖體，分別往所有水下戰鬥機飛去，將之全數擊毀。袁毓真在菱型體內最下層螢幕，看到敵方水下飛機全毀的圖案，大叫道：「打得好！」

紅忽然回過頭，打了袁毓真一耳光，又一掃腿把他絆倒，逼他作成狗爬式，然後一屁股坐在袁毓真背上說：「你就給我乖乖當椅子！你的嘴只要敢再發聲，我就讓你趴在地上，永遠爬不起來！」袁毓真火冒三丈，堂堂秀士，竟然被怪物的女奴如此打罵，還兼羞辱，恨得咬牙切齒，但是卻無可奈何。心思：（哼！好男不跟女鬥，好男不跟女鬥！總有一天，一定要妳當我的椅子！）氣得兩手指緊摳得發紅，卻仍然不敢輕舉妄動。

海星怪衝破了攔截，就往西邊快速游去，同時潛入更深的海域，躲避了層層感應。

海星怪是否能安全到達中國沿海？袁毓真又是否真的會答應怪物的要求？欲知後事如何，且待下象分解。

第五象　古怪老頭變象技藝制惡女 輪番進攻五大艦隊破海來

第一幕　痲痺雷射

話說海星怪突破攔截，往中國沿海潛來。紅坐在袁毓真背上，將近半小時，才起來，還踢了他一腳說：「現在沒有敵人了，你可以起來了。」

袁毓真爬起，滿臉通紅，爭眉怒目不發一語。紅說：「你以後再不聽話，後果就不是現在這樣。聽清楚了吧？」

袁毓真恨恨地說：「要不是我朋友，都攥在妳的主子手上，我才不會理會妳……」本來是想說「妳這條母狗。」但是還是急隱住後面的話語。

紅反口說：「要不是主人的命令，我早就把你宰了。」

袁毓真說：「妳主人？我想蔣婕妤罵妳罵得的對！」聽他這麼一說，紅才想到在海底基地時，被一個女人罵得很難堪，袁毓真說的蔣婕妤，想必是她。換成紅很怒火，伸出右手指尖的指套槍，頂著袁毓真說：「你敢再說一次？」

袁毓真笑著說：「想殺我喔？妳回去怎麼跟妳的怪物主人交代？而且要知道，妳的主人還不只一『隻』怪物喔！呵呵！」語氣帶有鄙視之意。

紅放下手，「哼」了一聲。兩人遂都保持沉默。

紅看了看儀表，開口說：「快到了，你告訴我，你祖父的東西放在哪裡？」

袁毓真說：「浙江皇朝區霸權路五定點。」紅遂選定了登陸點，從星型怪內，將菱形操作體發射出去，飛往一山區，降落下來。然後紅逼著袁毓真帶路，到了市區攔出租懸浮車，找到他祖父家，已經十二月二十日，中午十二點。

袁毓真猛按門鈴。這一回祖父仍然快速地開門，不到五秒鐘就來了，袁毓真都不知道，他怎麼每次都可以這麼快應門。如同上次一樣是半開著。

老頭子看了看，又帶來另一個年輕漂亮的女子，一陣笑嘻嘻，低沉地問：「她是你的女人嗎？結婚了沒有？」袁毓真猛搖頭，說：「不是我的女人！什麼都沒做！這次來有其他事情！」忽然碰的用力關上門，只聽見門後老頭子撒啞地大罵：「來了兩次，兩個美女，既然都不是你的女人，你帶來幹什麼？滾回去！」

紅拉著袁毓真衣領到胸前，追問：「你是他孫子？你爺爺不是死了嗎？」

袁毓真傻笑了一下說：「之前被妳們脅迫，所以我說謊。他現在活著，不是更好嗎？可以得到妳主人要求的更多東西。」

紅放開了他，半瞇著眼睛說：「好吧，無所謂。你快點叫他把東西都拿出來，最好是能跟著我們回去。」

袁毓真只好猛按門鈴。老頭子馬上又開門問：「誰是這個女孩的主人？要我拿什麼東西？」紅馬上說：「我主人是偉大的外星龍族，你孫子的朋友都在我們手上，要你發明的那些戰鬥武器資料來交換！」老頭子說：「要我的寶貝，沒門！」碰的一聲，馬上把門關上。

紅馬上用擒拿手，把袁毓真壓在地上，又用食指尖的指環槍，頂著他後腦微笑著說：「死老頭，你敢不交出來，你孫子就沒命。」只聽見裡面回答：「這個孫子已經快二十八歲啦，竟然還是沒有被女人玩過的處男，我早就不要了！要殺可以，距離我門口遠一點！別麻煩我收屍！」袁毓真哀哀大叫：「老頭子你瘋啦！」

紅說：「你以為我不敢殺他嗎？我就先把他一條腿打爛給你看！」

於是拖到離門口三公尺，指尖頂著袁毓真左大腿。忽然門又打開，袁毓真與紅一看，都大吃一驚。老頭子上半身沒有穿衣服，卻戴著女性的胸罩，不過是金屬做成的，頂尖有半圓型雷射砲孔，手上拿著操控器，雙目帶著喵準目鏡。只聽聞老頭子大喊：「麻痺雷射！」一下閃光，紅就全身酥麻，倒在地上。然後「碰」一聲，老頭子又把門關起來。在門後喊：「袁毓真，你現在知道該怎麼辦了吧！趕快給我配種！」

袁毓真站起來，看著地上躺著的紅，她全身顫抖無力爬起，只有瞪大眼睛的份。然後又看了看門口，說道：「不是的，這女人不能配，她不簡單。現在真的需要你的寶貝去交換人質啊！」

老頭子在門後喊：「這真的有這麼難嗎？怎麼我的孫子跟兒子一樣那麼蠢？想我年輕的時候是多風流！一群蠢蛋子孫！別再跟我說話，我不聽！」

袁毓真蹲下，用手拍了拍紅的臉蛋，笑著說：「呵呵，現在變成妳落到我手上了。妳也聽到我祖父說的，要我跟妳『配種』，他才肯開心。」然後又用手拉了拉紅胸前的衣襟說：「呵呵，現在似乎就可以把妳脫光，反正在這院子裡，沒有外人看見。完畢之後，把妳亮在外頭給大家看。」紅仍感覺全身酥麻無力，只勉強緩緩氣說：「你……你敢？」

袁毓真笑著說：「妳告訴我，我爲何不敢？我甚至敢說，我就算對妳性侵害，最後卻還能拿著我祖父的東西，交到那些外星怪物手上，牠們仍然會很高興的，不會介意我對妳做的事情。而且妳也會乖乖地帶我回去，見妳的主人們，最後把我朋友都放出來，妳信不信？呵呵！」紅軟軟地說：「變……變態祖孫。我……殺你朋友。」

袁毓真用食指，不斷點著紅的鼻尖說：「唉！美女，妳也有今天。妳知道我認識那些朋友才多久嗎？殺光他們我會心痛嗎？我現在甚至可以，永遠把妳給麻痹，把那些朋友棄之不顧。然後讓妳變成我的性工具，『玩到死爲止』，妳信不信？」加重『玩到死爲止』五字，臉色露出兇狠地表情。

紅快要流出眼淚來了，說：「壞……胚。我要殺：殺你。」

袁毓真哈哈一笑：「可惜現在妳落在我手上，殺不了我。其實我還可以把妳玩過之後，獻給元首大人，讓妳供出所有的外星龍族科技。我就大功一件，還升官發財。到時候我想要有多少女人，就有多少女人。想要多少錢，就有多少錢。」

紅說不出話了，只瞪大眼，喘著氣，恨恨地看著袁毓真。

袁毓真再拍了拍她臉蛋說：「妳打過我耳光，還把我當馬騎，又差點要把我腿打爛，我真的很惱火。所以若真的那樣做，根本也不過分。到時候妳在元首大人那邊，變成了囚犯，我當大官，如此因果循環，這很合理。」袁毓真臉逐漸靠近，似乎要來一個狼吻，紅緊閉雙眼，不忍睹自已將會有的慘況。結果袁毓真在她耳邊大聲說：「不過我不是這種小人。倒是妳，只是外星生物，在這個星球上認養的低等寵物！我只給妳最後一次懺悔的機會，哼！」

然後站起，不斷按門鈴。老頭子馬上又開門問：「我正在門後面用監視器看著呢，你為什麼不快點？」袁毓真傻笑著說：「爺爺你先等一下。讓我把所有話說完。假設你還堅持要的話，我再去做，可以嗎？」老頭子從後面拉了張椅子到門口，坐下來，兩手交叉於胸前說：「你說吧！」袁毓真就把一切經過，都講述給老頭子聽。然後說：「身為國家知識份子，總不能如此卑劣吧？而且就算是這個壞女孩，也不能隨便亂佔便宜。現在人命關天，別出亂子比較重要。」

老頭子點點頭說：「罷了，算你說得對，我去把所有筆記還有設計圖，複製到影碟裡面，你帶去交給外星怪胎。那些怪胎既然能夠製造出那麼多玩具，又有這個壞女孩當翻譯，一定能看得懂。」於是關上門，不一會兒，把東西拿出來。

袁毓真拿到之後，說了聲：「謝謝爺爺。」老頭子突然走出房門，蹲在紅的身旁說：「我還是希望你趕快配種。這壞女孩雖然是怪物的手下，但是長相身材都一流的，本質上借種還可以接受，反正人類交配，真正目的只在於基因流傳！」說此話時，還歪著頭，貌似參詳一件奇貨。

袁毓真緊閉眼，半蹲說：「好啦！好啦！我還不到三十，來日方長啦！多的是四十男人才結婚的！」老頭子呵呵一笑，回屋關門。袁毓真大喊：「這女的什麼時候能動啊？」屋內傳聲：「麻痺人類至少三小時，你慢慢算吧。下次來這，別再讓我失望啦！」

袁毓真又走回來，紅的眼神已經不再那麼兇惡。袁毓真說：「唉，我還真矛盾，想把妳吃了，卻又有知識份子的良知在作怪。拖妳到對面，在我住的房間躺三小時，我們再出發吧。」

第二幕　猜忌與自我驚嚇

姜麗媛正在沉睡間，忽然黃敏慧跑進來叫醒她。姜麗媛疑惑地問：「妳怎麼進來的？」黃敏慧說：「門都打開啦！大家現在正在外頭集合呢？」

姜麗媛疑問：「那些怪物呢？」

黃敏慧說：「沒有出現，總之透明門都不見了。」

姜麗媛遂跟著黃敏慧走出了房間，沿著螺旋形的斜坡梯，走到大半圓空間的底層，與大家集合。賀嘉珍告知大家：袁毓真跟著紅，去拿他祖父的東西，來交換人質的消息。所有人都安了心。

忽然何彩艷說：「我看袁毓真不見得會回來！」大家聽了，甚爲吃驚。賀嘉珍問：「這話怎麼說？」所有人也都把目光轉向何彩艷。接著說：「誰回去之後，還會再來啊？元首大人給我們的任務，不過就是盡量在基地內獲取各種情報。而現在他不只帶了情報回去，而是帶了一個活生生跟怪物有關係的人，甚至是懂怪物語言的人回去，這是大功一件。還肯回來換我們嗎？」眾人一聽，便覺得有理。

梁大成握緊了何彩艷的手說：「假設老婆妳說的對，那麼我們玩完了……」眾人一陣騷動，議論紛紛。

蔣婕妤搖頭道：「跟著他去的怪物走狗，不會那麼笨，不會讓袁毓真有機會跑的。我相信袁毓真只能乖乖跟著她回來！」

何彩艷也搖頭說：「不對，這反而更慘，假設袁毓真比她聰明，就是她被袁毓真派人抓走，那麼就是袁毓真去元首大人那邊領功勞，而我們死在這。假設她比袁毓真聰明，那麼袁毓真的把戲就會失敗，會被怪物的走狗殺掉，或被怪物走狗抓回。那這股氣，不就全都會發在我們身上？」眾人紛紛點頭，越說越感覺可怕。繼續說：「假設袁毓真不做這種把戲，怪物還不見得殺我們，如今玩了這個把戲，那麼怪物肯定不會放過我們的！」

一個男性士兵更答腔說：「是啊，爲什麼怪物又會放我們出來？但是卻不給我們走？難道說……準備對我們採取什麼一次解決的行動？」眾人一聽更是哄哄然。

賀嘉珍也動搖了，不禁說：「要是真的這樣，這袁毓真就可惡至極。」

梁大成握緊拳頭說：「假設他被抓回來，卻沒有把我們救出去。不等怪物解決他，我們就先殺了他。」眾人異口同聲地說「對，對。那就殺了他！」

何彩艷指著賀嘉珍說：「妳們三人，在被怪物帶走問話時，妳們怎麼就不阻止袁毓真玩這種的把戲啊？」

賀嘉珍說：「這是怪物相信他，指定要這麼做，我們說了還有效嗎？」

何彩艷說：「妳們至少可以揭穿他！」眾人也紛紛點頭。

蔣婕妤說：「妳要我們怎麼揭穿？第一，怪物事實上就是對他的法寶有興趣。第二，大家也親眼見到，他確實有這種法寶。我們當然只能相信啦！況且連怪物都相信了，我們怎麼阻止？」眾人只好各自嘆氣，把袁毓真恨得牙癢癢。

蔣婕妤又說：「袁毓真確實也用過法寶救我們，這一次我相信他會拿法寶交換我們的。」

梁大成說：「此一時也，彼一時也！之前他用法寶救我們，是因為他自己也陷在這裡！現在他回去了，誰還願意犧牲自己的法寶，來救一群才認識不久的人？何況我們死了，他一個人就可以自圓其說，獨自邀功。升官發財等著他，還管我們喔？所以袁毓真肯定會動這種念頭！肯定不會回來！而不管他成功還是失敗，我們都沒有好下場！」眾人越說越真。連蔣婕妤都不得不被說動。

蔣婕妤問賀嘉珍說：「妳看他會回來救我們嗎？」

賀嘉珍搖頭說：「我們讀那麼多書，很多事情都可以預測，但是就是無法預測人性……我看很難說。」

蔣婕妤哭了出來，頭靠著賀嘉珍的肩膀，大聲嗚咽說：「袁毓真這壞人，知識份子的良心給狗吃了……嗚……嗚……我要是死在這，做鬼也不會放過你的！」賀嘉珍急忙安撫著她，替她拭去眼淚。

眾人也都哀聲嘆氣，連男性士兵也很多都哭了出來。但是大家卻都拿不出任何方法。何彩艷說：「大不了他不仁，我們不義！不如就投降怪物，像那個穿紅衣服的女人一樣，幫怪物的忙好了。」此語一出，議論紛紛。

梁大成道：「三八！妳在胡說八道！我們的親人都在軍方掌握之中。妳也知道軍法。失職頂多罪止自身，但是叛國投敵，這是要連累親屬的！」眾人此時分了兩派，甚至相互有了口角。

忽然半圓頂最上層，出現一隻蛇形兵器，接著紅也跟著走了出來。

紅說：「你們當中有人想投靠我們？很可惜啊，第一，你們這種人類，外面成千萬上億，我們不稀罕你們。第二，龍族主人不需要這麼多人類。」眾人為之一驚，以為她要動手殺人。

賀嘉珍站出來問：「袁毓真呢？」

被一提到袁毓真，紅就想到被麻痹的尷尬情境，臉色就如同衣色說：「別提這臭王八蛋！」停頓了一下，又說：「你們這麼想念他，等一下我就把他還給你們！哼！但是我告訴你們，事情還沒有結束！」說罷就帶著蛇形兵器離開。

然後把袁毓真拉了過來，袁毓真說：「紅，妳該叫妳主人遵守承諾了吧？」紅說：「主人們得看一看，是不是真的有價值，假設有價值，會放你們走的！」於是把袁毓真帶回大廳，就關閉了門，自行離去。

袁毓真慢慢走下階梯，跟大家說：「好啦，我又回來啦！你們怎麼都出房門了？」才說完，忽然感覺情況不對勁，四十一名男兵，二十八名女兵，連同蔣婕妤還有賀嘉珍，都用或銳利、或怪異、或憤怒、或疑惑的眼神，盯著自己。

袁毓真笑著說：「這……這怎麼回事啊？」

梁大成首先開口說：「袁組長，我們才想要問你，這怎麼回事？」

袁毓真說：「怎麼回事？想辦法救大家啊！」

另一個男兵說：「那爲什麼我們沒有被放走呢？」

袁毓真聳聳肩說：「紅那個女人說，她的外星主子，要檢查我帶給牠們的東西，檢查好了才會放我們走。」

何彩艷很兇地問：「那麼要檢查到什麼時候呢？」袁毓真感覺疑惑說：「你們怎麼可以用這種態度跟我說話？我千辛萬苦，回去時候，差點被紅給打死。還犧牲祖父的智慧，來救各位……喂，我說各位是不是泡怪物香水，泡昏頭啦？」說了差點被打死，代表之前大家「共同推理」的想法沒錯，想要出賣所有人，卻被紅給抓回來。

所有男性士兵首先圍過來，梁大成帶頭說：「你差點被殺？是不是想要逃跑，而被抓回了呢？」

袁毓真大驚失色，才知道自己已經被大家所懷疑。火冒三丈說：「你們想怎樣？要以下犯上嗎？」其中一個男性士兵說：「我們正有這個意思！」

袁毓真說：「你們是懷疑我？好啊……早知道我就……」又一個男性士兵說：「你就串通

怪物幹掉我們對嗎？」袁毓真發現已經百口莫辯，正想開口就忽然一個拳頭飛過來，打了袁毓真臉頰，接著其他人紛紛動手拳打腳踢，袁毓真大喊救命，雙手抱頭，縮在地上。女兵們也都坐壁上觀，沒人願意去救。

賀嘉珍眼看這樣下去，肯定打死人，大喊：「住手！」但是沒有人理會，賀嘉珍抓著梁大成衣服，大喊：「梁大成！管好你部下！不然回去告你以下犯上！」

梁大成才趕緊跳入中心，全力阻止，大喝一聲：「停！」眾人才慢慢後退，退後當中，還有幾個人不服氣，再多踢他兩腳。梁大成拉開所有人後，只見袁毓真已經被打趴下了。鼻青臉腫，口鼻流血，衣服在亂打中被扯破爛。賀嘉珍趕緊走上來，摸了摸說：「好在沒有打死人。」然後站出來罵大家說：「不管怎麼樣，至少在進來的時候，有救過大家，在他用直升機帶大家飛離光滑地板的時候，你們當中誰沒有抱過他大腿？」眾人才默默不語。幾個醫護女兵，才又上前看看他的傷勢。

忽然紅又帶著蛇形兵器，在上層平台走了出來。哈哈大笑說：「真是眾口鑠金，三人成虎啊！袁毓真可真冤……不過也好，你們倒替我出了口氣。」眾人都不禁嚇得後退，只有姜麗媛站出來說：「妳這話什麼意思？」

紅緩緩地說：「我只說他有很多機會，可以把你們給賣了。但是卻堅持要把東西拿回來，把各位救出去。結果回來竟然是這種下場，可憐啊！冤啊！」

眾人聽了，才知道自己冤枉好人，紛紛低下頭，不敢說話。女兵們才把袁毓真扶起來。

姜麗媛趕緊用自己的衣服幫他擦血。

紅仰天哈哈大笑說：「打都打了，現在才示好有什麼用？把袁毓真放下，其他人都可以走了。我們準備好運輸工具，讓各位離開。各位跟著這條蛇形戰鬥兵器，登上帛琉島，就可以回家啦。」

姜麗媛說：「為什麼袁毓真要留下？妳沒有誠意！」

紅不屑地回答說：「人被你們打成這個樣子，帶他回去，半途中就死了！留下來用你們泡過的醫療香水，才有救囉。」

姜麗媛繼續說：「救好之後呢？會放人走吧？」紅回答說：「我主人不像人類這麼不守信用。」

眾人慚愧不已，看著賀嘉珍。賀嘉珍搖頭說：「你們走吧，我留下來陪他。」眾人也跟著猶豫起來。紅說：「快點啊！再不走，誰都別走了。」眾人才紛紛魚貫往上走，跟著蛇形兵器離開。只有賀嘉珍、姜麗媛、蔣婕妤、黃敏慧、外加兩個女兵堅持留下。

第三幕　次易拳腳

袁毓真泡了神祕藥水之後，總算傷勢痊癒。走了出來，見到賀嘉珍等六名女子。袁毓真劈頭就說：「你們太過份了！好心被當驢肝，還差點被自己人打死。」

賀嘉珍說：「我代表大家向你道歉，你就別在生氣。」蔣婕好應聲說：「是啊，你救了大家這麼多次，元首大人肯定會知道，你也一定會得獎賞的。我們向你對不起囉。」

袁毓真說：「這不關妳們女孩的事情！是那些王八男人，沒本事脫身還要打自己的救星。」姜麗媛有些心虛，自己甚至也有想湊上幾腳，趕緊說：「對啊，你才是男子漢。我們不就留下來陪你了嗎？六個女孩陪你還不夠喔？」

袁毓真點點頭，但仍氣憤地說：「好吧，算了。回去之後再如實向元首大人稟報，請他替我拿個公道！」

黃敏慧問：「現在又把我們關在這，什麼時候能走啊？」正在眾人躊躇間，紅又開了活性纖維門，走出來對眾人說：「各位恐怕要等一等了。」七人一陣吃驚。

袁毓真急問：「這是什麼意思？為何不給我們走？」紅說：「八個小時前，主人才把你們的同伴，都放回帛琉島上。結果兩個小時前，主人的衛星偵測器，發現有大批的中國海、陸、空、宇四軍聯合兵種，大規模地集結。主人們要應付變局，暫時讓你們待在這。」袁毓真說：「這跟我們有什麼關係？」

紅大聲地說：「當然有關係。你們的同伴在帛琉，通過衛星，把進入海底基地的詳細過程，都向你的主人報告！結果通訊被我主人截獲了！」紅話語故意反刺袁毓真，指他也有「主人」。

袁毓真頓時像洩了氣的皮球，喃喃道：「完了，這回走不了了。難道這才是南十字星計畫？」賀嘉珍說：「只有集結而已，不一定要來打這。你們緊張什麼？告訴你主人，立刻放我們走。」

紅說：「這不是我能決定的，我聽命辦事而已。」袁毓真說：「我要見你的外星主人！快帶我去！」紅搖頭說：「現在這基地只剩我，還有你們。主人們外出沒有時間見你。等主人回來再說吧。」

蔣婕妤指著紅說：「你們背信！」紅繃緊臉說：「是又怎樣？」袁毓真問：「妳告訴我，那些怪物什麼時候回來？」回答說：「不知道，你們耐心等吧，我會給你們送食物的。」說罷就想離開，蔣婕妤氣得罵：「妳這個賤女奴，給我站住！」

紅聽了勃然大怒，立刻回頭說：「妳剛才罵什麼，再說一次！」姜麗媛搶接著話說：「她罵妳是賤女奴！我認爲妳是無恥的賤種騷婢！給外星人當玩物的賤人類！」紅氣得臉色如衣色，清秀的臉蛋立馬上變形，伸出兩手食指尖的指環槍，往下對著她們說：「我要宰了妳們！」袁毓真衝上前擋在眾女面前，兩手伸高地說：「等一下，看在我對妳有恩的份上，別生這個氣啦。」

袁毓真不說還好，一說就讓紅想起在他家門口，被痲痹的尷尬情境，緊閉眼大罵：「恩你的大頭啦！」意念觸發，兩手指同時發射雷射光砲，從七人的頭上掠過，轟到後方的地板上，打了一個大洞。六女子同時緊躲在袁毓真背後，相互靠緊，袁毓真忽然發現自己變成了擋箭盾牌。

姜麗媛探頭說：「有本事別用槍，拿真功夫來打我們啊。」說罷又躲回去。

紅一方面怕外星主人們回來後會責怪，一方面想親手出氣，紅狠狠地笑著說：「好，我忍妳們好幾次了。不來點顏色，妳們不會收回那些髒嘴。」於是拔開雙手食指尖的指環槍，從台階跳了下來。台階約略有五公尺高，紅跳下來竟如下床蹬地般輕鬆，倩影彈軟彎曲而已，讓其他人都著實嚇了一跳。

姜麗媛心思：（好厲害，我雖然是軍中武打冠軍，卻也辦不到這一招。這女人不簡單。）

紅慢慢走近說：「妳們一起來啊！」蔣婕妤是書香女孩，不會打架，一手拉著賀嘉珍，另一手抓著袁毓真檔在前面。下令說：「姜麗媛，我以組長身分命令妳們一起揍她！」

黃敏慧與另外兩女兵，立刻先衝上去，三人同時動手。只見紅對三人的攻勢，先見招拆招，然後踢胸、掃腿、賞巴掌、頓下腹，三女子接連倒地，撫胸摸腹疼得爬不起來。姜麗媛見情勢不妙，擺出太極拳架式，以靜制動，紅跨步上前，兩女子大打出手。

袁毓真對於姜麗媛的太極拳架式，頗有信心。微笑握拳地說：「這種武術借力使力，應該不會輸的。而且兩人身材身高相當，論力量，姜麗媛也不佔下風。」

但是她們才打了幾招，就發現事情不對頭了。紅的身影動態，如同在海星怪菱形體內的三角螢幕解構一樣，把整個交手的空間，分成若干區塊，動態在其中都呈現直線交錯，只是角度因勢而易。兩手一腳，節節逼近，姜麗媛屢屢中招。袁毓真心思：（難道這武術的背後哲學意涵，比太極拳的意涵還高？太極拳以陰陽相生，剛柔互濟的原理，靜可以制動，弱可以引強，所以借力打力。整個概念簡單說，就是次易原理的艮卦，運用『存在等價』，強與弱的存在，等價運用於動態中。那麼敵人再怎麼強，也無法用單一強力的動態變化，來打倒我方。然而紅的武術動態，竟然能突破這種變易法法則？著實難以想像！唯一的解釋是，在『存在等價』之外，她還同時掌握更多的法則。以目前情況看來，三角解構等於是空間幾何中最簡單的架構。次易原理中坤卦，道先無窮，由複雜而後簡單。她三角變化只是平面，在空間中，可以等價而無窮複雜組合，從最複雜至最簡單，從高冪而後降冪，整個變易體連冪則更加深入，自然除『存在等價』之外，還包含了次易中『坤相易解』的共同連冪。那麼她至少在動態變化上，是高姜麗媛不只一籌！而根本的力量與體積又是相當，也就是『乾綱原始』相等而沒有佔優勢，那麼姜麗媛恐怕很難勝了。）

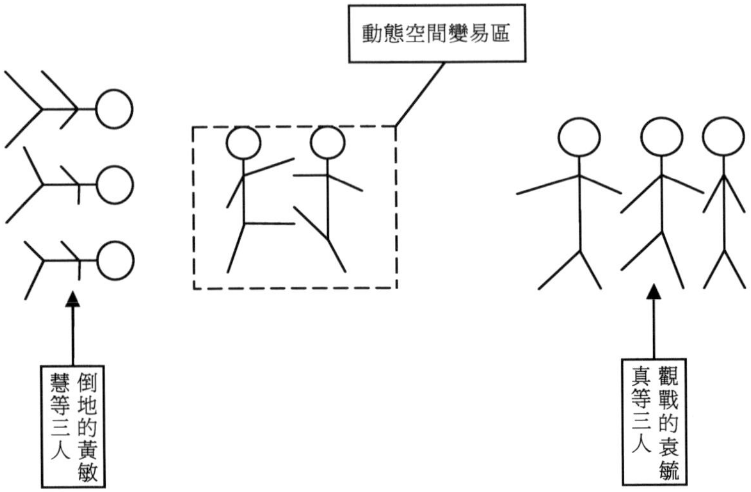
動態空間變易區
倒地的黃敏慧等三人
觀戰的袁毓真等三人

袁毓真正在思考時，姜麗媛已經趴在地上，哀哀叫了。紅又跨前兩步，指著袁毓真這邊說：「你背後那個黃衣服女生，給我出來！我忍妳很多次了！」蔣婕妤緊貼在袁毓真背後，死不肯出。袁毓真說：「別動怒，都是我的錯，我來負責！」紅說：「你閃開，今天我一定要揍她，不讓開我連你一起打！」

話才說完，背後黃敏慧與另兩個女兵，同時從其背後冷不防撲過來，紅正考慮是否要打袁毓真，沒注意到這冷招。兩女兵死死抱著腳，還用力咬了她一口，黃敏慧同時將之向前仆倒在地，壓在她身上，也咬她肩膀一口。害得紅痛得，尖叫不已。用手向後猛捶，姜麗媛立刻跳過來，使出勤拿手，把她的左手向後猛扳。紅更是痛得連動都動不了。另外三人遂各自扭著一肢，共同將之緊壓於地面。姜麗媛制壓左手，黃敏慧壓制右手，兩女兵各自壓制一腳。

姜麗媛狠狠地說：「小賤人，妳輸了。」

紅被緊壓於地，無法動彈，痛得淚流滿面說：「妳們偷襲，卑鄙。」黃敏慧說：「對付妳這賤人，才不管手段呢！」袁毓真走上前說：「好了別打了，放了她吧！」姜麗媛皺眉喝道：「不行，我們放她，請問誰放我們？」另一個女兵說：「沒錯，她得做我們的人質！」

蔣婕妤走上前去，用腳踩著紅的臉蛋說：「妳剛才不是要我出來嗎？我現在走到妳面前了，揍我啊！看我把妳的臉毀了！」腳用力扭動，紅痛得發麻，氣得想自殺。

袁毓真拉走了蔣婕妤說：「好了，別這樣，讓人家也好過點。」

蔣婕妤皺眉地說：「怎麼？你憐香惜玉啊？」袁毓真才想繼續開口。賀嘉珍走上前來說：

「別吵了，我看這樣吧，把她反綁起來，讓她給我們帶路。放我們回去！」姜麗媛說：「好，就這麼辦！袁組長，把你身上的腰帶解下來給我！」

袁毓真疑惑地問：「啊？怎麼是我的？」姜麗媛大聲地說：「難道還會是我的嗎？你搞不清楚狀況喔！」袁毓真只好照辦，把腰帶解下來給她。

賀嘉珍也解開自己的腰帶，丟給姜麗媛說：「她的腳也很厲害，把她的腳也綁了。我們用抬著她帶路，以免她逃了。」姜麗媛點頭道：「遵命！」於是紅的手腳都被綁得死死，姜麗媛一肩把她扛起。紅腹部痛得使她哇哇叫，但是全身緊纏而不能掙扎，只能強忍。

蔣婕妤先閃她一耳光，然後問：「現在我們怎麼走？」

紅喘著說：「我不會背叛主人的，妳們快殺了我。」黃敏慧說：「妳以爲我們不敢嗎？」

賀嘉珍轉問袁毓真說：「之前她是怎麼帶你回去的？」

袁毓真回答：「上了一個海星機械怪物，然後從海底回去。我記得停放地點，但是我不會操作那種怪物。一定得讓紅來操控。」紅列牙微笑說：「我不會幫妳們操作的，死了這條心吧。要死大家一起死。我的主人會替我報仇的。」姜麗媛把她放回地上，一腳踩著她臉上，說：「妳不怕死，但我會讓妳比死更難過。知不知道什麼是最可怕的毀容嗎？」

賀嘉珍拉回了姜麗媛說：「妳等一下，讓我跟她說。」於是蹲下來，輕撫紅的臉。賀嘉珍說：「妳今年幾歲啊？」紅露頭甩一邊露出不屑神情。蔣婕妤踢了她一腳，罵：「快回答！」紅疼得皺了眉頭，緩緩說：「十八。」

賀嘉珍說：「十八？代表妳就算很有本事，經驗也不夠。我不管妳過去是怎麼當外星怪物手下的，但是牠們把妳留下，代表就是把妳當成是看家的狗。」

紅說：「我心甘情願。」賀嘉珍笑了笑說：「不管妳怎麼心甘情願，假設一條看家狗失職，這條狗還有利用價值嗎？妳的主人會怎麼衡量妳的能力？會重新教育妳？還是把妳丟了？還是另外找過能力更好的狗？妳說過，妳的主人不需要太多人類幫手，代表牠們很重視能力。我們這裡多的是能力比妳強，經驗比妳豐富的人，甚至也有願意代替妳的人。妳的主人們看見妳被我們抓獲，至少在牠們的想法，我們很適合當牠們的狗。」紅說：「哼，妳不了解我的主人們。」

賀嘉珍說：「我當然不了解，但是我可以嘗試去了解。甚至嘗試代替妳的位置，把妳給擠下去。妳信不信我們的學習能力，絕對不輸給妳？」

紅有些心動了，心思：（這女人果然觀察很細膩，才多長時間而已，就把龍族主人的性情摸透，假設她再多待些時日，那麼主人們肯定會要她們幫忙。那我確實就不重要了。）緩緩口說：「妳們要我麼做？」賀嘉珍說：「很簡單，把我們送到帛琉島上，各自回各自的地方。」紅說：「這樣我就不能給我主人們交差了！」

袁毓真問：「那些外星人到底要我們怎麼樣？」紅說：「他們要袁毓真留下，其他人無所謂，放不放都可以。命令我留下看著你，不許你跑或者死。」袁毓真苦笑道：「我有什麼用啊？」蔣婕好代替她回答說：「還不就是你祖父的寶貝？他們現在肯定也要你來當走狗啦！」

袁毓真搖頭說：「我不當，我要回去！」走到紅身邊說：「我想這樣吧，妳放我走，假設那些外星人問起來。你就說，我歡迎牠們來找我談合作。相信這樣子，妳的外星主子們，會更有興趣。」紅說：「口說無憑，主人們會以為我放走你。」袁毓真苦笑道：「妳可以打電話給我嘛！拜託！到時候我幫你做證。」紅緊閉眼睛，大聲說：「不行！」

姜麗媛把她壓在地上，狠狠說道：「講那麼多幹什麼？把她全身扒光，大家輪流在她身上留下不可抹去的記號！然後丟到小房間排泄物的洞裡面淹死，她想當狗也當不成了！」然後開始撕她身上的衣服，其他女人也跟著七手八腳撕衣服。袁毓真瞪大眼睛，看著女人非禮女人，內心有一股慾火頓時燃燒。賀嘉珍擋再前面說：「你看什麼看？歪腦筋很多喔！」

紅受不了，哭著大喊：「住手，我放你們走啦！」蔣婕妤問：「是不是全部都放？」紅緩了緩說：「袁毓真不行！」蔣婕妤說：「那就別商量了。」所有人繼續動手。紅又緊皺眉大喊：「好啦！袁毓真也放啦！」眾人才停手，蔣婕妤摸了摸她哭喪的臉說：「對嘛，這才是聽話的好狗，假設妳主人們不要妳了。來首都找我，我當妳的主人。」

第四幕　政治分贓

稍早之前，新河洛，元首大人府邸。

聽取梁大成詳細的視訊報告後，元首大人躊躇滿志，準備招開御前軍事會議。會議前，先與歐美聯盟的首腦通視訊。

歐美聯盟首腦透過電腦視訊，與即時翻譯，跟元首大人談判：「你中國決不能去海底！那裡的外星生物，是我們先發現的，我們具備擁有權。」

元首大人手持南十字星計畫的全本說：「你繼續鬼扯沒關係！外星生物還是我方科學家，用隕石的透明體，轉移出來的！證據全部在我手上！你有什麼擁有權？我大可以把檔案現在就傳給你！」

歐美聯盟首腦說：「我不知道你的什麼計劃，是我們率先派人潛入海底基地，甚至派兵跟外星人交手。」

元首大人打斷他的談話，哈哈大笑地說：「我知道你前後派人進去三次，結果全部死光光，屍體都不知到去哪裡了。我才派一次進去，不只人員大多數活著回來，還把外星人基地內部的資料，都拍攝傳回來了，比你的那些黑暗不清，鬼吼鬼叫的慘況畫面，有價值多了。不信我現在就把檔案傳給你！」

歐美聯盟首腦，氣得吹鬍子瞪眼，說：「你就算派兵去海底，也打不贏的！那些外星人科技遠遠超過人類！可以把我們軍隊，與外星人戰鬥的畫面，都把傳檔案給你！」這反倒提醒了元首大人，龍族怪物的戰鬥力可能在軍隊能力之上，不過仍然不會在口頭上認輸。

元首大人又哈哈大笑說：「你的軍隊，吃了大敗仗，傷亡慘重，就不要傳給我丟人現眼啦！現在我的軍隊已經全部集結完畢，我可以把我們戰士軍威與戰力的畫面，傳檔案給你！」

歐美聯盟首腦，是個八十多歲坐輪椅的老頭，氣得更是差點跳了起來說：「你一定失敗，你一定會失敗，你不是外星人的對手。而且你這麼做，會使中國更孤立！我可以把我聯盟的決議傳檔案給你！」語氣頗是針鋒相對。

元首大人更是大笑不止說：「請你搞清楚，現在的時間是我伏羲甲子紀元，炎黃第一百二十五紀。不是你西方紀元的第十九、二十世紀，當我中國還是幾百年前的以往嗎？一百多年前，已故而偉大的太上元首大人，出兵消滅東瀛，北收失土，南佔中南半島，那時候你們歐美軍隊的援軍，就已經被打得七零八落，核武器全面癱瘓，最後乖乖求和，承認我們一切現有領土。到現在你都還不承認中國比你們強嗎？老實跟你說，我只派三百人的偵察隊，就辦到你們三千人突擊隊都辦不到的事情。深入外星基地，全身而返，哈哈！我百萬軍隊出發勢在必然，看我一舉把外星人全部活捉，全得外星的科技，做到你們辦不到的事情！哈哈哈！到時候我一定把勝利畫面的檔案，傳給你！」話說到重點，手指狠狠地指向螢幕。

歐美聯盟首腦，喘息加速，頗有撐不住的樣子，旁邊站著的西洋金髮美女，怕他年老心臟病突發，趕緊送上一杯水與幾顆藥丸，讓他吞下去。他緩了緩神，改變神情說：「其實還是有合作空間的，我有建設性的提議，派援軍支援你們，提供你們作戰情報。外星的科技，屬於人類共有，以後我們可以共同往外星去發展，各自得到該有的星際範圍。脫離地球現在環境惡劣的困境。」

元首大人點點頭說：「對嘛！你這句話說得才有誠意，我們現都需要弄清楚，星際旅行的機密。只要我得到這些科技，你又能在政治上提供我國利益，拿出一些條件出來，那我肯定願意分享。」

旁邊的西洋美女，幫歐美聯盟首腦這個老頭，安撫著胸口，首腦緩緩氣說：「那麼就這麼說定，到時候我可以解除聯盟國與友邦，對中國的外交封鎖。」

元首大人又哈哈大笑說：「少買空賣空！你們的封鎖有用嗎？我套一句五百年前。中國乾隆皇帝說過的一句話，我中國上邦，現在無所不有，還需要跟你們互通有無嗎？這種虛有其表的假東西，拿來騙騙老百姓還可以，在我這邊行不通。你還是多花點精神，封鎖你歐美聯盟自己的醜態吧！這種條件我不接受，哈哈哈！」歐美聯盟首腦，氣頭又上來，狠狠地說：「那你想要什麼條件？」

元首大人按了一個鈕，就在共通的螢幕上，顯現出一個月球的地圖。接著說：「我認爲月球的採礦權，分配不公，你們佔了太多的採礦點。你只要讓出地圖中亮紅點的三個採礦點，我就願意把一系列外星科技與你分享。」

歐美聯盟首腦，戴起老花眼鏡一看，都是月球上氬同位素「氚」的重要採礦點，感到有些猶豫，緩緩地說：「茲事體大，況且現在說還太早，等你真正把星際旅行的科技拿到手之後，再來跟我談。」

元首大人微笑著說：「那是當然！你等著看吧！」於是結束了通話。

接著打開通訊設施，馬上招集所有軍事將領，作出發前最後作戰計畫。空軍大將軍錢勝煌、海軍大將軍林通貫、陸軍大將軍王神通、宇宙軍大將軍王若仙。另有五大三軍聯合艦隊指揮官，征北艦隊指揮官鄭開來，征南艦隊指揮官趙光必，征東艦隊指揮官陳無悔，征西艦隊指揮官秦玉衡，中央總艦隊指揮官何家寶。總共九人，外加每個將領的參謀官，全數到會。

元首大人的表情，顯得與剛才跟歐美聯盟首腦說話時不同，如同換了一張面具，嚴肅地說：「各位也已經看過我們的偵察情報，歐美聯盟軍在帛琉外海，被打得落慌而逃。使用的小型戰術核武器，三兩下就被破解。我猜即使是戰略核武，加上級數激光雷射砲，也一定打不動外星怪物的防護。但是我看到派遣過去，潛入海底基地的三百偵查先鋒，所傳回的畫面，與他們在裡面作戰的狀況。我認爲要俘虜外星人，得到星際旅行的科技，是完全可能的。必須藉此一戰，彌補南十字星計畫的失誤！你們再把研究出來的作戰計畫，闡述一次給我聽。」於是各將領把自己的職責都說了一次。但是卻引起相互之間的不少爭議，一時七嘴八舌。

王若仙說：「各位先安靜聽我說。目前集結總精銳兵力二十五萬，外加各式電腦全自動作戰工具，幾十個打他一個，一定可以贏。但問題在於，如何在混亂的作戰中，達成不破壞外星科技，收回透明體並活捉外星人。這一點難度很大。」

元首大人回答說：「這我有想法，之前派遣進基地的三百偵查隊，大部分都活著回來，現在都在帛琉島上。指揮官有任何問題就去問他們，中央總艦隊的任務，就是協調一切行動。決不可以殺紅眼，就把外星人基地打爛，或把外星人打死了！這樣我們這次行動等於零！」

林通貫心思：（到底打不打得過外星人還不知道，現在就下這種命令，未免太早。）嘴卻說：「依照元首大人敕令，訓練了一千五百人的捕捉隊，另外徵招二十名『四士』聯合作業者，與一百位各類科學家。分組都分好了，比之前三百偵查隊的四士隊伍，陣容更加堅強！等一下五大艦隊，可以分配一下，要給他們權力，能管束校尉級以下的官兵。相信這些知識份子，會能體會外星科學的重要，不會任由第一線執行部隊亂打亂殺的。」

元首大人打斷他的話，繼續說：「沒錯，這次的隊伍，遠遠大過之前的『智慧四人組』的先遣偵查隊。他們既然能有這種收穫，那麼現在人更多，裝備更好，計畫更完善。就更沒有理由失敗！若是哪些人在這次任務中，怠忽職守，造成國家利益的損失，就以最嚴厲的軍法制裁！」眾人頓時一怔，不再有意見，安靜了片刻。

王若仙說：「上一次偵查任務，進去的三位『四士官』，聽說目前都還在海底基地裡面，沒有一位回來，生死不明。假設能有其中任何一人，用他們的專業解析海底基地的詳細情境，那麼行動才更有把握。」他意思是，所看到海底傳回的螢幕，其實也很不清楚，不比歐美聯盟拍的好多少。雖然有官兵活著回來，口述的事情，但是他們知識與鑑識都不夠，敘述還是太模糊。

元首大人怒斥道：「你沒有信心嗎？」王若仙頓時收嘴低頭。元首大人接著說：「他們的生死不重要，重要的是，就這一點人，給一點資源，就能有這種成績。現在動員這麼龐大，等於把重要科技工作人員、還有龐大的四軍種聯合部隊都押上去，一定要能順利達成目標！

會議結束之後，立刻按照計畫實施。隨時向我匯報狀況！」眾人點頭稱是。

第五幕　混戰中的逃亡

被反綁的紅，終於被解開了腳，但是雙手仍然反綁於後，由姜麗媛與黃敏慧左右押解，帶往海星怪的停泊室，八個人一起擠上了海星戰鬥器的菱形體操作室內，離開了海底基地。眾女子第一次看見這麼怪異之物，頗感新奇。

正當海星怪靠近帛琉，忽然螢幕顯示，空中與海裡有數量龐大的戰鬥兵器，正在靠近帛琉島。紅戴著頭盔，但是兩手仍被反綁於後，用精神操作海星戰鬥器。紅不由得說：「不好了，主人們的預料正確，行動開始。」

蔣婕妤問：「妳這句話什麼意思？」紅回答說：「之前主人們，打敗了歐美聯盟軍的進攻時，同時也知道中國正在備戰。你們比歐美軍隊，闖得還要更加深入我們基地核心，主人就認爲你們的力量比歐美聯軍強很多。所以在打敗歐美聯軍後，就佈下新的作戰方針。」

蔣婕妤又問：「新作戰方針是什麼？歐美聯軍也有突入過基地？」

紅說：「我死都不會告訴妳的！」蔣婕妤用力捏了她一下，說：「釣我胃口？妳現在可在我們控制之下喔。」紅忍著痛說：「可現在妳們在我的作戰工具裡面！」姜麗媛把她按倒在地說：「妳可別耍花樣啊，我在這一樣可以玩死妳。」

袁毓真急忙拉著姜麗媛說：「別衝動，我們現在是要趕快上帛琉島，會合部隊，並且與中國派來的大軍取得聯絡。至於新作戰方針，就別管了。」

賀嘉珍說：「不能這麼說，新作戰方針的內容，決定了帛琉島是否安全。假設那裡淪爲戰場之一，我們被放上去，不就等於送上戰場嗎？」

姜麗媛問紅：「快說，帛琉島安不安全？」

紅微笑著說：「很安全，你們上去就知道。」

蔣婕妤說：「哼，她的話不能信。別說戰場怎樣，就她把我們放下去，馬上就又可以用這隻兵器轟過來報仇。我建議別去帛琉島，直接潛航回國，如同袁毓真大哥之前被她帶回去的模式。」眾女子都點頭。

於是強迫紅操作海星怪，往北潛航，避開迫近的五大艦隊。正在航行間，袁毓真問紅：「我們走之前只剩下妳，妳現在又跟著我們走，那麼海底基地現在是不是已經完全空盪啦？」

紅說：「我現在已經配合你們，準備放你們回去，還逼問我這些幹什麼？我是不會說的。」

賀嘉珍對袁毓真說：「這會不會是外星怪物的空城計？」

袁毓真點點頭說：「很可能，但也可能是虛誘掩殺。讓大軍靠近或佔領海底基地，然後就用我們見過的內部機關，去對付我們的軍隊。我猜想之前歐美聯盟軍突入基地，必定是這樣全軍覆沒的。不然我們不會在裡頭，都看不到一個外國人。」然後呵呵一笑，自我膨脹地說：「一定是這樣的，因為他們沒有我袁毓真這種人！」

蔣婕妤說：「確實該感謝袁大哥。不過我們還沒脫險，等脫險之後，我們幾個一起去狂歡慶祝一下。」眾女子都鼓掌叫好。

忽然一螢幕出現大批怪異符號，接著一陣震盪。眾女子同時尖叫了起來。

蔣婕妤抓住紅的胸前，被剛才撕破的衣襟問：「這是怎麼回事？」

紅說：「妳別吵！現在外頭有大批的潛水艇，對我們發射快速魚雷！我正在用意念作戰當中！」袁毓真才想到之前她被打擾，也是這麼火。相信這確實會干擾操作。於是說：「大家安靜，讓紅專心操作。」蔣婕妤說：「我怕她耍花樣，企圖跟我們同歸於盡。」紅回頭說：「妳放心，妳們還不夠資格讓我一起死。我主人們還需要我，沒有主人們的命令，我是不能死的。」

海星怪往北游，遇到了在北面巡弋的征北艦隊前鋒，大批的快速潛水艇與水下戰鬥機。頭一批的快速魚雷已經被引誘圓球給阻擋，爆破震波並沒有對海星兵器有什麼損傷。

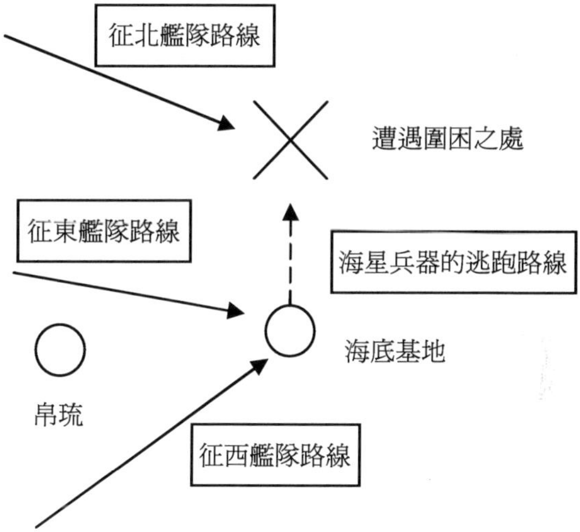

紅感應到敵方數量龐大，而且外星主人們的作戰計畫，還不是實施的時候，於是不敢戀戰，拼命加速尋找突破口。

征北艦隊旗艦，鄭和號。

鄭開來的情報官，回報了遭遇一隻怪物的海星兵器，請求如何反應。鄭開來說：「立刻派空潛聯合作戰機，給我逮住牠！」征北艦隊參謀官說：「大人，根據之前情報，敵方這種型號的武器，戰力非常強，抵得過十艘綜合戰鬥艦，以及五十架聯合作戰機，等於是征北艦隊的四分之一武力。現在不能讓戰士們放手去打，不然肯定死傷會更重。」鄭開來說：「可這是完成任務的大好機會，只要抓到一個這種兵器。那麼後面的任務，甚至不去管，元首大人也不會怪罪。何況現在這個海星怪落單，正是大好機會！下令用電磁波魚雷，暫時不用其他的武器，一定要讓這隻怪物落到我手裡！」

海星兵器周圍來了大批魚雷追擊，每一次爆破都釋放大量電磁波，影響了它的行動，週邊的海底生物當然也會遭殃。

菱形體內部不斷震盪，紅閉上眼睛，使用高階連同感應作戰模式，讓意識進入整個海星怪，形成人機一體化。立刻發射大批菱形彈反擊，一下就擊落了兩艘潛水艇，十幾架空潛兩棲作戰機。

袁毓真看了螢幕表，猜測說：「妳在跟我們的軍隊打仗嗎？」紅並不回答。姜麗媛抓住她衣領問：「快回答！」紅睜開眼，說：「沒錯，假設不打，被擊落的就是我們，難道妳們想死嗎？」蔣婕妤說：「妳快點發射通訊，說我們是自己人！」紅說：「沒有辦法，這台機器沒有人類的通訊頻率。」姜麗媛逼著說：「妳撒謊！這麼先進科技的東西，難道連通訊方式都沒有？」紅也大聲回應：「沒有就是沒有啦！」姜麗媛怒道：「信不信我讓妳吃屎喝尿，還把妳漂亮的臉蛋給毀了？」紅最怕自己被毀容，忽然哭了出來說：「我沒有說謊，真的是沒有啦！」

於是大哭了出來，躺在了地上。其他人都席地而坐，看著她痛哭失聲。袁毓真上前幫她擦眼淚，皺眉頭，繃緊臉對大家說：「別逼她了，人家畢竟也是十八歲小女孩，給人家一點空間。」

姜麗媛拉開他說：「你很憐香惜玉哩，但是現在是生死攸關，別亂用同情心！」

蔣婕妤半閉眼睛地問：「袁毓真，你不會喜歡上這條小母狗了吧？」袁毓真臉紅耳赤，笑著說：「別開玩笑啦，哈哈，哈哈！」內心卻是七上八下。

黃敏慧把她拉起，說：「妳別裝軟蛋，不能通訊妳總能突圍吧？立刻快速離開這裡！」紅滿腹委屈，緩緩地說：「我知道了。」

鄭和號。

鄭開來收到通訊回報，大喝說：「什麼？第一突擊大隊全軍覆沒，陣亡五十人？所有突擊部隊都給我出動！全艦隊往北追擊，所有航空部隊追到牠前面堵住，別讓牠跑啦！」於是大批兩棲飛行機，盯著雷達顯示的目標，攔在前頭，並且下潛擺開陣勢。

紅感應到前方被堵，於是往西，又遇大批水下兵器，又往東，也被數十架攔截，而南邊的主力部隊也快速趕上來。紅說：「我們被包圍了，數十公里內都是大批海空兵器。」袁毓真驚訝地道：「快衝出去，哪怕是開火交戰！」

於是兩方兵器互射，連三爆破，幾乎把周圍海域煮沸炸開，征北艦隊又折損五架兩棲機。紅立刻改變作戰模式，騰空而起，飛上天空。鄭開來大爲驚訝，竟然這機種能脫海騰飛，立刻猛射遠程穿透飛彈，卻被一一擺脫。不過海星怪飛上天空，則行跡完全曝露，且速度不如飛機快。航空母艦紛紛發射戰鬥機，頓時成群結隊追趕上來。

在這時刻，紅卻回頭說：「快幫我把雙手解開，我要使用『總體變化解構』模式！」大家不懂這意思，即使袁毓真、蔣婕妤與賀嘉珍，也不能全懂。

姜麗媛說：「這不是精神感應操作的嗎？怎麼要用手呢？」

紅大聲說：「我沒有時間解釋，快解開！」眾人有些動搖，但是蔣婕妤堅持不肯，說：「不能解開！等到我們都回到祖國，安全下機，才能鬆綁！」紅於是跟她又爭吵了起來。忽然幾枚飛彈，從不同的方向正中海星兵器，裡面所有人產生激烈震盪，東倒西歪，堆著了一團。海星怪已然被擊落，掉落海裡，喪失一切動力。鄭開來得到偵測消息，大喜過望，下令馬上打撈。

眾人先是一片尖叫，然後一陣哀聲。袁毓真被擠壓在人團中，先緩緩扶起所有人，然後扶起紅問：「現在情況怎樣？」紅緩緩地說：「被擊落了，沉入海底，無法動彈……這是罵我小母狗的女人，造成的結果。」意思是責怪蔣婕妤不肯鬆綁。

蔣婕妤一手扶起賀嘉珍，一手撫胸道：「妳少挑撥離間，現在快說該怎麼辦？」姜麗媛也說：「對啊，現在告訴我們怎麼辦，比較重要。」

紅對於這汙辱自己最狠的兩個女人，白了一眼，然後告訴袁毓真說：「快鬆綁……我要啓動逃生艙。」蔣婕妤問：「精神感應不行嗎？」紅很用力地說：「報告主人！感應頭盔壞了，我需要用手！假設我亂動，這麼小的空間，妳們七人一起把我這條母狗壓倒，不就好了嗎？」

說完又白了她一眼。蔣婕妤說：「好吧，放了妳！但是如妳所說，敢亂動就肯定不饒。」於是指示姜麗媛鬆綁。

菱型逃生艙，立刻脫離海星兵器。情報官回答鄭開來，有小型飛行物飛出海星怪，並且脫海上天逃走。鄭開來晃了一神，喊道：「那肯定是外星人在裡面！被擊落後逃生的！這小飛行物最重要，快給我追！」所有飛機一下追上來。鄭開來下令，使用綜合電波飛彈，在飛行物周圍引爆。頓時逃生艙內部儀表，一陣混亂，又開始往下掉，八個人互相緊抱在一團，往下掉入海底。所幸艙內立刻擠出固定膠液，使得八人不至於在掉落中，在裡面碰撞。然後膠液化成香氣，溢出艙外。得到擊落逃生艙消息，鄭和號上一片歡聲雷動。

八人總算沒事了。紅說：「逃生艙也被打中，現在逃不掉了，沉入海底。」

袁毓真問：「怎麼辦？快說怎麼辦啊？」紅搖頭說：「氧氣用光，一起悶死在這吧。」蔣婕妤皺緊眉頭，掐住紅的脖子說：「妳是故意的！」紅不想抵抗，閉上眼，四肢癱軟。袁毓真急忙拉開她說：「別再這樣鬧啦！」然後大聲罵所有女人說：「全都給我坐好！剛才就是這樣鬧，才會被打中的！」所有女子從未見過他敢對女孩這麼兇，所以都安靜下來，坐在地上。袁毓真也坐了下來，在這狹小空間中，八人相互肩碰肩面對面，都面如土色。袁毓真緩緩地說：「對不起，我不是故意的。我猜祖國的軍隊，會這樣不斷追擊，連外星人逃生艙都不放過，肯定是要抓外星活口。南十字星計畫，不就是要得到外星科技嗎？相信他們會打撈我們上去。」賀嘉珍問：「要是他們找不到我們呢？」袁毓真臉色灰白，緩緩道：「那真的就死在這了，遊戲結束……」說罷，嘆口氣，頭垂了下來。姜麗媛拍打袁毓真說：「你喪什麼氣，有這麼多女孩陪你一起死，死得瞑目了。」

袁毓真等八人，真的能被打撈獲救嗎？五大艦隊是否真的能攻佔海底基地？外星龍族人，突然全部消失，又是佈下什麼作戰計劃？欲知後事如何，且待下象分解。

第六象　外星人秀眾目傻眼遭怒斥獸性難耐夢幻破碎顯空虛

第一幕　密室內外的對白

話說袁毓真與其他七女子，乘坐的逃生艙被擊落，掉落海中。征北艦隊指揮官鄭開來，果然派出大量潛水艇來搜尋打撈，一艘潛水艇找到了這個逃生艙。八人感到一陣晃動，都閃出希望的眼神。賀嘉珍說：「果然在打撈我們。」眾女子相互握手擁抱，一片欣喜，唯獨紅被冷落在一旁。

逃生艙被打撈上旗艦鄭和號甲板上，鄭開來帶著大批的官兵，全副武裝，來看這菱形逃生艙，尋找開口。袁毓真感覺晃動停止，猜測已經被打撈成功，於是站起來對紅說：「紅妹妹，快打開艙門！我們要回家啦！」紅冷眼回應說：「你要我說幾次，我不是你的妹妹！」蔣婕妤皺眉嘟嘴，說：「我說袁組長，你就別對她獻殷勤了，人家是外星主人養著的，少一廂情願囉！」袁毓真兩面不討好，滿面羞慚，傻笑回應。

賀嘉珍對紅說：「好了，都別鬥嘴，現在快開門。我們不會說出妳跟外星怪物的關係的。到時候我保證安全把妳放走。」紅於是站起來，猛按面板，但是艙門卻沒有回應，她又用力推著出口面，卻卡得死死，打不開。紅搖頭說：「門卡死了，好在通風系統還能動。現在只能等了。」

姜麗媛問：「等什麼？」紅說：「等外面的人打開。」眾女子又全都失望坐在地下。袁毓真附耳傾聽，紅說：「你別聽了，艙體有特殊金屬阻隔，假設系統斷絕，什麼聲音都聽不到的。」袁毓真問：「那麼空氣系統能支撐多久？」紅說：「假設脫離海星體，那麼就只能支撐三天。不過不必等到那時候，我們全都缺水渴死了，或是餓昏了。」賀嘉珍問：「也就是說，現在我們就算被打撈上岸，外頭站著很多人，我們仍然與他們隔絕嗎？」紅點頭說：「是啊，完全隔絕。就算妳猛打猛喊，外頭也聽不到。」

蔣婕好踢了紅一腳說：「妳這什麼爛飛機！」紅怒目道：「妳欺我太甚啦！我忍妳忍很久啦！」於是站起來，似乎要有所動作。其他所有女子也都站起來，看著就要在狹窄的菱形體內，掀起茶壺內的風暴。袁毓真急忙擋在兩邊之間說：「別打，別吵！現在大家靜下來，才能支撐最久的時間。」所有女子，見他展露少有的男子氣概，才又坐了回去。賀嘉珍與袁毓真兩人，把紅與其他五個女子隔開，以免又發生衝突。

甲板上，菱形體每一邊長大約十公尺，周圍包圍了幾十個全副武裝官兵，以及數位科學家，對菱形體研究了半天。參謀官對鄭開來說：「這菱形體金屬很緊密，我們用生化掃描器，發現裡面確實有不少有機生物活體，可見那些外星人不肯出來。要不要用火焰噴槍，把這強勢切開，把外星人都抓出來？」鄭開來只盯著看，卻不回應。作戰官接著問：「外星人不肯出來，一定是害怕被抓。將軍大人，我們趕快切開，以免牠們在裡面自殺，或是悶死了。」

鄭開來在菱形體外摸了摸，看了看，甚至聞了聞，然後回頭指著作戰官鼻子說：「作戰官！你到底有沒有讀過書啊？怎沒有一點邏輯概念？外星人假設害怕，就不會跑來地球啦！而且牠們的戰鬥力你也看見了，就這一台可以打掉我們的精銳突擊部隊，怎麼可能會是因爲怕而自殺在裡面？牠們不肯出來的原因，一定是使用的氣體不一樣。我們呼吸氧氣，人家不見得是呼吸氧氣，說不定一接觸地球空氣就死了。這點生化科學常識你都沒有嗎？沒讀書好歹也該看過科幻影片吧？」作戰官被罵得低頭，敢緊點頭連聲說是，急忙認錯。

一位科學家說：「現在外星人的長相與特徵，除了元首大人與南十字星計畫的核心人員知道，其他人都不清楚。我們不能隨便亂來，萬一弄死了外星人，就損失了科學重要的研究價值，元首大人也會震怒的。不如趕緊送回去，交給中央科學院南十字星計畫的人處理，才比較妥當。」

鄭開來驕傲地點點頭說：「科學家講的話，還是比較有深度，不過還是差了點。現在這東西大家都不懂，也不知道外星人的維生系統還能支撐多久。」馬上轉臉告訴情報官說：「情報官，立刻叫航空母艦過來，並且準備一架運輸機，把這東西弄過去。我要親自押送它，快速飛回首都交給元首大人。」

作戰官問：「那麼計畫中，艦隊合圍海底基地的任務怎麼辦？是否要先向元首大人通訊請示？」

鄭開來罵道：「你不會讓副指揮官代替嗎？這麼重要的活體，分秒必爭，請示訊息，往返耽誤了怎麼辦？」他只好點頭稱是。

轉頭又跟一位科學家說：「你也跟我回去，帶著生化偵測器，隨時掃瞄裡面的活體是否還在！」

於是菱形體，快速地被鄭開來，送上大型運輸機。吊送的時候，菱形體稍爲有所傾斜，就被鄭開來破口大罵：「工程兵！小心點！外星生物要是在裡面摔死，我就槍斃你！」

在飛機上也沒有閑著，命令士兵們在菱形體外面，綁彩帶、貼標語，弄了不少文章，標語上寫著「征北艦隊官兵，擒獲外星生物！」。鄭開來在飛機上，總是笑臉，心思：（沒有想到我這麼好運，歐美人死傷慘重，連外星人的影子都沒有碰到，其他所有艦隊指揮官，現在正想著調度包圍海底基地而焦頭爛額哩，呵呵！我就已經俘虜了外星人，這可是元首大人這次行動的首要目的！這回頭功是我的了！）然後在飛機上就打電話，通知首都運輸單位，也立刻通知元首大人，而元首大人聽了大喜，握緊拳頭對行宰下令說：「快點準備醫療設施，招集南十字星技術人員，並且通知所有新聞媒體。我要讓全國……不！是全世界！都知道我軍旗開得勝，一下就擒獲數名外星人！這回可真是揚眉吐氣，讓歐美聯盟驚呆了。哈哈！」行宰大人便馬上下去辦。

菱形體內，大家都很安靜。

袁毓真打破沉默，問：「喂，那兩個女兵妹妹，自我介紹一下吧。我都還不知道妳們的姓名呢。」

兩人紅了臉，低頭不敢說。姜麗媛指著一個較矮而清秀的說：「她叫做何佩芸，是醫護女兵。」又指著另一個比較高而豔麗的說：「她叫做歐陽玉珍，是遠距離狙擊手。」兩女身高都在袁毓真之上，裡頭所有女性，都長得比袁毓真高。

袁毓真開玩笑說：「怎麼都長得比我高？讓我好有壓力！」

姜麗媛說：「哼，代表這裡誰都可以打扁你！」除了紅之外，其他女孩都笑了出來。於是相互開啓了話匣子。

袁毓真見大家又聊開，就轉問紅說：「說說看妳怎麼會替外星生物工作呢？」紅哼了一聲，並不回答。蔣婕妤說：「這麼下流丟臉的事情，她怎麼敢說呢？」紅氣得想發作，袁毓真急忙攔阻說：「她沒有惡意，我們也都沒有惡意。妳這麼漂亮又聰明的女孩，應該看得出我們是好人。」紅又哼了一聲，緩緩地說：「半年多前，我是女學生，全班去山裡旅遊時，與另一個女同學，發現了外星主人們的陸上基地。結果我跟她都被抓了。後來主人們認爲陸地上不安全，於是就轉移到海中。當時我們以爲死定了，結果外星主人開始教導我們知識，訓練我們能力，測驗人類的智能極限，我們就自願當外星人的幫手，替他們辦事。」

蔣婕妤不屑地說：「呵，之前我當是被洗腦的，原來是自願的，這還是跟本身的奴性有關啊？」袁毓真怕她們又衝突，在紅發作之前，就板起臉孔說：「妳不要再用言語激怒她了好嗎？」蔣婕妤自討沒趣，低頭不語。袁毓真又問：「妳說的另一個女同學，她就是之前說的『白』嗎？」紅點頭說：「是啊，她能力比我還強，相貌也比我更漂亮，個性也比我穩定得多，主人們把她派往另一個海底基地服務。但是具體地點在那裡，我也不知道。」袁毓真心思：（一個『紅』就已經這麼厲害，從裡到外接近完美，她說『白』更強，那豈不是勝過目前所有女人嗎？）

第二幕　功勞與展示

十二月二十二日，中午十一點。

飛機抵達首都，快速將菱形體，送往元首大人府邸前的廣場。這裡早已經擠滿大批新聞記者與科學觀察家數千人，坐在廣場兩旁的觀察台。而戰在台上的人正是，元首大人府邸的新聞宣告者，在擔任司儀工作，開始在台上喋喋不休，不斷稱讚這次抓獲外星人的偉大勝利：「想我中華先祖，伏羲女媧！弘惟三皇五帝千秋萬世！我炎黃子孫數千年傳承不息！元首大人英明領導！征北艦隊全體官兵將士用命！今天終於得到與外星人接觸的機會……」口語陰陽頓挫，標準有緻，不斷地製造會場氣氛，替等一下外星人出現的震撼情境，打好基礎。在場所有人，也都不斷追拍這一切畫面，將即時訊息傳回各自的新聞台。

元首大人在大批護衛之下，立刻指示將菱形體擺在特製的看台上。兩旁還有元首大人的「敕令佈告」，上面寫著：「海空追擊大戰！征北艦隊，擒獲首批外星生物！」相關國家政府的新聞，所有網路社群的新聞標題，都必須按照敕令佈告所文，不得有一個字更動。然後底下敘述與評論，才准許媒體人，自由觀察與發揮。

菱形體被擺在台上後，周圍站滿了科學人員與全副武裝士兵。

元首大人左邊跟著鄭開來，右邊跟著行宰大人。邊笑、邊走、邊說：「沒有想到第一戰就有這種成績，必須馬上讓全世界震驚！等一下我要親自對各類媒體演說！」又接著說：「當然，活體外星人更重要，等一下讓世人驚嚇到外星人真面目之後，立刻送往南十字星計畫研究室，封閉任何採訪！派遣最頂級科學家、還有心理學家。不能讓外星人有任何差錯！他們之前是透過半透明體的星際旅行者。只要能跟他們建立溝通關係，就立刻跟他們談判和平，並交換條件。一定要得到星際旅行的機密！」行宰大人在旁邊用電腦記憶筆，錄下元首大人的所有話語。鄭開來邊走邊問：「外星生物是吸氧氣的嗎？」

元首大人邊走邊說：「當然是吸氧氣。你沒有讀過書啊？怎沒有一點邏輯概念？不然之前他們怎麼逃出實驗室？又怎能在地球生物圈中活動？沒讀書，好歹也看過科幻片吧！」鄭開來頻頻點頭稱是。

三人快速走到看台的後方斜坡，所有工作人員正等待命令。元首大人遂下令立刻切開菱形體，並且南十字星計畫科學家，配合醫護人員，準備隨時急救命在旦夕的外星人。元首大人還對鄭開來說：「鄭開來，這次你算立了大功！事後記你首功一件，看該安排你什麼更好的位置。」鄭開來正等著這句話，微笑著鞠躬，說：「多謝元首大人！」

工作人員正在切開菱形體時，觀察台上的司儀，正用麥克風對全場說：「好啦！各位！讓人興奮的一刻終於來臨，元首大人已經下令打開艙體，我們終於要迎接人類有史以來，最偉大的接觸！」不斷提高嗓門，用著越來越令人緊張地音調說：「這是連接兩個遙遠星球、連接兩種不同邏輯的智能、連接兩種不同演化基礎的智慧、連接宇宙中最嘆爲觀止的……第一類接觸！讓我們迎接人類歷史上，最偉大的一刻！」他幾乎等於是喊叫般地說。

說罷，菱形體三面的連接處，已經被火焊切割槍打開，所有媒體目光全都盯了上去，元首大人也親自登上看台後方的升降梯，居高臨下而觀，準備等一下要開啓演說！

轟地一聲，菱形體三面倒地，大家也都同聲回應「哇！」。菱形體內部終於曝光……。袁毓真笑著大喊：「這裡是元首大人府邸的廣場！我們得救啦！」其他七女子也都歡聲鼓舞，相互擁抱。但是在場所有人，都目瞪口呆，數千人沒有一點聲響。袁毓真看了在場情況很詭異，傻笑地用標準國語說：「各位好，我是袁毓真！現在我們口很渴，很想喝水！能給我們水喝嗎？」

大家瞪大眼呆滯了二十秒，會場鴉雀無聲，他們的話，全部的人都聽得一清二楚，司儀尷尬地緩緩問：「請問……你們是外星人嗎？從哪一顆星球來的？」這一語出口，全場頓時鼓譟，所有媒體衝下觀察台，往看台方向蜂擁而去，準備要採訪這幾個人。看台下的武裝衛兵組成人牆，擋住媒體人員的拍攝。

元首、行宰、鄭開來也都先愣了一會兒，元首大人看到媒體鼓譟，氣得命令人放下升降梯，鄭開來臉紅耳赤，不知道如何說話。元首大人回頭怒目道：「鄭開來！他們八個人，就是你抓回來的外星人？」鄭開來支支吾吾說：「下官失職……但是這菱形體，確實是攻擊外星兵器抓獲的……這菱形體的材料相信也有研究價值……」元首大人指著他罵道：「你還有臉提菱形體！給我滾回征北艦隊去！到第一線打仗！」鄭開來滿臉通紅，不斷點頭稱是。

元首大人氣得往府邸門走去，行宰大人追上去，神情嚴肅地問：「元首大人，現在該怎麼辦？這場面總得收拾一下，不然媒體把所看到的都發出去，就是笑話一則了。」元首大人喘了口氣，呼呼地說：「這群笨蛋！氣死我了……」然後醒神睜大眼睛，翹起食指說：「啊！有了……把敕令佈告，改爲『英雄袁毓真，勇闖虎穴救七美』，總之讓所有媒體都改口，變成戰鬥英雄歡迎會，由你去主持！至於細節的部份，你自己去編！」行宰大人點頭稱是。元首大人氣憤仍未平，繼續走回府邸。

行宰大人又說：「據之前情報，袁毓真應該是陷在外星人的海底基地，現在跑回來，裡面說不定有文章。」這一語提醒了元首大人，輕聲地：「嗯」了一句，然後說：「英雄歡迎會結束後，把這八個人全部帶到我的會議室，我要親自提問！」行宰大人點頭離去。

行宰大人趕緊部署指揮，緊急喝令數名工作人員，立刻換掉敕令佈告，更換會場佈置，重新招開新聞發布會，把八人全部列座上茶飲，並送上點心。八人又餓又渴，在所有媒體前一下子全部吃完喝光。行宰大人親自講述，袁毓真是怎麼英勇的闖入外星基地，英勇作戰，搶奪外星兵器，救出七名被困的美女。

行宰的眼神還不停盯著這八人，怕他們吃喝完畢，被媒體一問，編出來的故事就會有破綻。一看到他們吃完，馬上令人全部帶到元首大人那邊，聽候發落。

一名媒體記者問：「請問我們可以採訪英雄嗎？外星人的問題底怎麼回事？」

行宰大人，微笑著同時揮動雙手說：「英雄現在累了，美女們也都受到外星人驚嚇，都要回去休息了。有任何疑問，可以上連通網，明天以前，我們會把一切的細節，都用虛擬影片的方式，在元首大人的公告站中全程播放。各位媒體工作者也該回去休息啦。」

媒體似乎還想追問，剛才外星人接觸會，到底是怎麼一回事，到底有沒有抓到外星人？行宰大人卻趕緊走下台，拉著府邸新聞總監說：「你快給我去應付他們，煩死人啦！記得強調，剛才是你誤讀了軍方密碼，造成抓獲外星人的錯誤訊息！而且警告全國媒體單位的所有主管，不准大肆聲張剛才展示外星人的事情，多強調戰士們的英勇作戰，英雄的勇敢事蹟。」

新聞總監在台後，小聲地說：「可是，真正搞錯的是鄭開來，不是我啊！」他意思是不想背這個責任。

行宰大人臉紅脖子粗，狠狠地，又小聲地說：「我知道！不用你強調！事後會給你記功嘉獎還升官！快去！」新聞總監只好硬頭皮，走上台，講述某些流程有點小瑕疵，太過興奮而搞錯訊息的事。新聞總監弄完記者會後，趕緊用電話約談全國的媒體主管，撤掉之前的實況轉播訊息，統一口徑改為英雄事蹟。一陣風風火火，總算把事情擺平。

第三幕　英雄的幕後與扯謊拉鋸戰

一大群粗胳膊大拳頭的衛兵，分別架著八個人，進入會議室，元首大人早已經在那邊等著了。

八個人以為可以坐上會議桌旁的椅子，元首大人卻坐在上座，緊繃著臉孔，指著腳下的地板喝道：「你們全部給我坐在這地上！」袁毓真等八人只好排成一列，坐在元首大人腳下。元首大人又忽然感覺這樣不妥，雖然必須有下馬威，壓制袁毓真把自己當成英雄的可能氣焰，但是畢竟是「四士」之一，按照法令規定，這是該有最高知識份子待遇的。中國過去之所以能夠翻身，科學乃至凌駕於西方之上，就是在於改變知識份子的待遇，重回春秋戰國時代的開明作風，尊重知識份子，重視新穎的理論，也有一百多年的傳統了。

元首大人想了想此，於是緩和了一下，改口說：「袁毓真、賀嘉珍、蔣婕妤，你們三人坐在椅子上，其他人坐在地上。」於是眾人按照其命令坐好，面對著元首大人。

元首大人問：「袁毓真，你先說，這一切是怎麼回事？你們怎麼會在那個怪東西裡面？」袁毓真一愣，假設全部照實說，那麼紅的身分就會曝光，性命就不見得能保住。但是不照實說，又不知道梁大成，是否已經把紅的事情報告了，這樣不就被元首大人知道自己在說謊嗎？

只好暫時先從帛琉島任務時說起，然後邊走邊瞧，看故事該怎麼編比較完美。說到了機器人大戰，與自己被抓之後，就刻意隱瞞紅的事情，只說是被怪物所抓。總之紅的事情，都用怪物來代替，最後還刻意隱瞞，眾女子打架以後的事件，改用一起協同大家，找到海星怪逃回，不幸遇到征北艦隊。

元首大人疑問：「你會操作外星兵器？」

袁毓真心驚：(反正已經扯謊，到不如繼續扯下去，反正這裡沒有怪物機器可以被操作，要我報告內容，我再想辦法扯。）說：「會的，怪物在帶我去找爺爺的時候，我就看了牠的操作方式，仔細記憶。因爲是用精神感應波，所以不必認識外星文也能懂。」紅坐在地上聽了，知道袁毓真在替自己掩護，心中竊喜。但是其他六人聽了，都汗流滿面，袁毓真竟然「欺天了」。

元首大人微張嘴：「喔」了一聲，繃緊臉繼續問：「原來你這麼厲害，學習速度這麼快。那麼外星怪物現在，全部離開，不在基地內囉？」

袁毓真趕緊說：「是啊，我認爲牠們一定是佈下什麼陷阱，攸關我祖國大軍的安全，請元首大人慎重！」

元首大人皺了眉頭，揮揮手，然後用銳利眼神看著他說：「這我知道，且先按下。我現在疑惑的是，你說的事情，與梁大成在視訊給我的報告，有很大的差異啊！在衛星與你們失去聯絡後，怎麼你們兩人的說法就不一樣了？」

袁毓真頓時全身發麻，在座所有女子也都緊張了起來，欺騙元首大人，造成國家重大損失，是可以按照法令處分的。轉思：（梁大成這王八蛋！得先看你講些什麼。反正你雖然認識紅，卻根本不知道海星怪裡面的事。）袁毓真強忍害怕，拿出知識份子的穩健說：「梁大成他滿口謊言！我才想要告他！他有沒有說，他率領他的手下士兵，差點把我打死了？」

元首大人問：「這倒沒有說，你剛才也沒有講，你說這怎麼回事？」

袁毓真說：「我帶東西回來救他們，他們卻懷疑我把他們出賣……」於是把這段，詳詳細細地說出來，最後補上：「這裡七個女孩都可以作證，她們沒有跟著離開，卻留下來照顧我。也還好怪物肯再一次給我用藥水療傷。」

元首大人冷冷笑了一下說：「若真的是這樣，那梁大成確實可惡，竟然毆打上級。不過怪物又怎麼會同意，再給你一次藥水呢？」

袁毓真心思：（糟糕，他要打破沙鍋問到底了！你不過就是要外星科技嘛，接下來就利用這點來做文章吧！）於是說：「外星怪物告訴我說，希望我與牠們配合，尤其是牠們對我祖父的東西很感興趣，所以不要我死。」

元首大人問：「你祖父的東西可以給我參考嗎？」袁毓真笑著說：「很樂意！甚至可以介紹祖父給元首大人認識。就在浙江！相信這有助於跟外星人合作，並拿到該有的科學技術，以貢獻給元首大人。」

此語正中下懷！元首大人開懷笑了笑，繼續問：「這件事情也先按下。剛才你講的故事，讓我有一個疑問。」此語一出，不只袁毓真，全部的人都嚇一跳。接著問：「你怎麼能跟外星怪物們，有語言溝通？」

袁毓真心思：（反正是死，就死到底。真的是說一個謊，就要用十個謊，甚至一百個謊，去架構圓滿這個謊。）於是點頭說：「啓稟元首大人，這不是故事，而是事實。怪物身上裝有古怪的發光通訊器材，無論聽或是說，都可以與我們溝通。我猜測牠們在這段時間，不只是破解了我們的語言，連思想文化都可能已經被理解，我們得小心爲上。我建議現在我們幾個，重新開啓『智慧四人組』的研究，把我們所理解的外星科技，全部寫出來呈給您看。」

元首大人點點頭，指著坐在前面的幾個女生說：「這五位是誰？」

袁毓真說：「都是元首大人麾下，英勇的女戰士。這次希望元首大人，能獎賞她們的辛勞。」

元首大人冷笑了一下說：「獎賞沒有問題，但是只怕她們當中有人，是外星人的走狗，是背叛國家的賣國賊。」其他所有女子不禁把目光都瞄向紅，袁毓真心思：（完了，都被穿了……）紅則是心裡一怔，心思：（死就死！大不了豁出去，脅持元首……）心雖如此想，但尙未動。

袁毓真急忙說：「元首大人何出此言？這裡沒有賣國賊，只有全心全意效忠國家的人士，都是您的子民啊。」

元首大人提起精神，質問說：「梁大成說，基地內有一個人類女性，而且還是我中國的女孩。這是怎麼回事？」

袁毓真正經地說：「梁大成想要隱瞞毆打我，以下犯上的真相，所以開頭就想著要扯謊。元首大人您也知道，只要說一個謊，就要用十個謊，甚至一百個謊來架構圓滿這個謊，自然是什麼荒謬的情況都冒出來。他的話有一個很大的漏洞，您想想便知，外星生物才來地球多久？跟人類才有多少接觸？除了南十字星計畫者之外。外面的人，包括我們到海底基地之前，從來沒有人見過外星人的長相。也沒有任何地方消息，說哪裡出現了外星人。怎麼會有人開始向外星人效忠呢？這是天大的謊言啊！。」於是又呵呵笑著說：「您再想想，人類社會古往今來，所有媚外的人。不都是先看中對方有多強大，有多少優秀條件，能提供我多少利益。才會去做走狗的事情嗎？怎麼大家連外星人情況都不知，就會有女孩效忠的事情？太荒謬了，這話不可信的。」

但又怕元首大人追究梁大成，演變成交互對質的情境，遂趕緊接著說：「不過大家都是九死一生逃出來的，對任務也都盡心。他也只是怕追究以下犯上的事情，非旦無功而反受罰，才一時糊塗說謊而已……我不會心懷怨恨，請求元首大人，高遠爲尙，屈法伸恩，吞舟是漏，別再追究說謊的事情。關鍵在於外星的科學怎樣實實在在地拿到手。」

元首大人也感到梁大成所說很古怪，頗多模糊不清之事，而且關鍵確實在於如何拿到橫跨星系的科技，而不是這種細節問題。遂點點頭說：「好吧，不追這件事了。但你祖父的事情，我要派人去查驗。」

袁毓真微笑著點頭說：「這是自然，我們祖孫都願意替國效勞。您只要聯絡『浙江次易原理科學協會』，裡面沒有人不知道，袁怪老頭子的事情。」元首大人遂點頭相信他所說。緩了緩，站起來，慢慢道：「今天的英雄事件，純粹誤會。不過你們也多配合演出一下。另外，你們都是活生生接觸外星人，又逃回來的菁英。南十字星計畫還得靠你們繼續。先回原來的研究所住處，等待五大艦隊有具體情況，我還要請你們再上場。都聽明白了嗎？」眾人點頭稱是。走到會議室門口，才回頭無精打采，緩緩說：「對了袁毓真，原先行動小組的費用，就當你們的獎金，你們八個人拿去分一分。叫楊恒萱，帶你們去歡樂部住下來，等我接下來的命令。」說罷就離開。不過八個人的神情仍然緊繃，直到被專車載回去爲止。

八人一進紫頂研究所中廊，看到此時空盪而四下無人。賀嘉珍就罵：「袁毓真！你想死啊？爲什麼要欺騙元首大人？」除了袁毓真與紅站在一起，其他女子都站在賀嘉珍身後，蔣婕好說：「我看袁組長是對她動情囉。」

袁毓真笑著說：「妳們扯什麼呢？紅妹妹也救了大家回來，我們當然有道義要保她一命。就像我之前在怪物那邊，不也是獻出祖父的法寶，來救妳們嗎？這道理是一樣的。」紅翻臉說：「我說過你別叫我妹妹！」姜麗媛冷笑了一下說：「袁組長，你看人家還不領你的情呢，道理怎麼會是一樣？」

紅說：「我現在就要離開！」於是往外頭走，姜麗媛擋在她前面說：「還想走？妳現在還回得了外星主人那邊嗎？要是梁大成那些人回來，妳曝光被抓，那我們欺騙元首大人的事情，不就也掀出來了？」

忽然中廊另一端，傳來了男性的聲音：「放心吧，梁大成他們暫時都待在帛琉島，配合五大艦隊進攻，不會回來。況且妳邏輯錯誤，假設她留下來，不就更容易被人發現，多了一個編制外的怪妹妹嗎？不過目前研究所冷冷清清，多一個人湊熱鬧也挺好。」大家回頭一看，原來是楊恒萱。

袁毓真急忙說：「喂喂！楊組長，你沒有參加這次行動，情況搞不懂，可別亂傳亂說啊！」楊恒萱哈哈一笑，說：「放心吧，我功勞不如妳們，說了也沒用。況且我對誰是誰非，沒有興趣。我倒是對元首大人說的，去歡樂部狂歡，很有興趣。」

賀嘉珍問：「你怎麼知道元首大人剛才說的？」楊恒萱說：「當然是元首大人派人告知我的啦！」黃敏慧貪玩，笑著問：「歡樂部是什麼啊？」楊恒萱回答：「簡單說，就是官員們腐敗的地方，也是讓妳去過之後，還會想念的地方。」

袁毓真笑著說：「我是知識份子，不喜歡腐敗的地方。況且我們累了。」

楊恒萱笑著說：「又沒叫你跟著腐敗，不過就是跟著去玩玩。況且我們自己一個圈子，玩自己的。你想睡覺，有好床。你想吃飯，有美食。你想洗澡，就有最先進的自動按摩澡堂。而且研究費用還剩下三百多萬，難道你們不想來分一分嗎？不來的人可不給啊！」除了紅與賀嘉珍，所有女孩聽了，都高聲叫好。

於是紅也被袁毓真一同扯著去，坐上了一部大型的懸浮車。

第四幕　歡樂與獸慾

十二月二十二日傍晚，懸浮車上。

除了紅獨自坐在車尾，看著窗外之外，眾女子之間交互談話，大多的話題都圍繞在分配獎金，以及拿到錢該買些什麼東西。

袁毓真與楊恒萱坐在一起，心直口快地說：「你之前介紹的那位『百變神通虎』，根本浪得虛名，才剛上場就死了。我還真懷疑你是故意找替死鬼的。」

楊恒萱冷冷一笑說：「過去的事就讓他過去，還是談談往後。你們這次立了大功，甚至你還當上了英雄，假設不趁機會多交際一下，這種功勞就不會得到該有的報酬。」

袁毓真說：「還什麼報酬呢，能活著回來就好。」楊恒萱微笑著說：「話可不是這麼說，當初你接受應徵，擔當『智慧四人組』的重任，難道就純粹是要盡忠報國？不求回報？無怨無悔？別開玩笑了，知識份子要有良知，但畢竟還是人。」

袁毓真說：「現在不就把剩下的經費給我們了嗎？」

楊恒萓哈哈一笑說：「關鍵不在這三百多萬，這些錢給坐在後座的那些女孩子們就可以了，元首大人實際上給了我們，更有價值的東西。」

袁毓真不解，便問：「什麼東西？」

楊恒萓說：「就是我們現在要去的地方。」

袁毓真不屑地說：「不就是吃喝玩樂嘛，這算什麼有價值？一陣風過去就沒了。」楊恒萓反問：「你真的不知道歡樂部的真實含意嗎？」

袁毓真搖搖頭，問：「喔？我到不知道。元首大人有其他含意？」

楊恒萓繃緊臉說：「可見你道行太淺。你知道爲什麼這社會上，有統治者，有被統治者？爲什麼少數可以統治多數？爲什麼大多數人在下者都不滿，卻都還乖乖地遵守上面定下來的規則？難道在上位者，真的是道德比較高尚？真的是能力比較強？我這些問題，你現在還不必回答，回答也肯定不是真的答案，仔細先記在大腦裡，你以後會懂得。」

袁毓真迷糊了，傻笑著摸頭髮，勉強說：「好，我記下來了，不過你倒是還沒回答，歡樂部到底是什麼地方，元首大人要我們去，到底是什麼意思？」

楊恒萓拍了拍他肩膀說：「現在只簡單提示你，元首大人已經把你，甚至是我們，提拔上統治階層的名單中了。套句古代意象，就是給了爵位，還沒有給職務而已。不過這裡面還有更深的文章，我現在說不清，你自己用時間慢慢體會。」

袁毓真似懂非懂，只感覺楊恒萱這個人，實在太複雜，於是不回答。沉默片刻。楊恒萱問：「坐在最後面的那個，穿破紅衣的女孩，似乎背景不簡單，思想更複雜。你最好去安慰她一下，免得等一會，出了什麼差錯。」這句話袁毓真倒是真的懂了。

趕緊走到懸浮車最後面，坐了下來，問紅說：「妳怎麼悶悶不樂？是不是不喜歡跟大家出去玩？」紅冷冷地說：「你閃開，別以爲幫我掩護了一次，我就會感謝你。我跟你永遠不會是同一邊的。」

袁毓真笑了笑說：「我又沒有要拉妳入伙的意思，妳想效忠外星主子，我不反對。只是現在妳怎麼回得去？不如先跟我們在一起玩，我找個機會，再想辦法送妳回去。」紅輕聲哼了一聲，說：「不必你麻煩，我主人一定會來接我。」

袁毓真說：「這可不一定。外星怪物目前肯定忙著對付五大艦隊，哪來的時間找妳？」紅不想說話。姜麗媛回頭說：「袁毓真，你過來！人家不想理你，你過去幹麻？我們陪你說話。」袁毓真只好坐在女孩們的中間，一起說長道短。

自動駕駛懸浮車，通過了幾重警衛關卡到了目的地，已經是晚上七點鐘。才一下車，所有人就被眼前豪華別墅群的燦爛燈光給驚呆了。袁毓真觸景有感，不禁念了幾句阿房宮賦：「五步一樓，十步一閣。廊腰縵迴，簷牙高啄。各抱地勢，鉤心鬥角。盤盤焉，囷囷焉，蜂房水渦，矗不知乎幾千萬落。長橋臥波，未雲何龍？這景象讓我想起杜牧的阿房宮賦。」

楊恒萱笑著說：「根據司馬遷的史記，歷史上阿房宮根本沒有建成，秦朝就滅亡了。不過現在你看到的，確是真實建好的現代皇族建築群，不過燈光霓虹的華麗還好，關鍵在裡面的文章。」於是拿出手中的號碼牌，又說：「我們九個人，住在十三號樓。」

對面來了一男一女，上前接待。

男的率先開口說：「請問哪一位是袁毓真？」袁毓真上前說：「我是。」男的繼續說：「喔，我們已經收到通知了，請妳們都跟我們來。十三號別墅那兒，已經有很多朋友在等你們了。」

袁毓真皺了眉頭心思：（除了我身邊這些，我哪來的朋友？）姜麗媛上前拍了拍他肩膀說：「原來你這麼多朋友啊？不會把我們都甩了吧？」袁毓真笑著說：「除了你們，我哪來什麼朋友？在這之前我只是個沒有人要理會的窮秀士！」

男子馬上拉著他說：「袁英雄，趕快來吧，大人們都在等呢！」男子又對另一女的使眼色，令他去接待跟著袁毓真來的女客。眾人在漂亮的別墅群，拐了幾個彎，過了一個橋，到了十三號別墅口。

別墅是一棟設計前衛的豪宅，門口已經站滿一群珠光寶氣的男女，似乎正在招開宴會。要不是男子引到這裡，袁毓真還真以爲走錯地方。只見標語寫著：「歡迎救美英雄袁毓真。」他才霎時知道，歡樂部是什麼意思。

男女接待者，引眾人進來，走到別墅門口。男的拉著袁毓真對院子裡所有人，大聲地說：「讓各位大人久等了，這位就是袁英雄！」於是大家一陣鼓掌，紛紛上前來交遞名片，熱情搭訕。袁毓真仔細一看，這些人似乎都頗有來頭，一下是某省的官，一下是某局的長，一下又是某部隊的將軍。

男招待說：「我們現在請袁英雄說幾句話。」袁毓真被推上眾目光之前，從未有過這種經驗，只好傻笑著說：「哈！我想各位，是被今天的媒體報導搞錯了！其實我不是什麼英雄。假設各位知道真相的話，就會說我狗熊了。好了我就說到這裡，沒話說了，呵呵呵。」於是也引來在場眾人一陣笑聲。紅的笑容倒是會心一笑，心思：（袁毓真這人，到真的不是壞人。）

男招待說：「袁英雄自謙啦！現在全國都知道，你是勇闖外星人基地，虎穴救七美的大英雄！既然袁英雄沒話說，那麼我們晚宴正式開始。」

於是一陣敬酒，滿桌佳餚。完畢之後，又是被眾人簇擁到別墅旁的歌廳，自由點唱歌曲，還同時喝酒作樂，大多數人都唱「夢與」的歌，弄得袁毓真暈頭轉向。後來稍微醒一下，看了看左右，無論男女，竟然都是不認識的人。而自己身旁竟然有兩個漂亮美女在伴唱。馬上問：「奇怪，我的朋友呢？」旁邊的女孩說：「放心，他們回別墅休息了。我們接著唱。」

一群人來，又一群人往。拼命自我介紹，袁英雄卻記不住幾個。等到全部都應付完畢，被一個女孩帶回別墅門口，自己一進門，看到楊恒萓與其他六個女子都坐在客廳沙發上。袁毓真醉醺醺問：「那麼晚了怎麼還沒睡？」

楊恒萓說：「你是今天的主人，你沒睡大家怎麼睡？」

袁毓真把手上，厚得像撲克牌般的一疊名片，往桌上一丟說：「你們別去學剛才那些人，無聊的恭維我很討厭。對了，紅去哪裡了？」

蔣婕妤說：「你的愛人換上新衣服，回房間睡覺去啦！」

袁毓真說：「胡說八道，我哪裡愛她？只是因為她身分特殊，特別關照一下，等到把這麻煩送走，哪還有什麼好留戀的？」

蔣婕妤哼了一聲說：「最好是這樣！」袁毓真問：「她怎麼會有新衣服換？」蔣婕妤說：「你喝醉啦？沒有看到我們這些女生，身上所有衣服都換了？」

賀嘉珍笑著說：「這裡居住，食衣住行育樂都是免費一流供應。你以後就會知道了。」

袁毓真搖頭說：「算了，還是去睡覺吧。」

楊恒萱說：「等等，你陪了剛才那些朋友，那麼我們呢？我們正在等你來一場午夜狂歡啊！」袁毓真苦笑說：「拜託，沒力氣了。」姜麗媛說：「不行！我們是陪你共患難的朋友，他們是你今天才認識的。怎麼重視他們不管我們呢？」袁毓真只好點點頭說：「好吧，妳們要玩些什麼？」賀嘉珍說：「電子賭博機！輸了罰喝酒！」袁毓真說：「呵呵，原來妳也會喝酒啊？」眾人又荒唐數小時，各自回認定好的豪華房間睡覺。

正在大家喝酒的同一個時刻，新河洛的一間普通民宅。身材高大且英俊瀟灑的李光旭，在自家的房門內。

他只穿著短褲，上半身赤膊，房門內貼滿了「夢與」的照片，有穿三點式泳裝的、有穿中國古服與現代改款古服的、有穿古東瀛省和服的、有穿西洋服飾的、有的背景在演唱會的舞台、有的背景在居家、有的背景在風景區。這些都是從電腦網路社群中，取下來張貼的。

李光旭一手伸到了短褲裡面，緊抓著自己那隻「不聽話的寶貝」，另一手摸著「夢與」穿著三點式的寫真照片，臉部扭曲變形，嘴巴極度地偏左邊，已經完全沒有平常英俊的模樣，沒有平常女孩子們愛戀的「高大帥哥」之風采。嘴裡露出低沉淫穢地詞語：「夢與，妳快給我，妳快給我……我一定要吃了妳。」

可是照片中的夢與卻不會說話，沒有反應。他此時的臉已經由「人」成了「獸」，就這樣意淫了三分鐘，終於忍不住突然大喊：「妳為什麼不理我？」但是照片中的夢與，仍然沒有反應。

李光旭又突然變回正常的五官神情，忽然跳到床上，抱著一個跟真人差不多大小的洋娃娃，瘋狂地打滾，嘴巴喊著：「光旭哥哥，我沒有不理你，我給你！我給你！我把一切都給你！」他終於忍不住把短褲都丟了，只剩一個裸男，在床上抱著洋娃娃，開始發羊癲瘋。

約莫五分鐘。

李光旭由笑臉突然變成哭臉，自己翻下床，哭了出來，大喊說：「我不要這樣！我不要這樣！」然後一手抓住洋娃娃，用力往床上摔，大喊：「我不要妳這個假夢與！」結果聲音太大，對面鄰居都不禁打開窗口，往這裡望。

李光旭趕緊按下床頭的按鈕，葉扇窗簾全自動翻轉關閉。不得不馬上變回正常的神情，緩緩說：「好險沒有被看見。」

然後突然坐上了在一旁的書桌，打開電腦上了社群資訊網。按下快速查詢鍵，口中念念有詞：「我不要假夢與，我要真夢與。夢與妳等著，我若是不能抱著妳上天堂，就要拉妳下地獄！」

於是李光旭用語音探查，搜過了一切相關詞彙，得到了新消息：《趙氏財閥首腦趙仰德，在歡樂部有豪華住所。》《救美英雄秀士袁毓真，今晚在歡樂部接受款待，發表『我不是英雄是狗熊』的謙虛之言。》《夢與三日前再次抵達首都，預計下週開始新一輪巡迴演唱。》李光旭喃喃自語地，把這些消息又念了一次。興奮地說：「有了，終於有辦法了！」

立刻穿上海軍軍官的衣服，戴上參與突擊任務的榮譽勳章，在鏡子中的他，顯得非常人模人樣，如同潘安美男再世，最後在內袋藏了一把短型的軍官用手槍，以及一張電子金融卡，離開了住所，開著軍方配給的懸浮汽車離去，準備次日的行動。

第五幕　破碎的夢

十二月二十三日，清晨六點。

其他八人都還在睡夢中，袁毓真卻興奮地醒來，看了看鐘，發現自己竟然只睡了三小時。一切清洗完畢，袁毓真照著鏡子，對自己說：「你這個其貌不揚，穿著隨便，只重視知識的孤僻窮秀士，竟然也有今天。」然後露出微笑，又小聲地自言自語說：「呵呵……太好了……我這個一直沒有女人要的爛處男，現在終於翻身了。」轉而心思：（我將會有玩不盡的美女，用不光的錢財，我終於發啦！哈哈！）

興奮地洗了澡，換上房間內別人替他準備好的絲綢服飾，開藍色右襟古漢服，寬鬆藍色長褲，腰繫金黃色腰帶，慢慢走到別墅的二樓空中花園，看著遠處的山水景色，對著美景傻笑，小聲自語說：「我就先從身邊的女人下手，最終要讓她們全都變成我專用的女人。等全部掌握之後，再想辦法掠食其他。呵呵！」轉思：（忍耐，忍耐！我是知識份子。孟子說：『富貴不能淫』。假設我就這樣順著原始念頭下去，那麼又重蹈民國時代，那些無恥知識份子的覆轍。）雖然大腦還有些思想禁錮，但是有限的道德，終究難壓無窮的慾火，興奮之情溢於外表。

腦中又浮起元首大人派自己打頭陣，還差點讓自己坐地板的情境，不禁矛盾地心思：（元首大人不是省油的燈，而外星人，又將投入變數，我得謹慎自己當前所面臨的局面。不然榮華富貴一下也就消逝。）

忽然空中花園牆壁上的透明面板，閃出螢幕，是社區警衛打來電話，螢幕上警衛說：「早安，袁秀士。」袁皝真扶好下滑的眼鏡問：「你怎麼知道我起床了？」警衛笑著說：「是社區電腦的安全系統回報。但是請您放心，不會侵犯到您的隱私的。」

袁皝真感覺自己已經是大人物了，所以擺出嚴肅地神情，故意在空中花園內，慢慢擺出太極拳的架勢，說：「我正在打太極拳，你有什麼事情嘛？」警衛說：「有一個自稱是您朋友的，海軍校尉軍官李光旭，想要進來找您，是不是該讓他進去？」

袁毓真聽了，馬上想起他在海底基地，過早地把潛水艇開走，害得自己差點被捲入黑暗的深海。氣得大罵：「他還有臉來啊？告訴他，我才想找他算賬！識相的話，趕快滾回去！」

警衛點頭。不過又一會兒，牆壁又響了兩聲，螢幕打開，警衛又問：「他說買了一樣禮物，專程來找您道歉。請求您接一下電話，是否要接呢？」

袁毓真根本不會打太極拳，只是故意裝模作樣，哼了一聲，慢慢擺出太極拳不標準的亂舞架式，緩緩說：「好吧……我倒看他，想對我說些什麼。」

李光旭出現在螢幕上，開頭就說：「秀士大人，在海底基地的事情，我非常地內咎，我是抱著誠意，來專程找您道歉的，求您讓我進去見你一面。」

袁毓真繼續太極架式，透過即時通訊螢幕，傲慢地說：「你……帶了些什麼『誠意』啊？」李光旭把禮盒伸到螢幕上，說：「一份高貴禮品，讓您親驗。只需要給我幾分鐘，假設組長大人不滿意，我立刻滾。」

袁毓真故意閉著雙眼，打「太極拳」，其實心裡很爽快，終於自己也被別人稱為「大人」。仍閉著眼睛，拉長語調，慢慢地說：「好吧……，你上來吧……」

兩人在一樓院子裡見了面，袁毓真拆開禮盒，裡面是幾本精裝的書「次易原理」及其「屬著」，只是感覺有點老舊。李光旭彎腰鞠躬道：「我知道袁大人是知識份子的楷模，秀士當中最偉大的英雄，不改知識份子的本色，所以送上最高貴的禮物！」袁毓真半瞇著眼睛，故意裝傲慢，把這幾本書往院子中桌檯上一擺，拉長語調說：「『次易原理』這一系列書籍……我有啊……這些明顯就是舊書，你送我有什麼稀罕？」

李光旭更加地彎腰地說：「這幾本不一樣。這些是兩百多年前，作者發行『次易原理』時的首版書，裡面還有作者的簽名，與各種審閱批註！頁尾還有作者的藏書章，現在這幾本舊書，價值已經非凡。別人出價百萬，我都沒有賣！」

袁毓真瞪大眼，趕緊再把書拾起，拼命翻閱，確實如李光旭所言。李光旭走上前去，分別指著書中的各種具有價值之處。然後又拿出一盒茶葉說：「除了這些古董書籍之外，我還帶來了上等茶葉，請您慢慢品嚐。」

袁毓真忽然由神情嚴肅，變成開懷大笑，嘴巴咧得大大，眼睛瞇成一條直線，拍了拍李光旭肩膀說：「好好好，這些禮物我收下了，你太客氣，過去的事情就算啦！」李光旭轉而沉不住氣，說：「今天之所以把傳家寶貝，外加一個月薪水買的茶葉，送給您。原因是想請大人幫個忙。」袁毓真緩緩神，又轉嚴肅說：「該不會又是跟『夢與』有關吧？」

李光旭點頭說：「正是與『夢與』有關！上次她沒有給我回信，我很傷慟！」

袁毓真又摸了摸那些古董書，緩緩說：「好吧……要我怎麼幫你？」

李光旭說：「夢與的經紀人趙仰德，他首都的豪宅，就在這歡樂部裡。而夢與三天前就來了首都。我認為他們現在就在這，我請求您帶我去見夢與！」

袁毓真拍了拍他肩膀說：「喔……這點我倒還真的不知道。我現在是英雄，去拜訪他們，可能會接見，但是要怎麼讓夢與接受你，我沒有譜。更無法對你有任何保證。你自己去拜訪他們不行嗎？」

李光旭說：「我去他們肯定不願意見面，請求您今天帶我去，由您出面約夢與吃飯。然後我先陪著，您中途離開，剩下我們兩人，然後一切交給我就好。假設這件事您幫我做成，我的傳家之寶，就是您的了！」袁毓真呵呵一笑說：「這樣說來，這幾本書，現在還不是我的囉？」

李光旭彎腰鞠躬，說：「我的祖先曾經是『次易原理』作者的書迷，當年就像我這樣，千方百計才獲得心上人的聯絡，最後得到這一系列書，當作傳家之寶。今天我要能找回女友，才能夠大膽地讓出去，不然就是愧對先人。」說罷更加地低頭鞠躬。

袁毓真手摸了摸書，頗有不捨，眼看了看天，緩緩搖頭嘆氣說：「唉！問世間情爲何物，直叫人生死相許……好吧，我現在就帶你去！不過我先說好，就辦成你跟她一起吃晚餐的事，其他的我不管啊！假設她事後還拒絕你，你可不能又把這些道歉的『誠意』，又給拿回去喔！」李光旭心思：（哈！她今天是無法再拒絕我了！）更加地彎腰，回答說：「一言爲定！」袁毓真又說：「可我真不知道他們現在住在這歡樂部別墅群的哪一棟？你知道嗎？」

李光旭說：「網路社群消息有，我知道地址在哪裡，由我帶您去！」於是兩人，一個要人，一個要書，一拍即合，詳細討論了細節之後，共同往趙仰德的別墅去。

門鈴叮咚，好幾分鐘，趙仰德在螢幕上看到是英雄袁毓真來拜訪，於是就爬起床，親自下樓打開門。兩人相互作揖寒喧，迎入院子涼亭，三人坐下，面對山川美景，趙仰德笑著說：「昨天晚上臨時有事，沒有去親自參加英雄歡迎會，請袁秀士見諒。」

袁毓真笑了笑，說：「趙先生客氣了，我不算什麼英雄。老實說，沒有您當初支援的南十字星計劃，我還是窮秀士呢。」趙仰德笑了笑說：「這您也知道這件事啊？哈，可見您已經是元首大人面前的紅人了。」兩人又多聊了幾句。

趙仰德看李光旭面色緊張，不由得猜疑了起來，問：「袁秀士今天來，有何見教？」袁毓真呵呵傻笑了一下說：「今天來很慚愧，我跟這位大帥哥，其實都是『夢與』的歌迷，希望能一起請大明星『夢與』吃一頓晚飯，想請趙老闆安排一下。」趙仰德忽然臉色大變，站了起來，片刻不語。

袁毓真見狀不對，腦袋浮現那幾本古董書，而李光旭也緊張，腦袋浮現夢與的面貌，兩人都不願意放棄。

袁毓真急忙問：「請問，有什麼困難嗎？」趙仰德說：「夢與身體不太舒服，已經回海南省去了。」李光旭忍不住開口說：「不對，後天就有她的演唱會，她不是已經在首都了嗎？」

趙仰德更加不安說：「演唱會要取消了，不信你們後天等著看。」

袁毓真更加擔心那些古董書，會因此被李光旭拿回去。趕緊追問說：「沒關係，趙老闆幫我們連絡一下，我們親自坐飛機去海南找她。最少電話總能通一下吧？」趙仰德還是搖頭說：「不可以，夢與不見歌迷的，相信你們也知道……」

李光旭當場站起來，往前進逼趙仰德，狠狠地說：「我不是普通歌迷，我跟她用電腦影視交談過很多次，她認識我李光旭！另外，趙老闆，我已經注意你很久了！你是怎麼控制夢與的？用毒品？監禁？綁架她家人？還是都有？」

趙仰德面對這一連串逼迫，終於忍不住說：「好了！今天我也不舒服，兩位請回吧！」

此話一出，兩人同時發怒。袁毓真站起來說：「趙老闆，我認爲李光旭說的可能是真的，假設你不讓我們見夢與，我就立刻以李光旭所懷疑的事，去法院告你，到時候我們兩人，就可以一起在新聞上面出現了！」李光旭也說：「所有歌星都可以跟歌迷吃飯，爲何只有夢與不行？尤其像袁秀士這樣，是由元首大人欽點的英雄，夢與不可能拒絕！假設你阻擾，我也會去告你！」

趙仰德被逼到牆角，沒有辦法，只好說：「你們一定要見『夢與』的真面目嗎？」兩人同聲說是。

趙仰德微笑著點頭，哼了一聲，說：「好，我現在就給你們見！但是見到真相，可別怪我喔！」兩人互相看了一眼，一時還猜不出趙仰德怎麼會有這種反應，還真想知道他葫蘆裡是什麼藥，袁毓真說：「那就快帶路。」

趙仰德帶了二人進別墅裡，到一間資訊會議室。

兩人一進去，發現有兩個醜女坐在那邊交談。兩個醜女的長相，可以說各有特別，有胖有瘦。瘦的身材可比羅鍋怪人，兩眼轉動如雙星繞眼，有著引力的中心，身材四肢如雞腳貓抓。胖的身材虎背熊腰，舉止氣質可比男性，真是力拔山兮氣概世，靜如巨象，動如金剛。總的來說，都五官不正，身材不稱，任何的男人，見到之後，不但不會有絲毫的性慾，反而都會轉開目光。

袁毓真、李光旭兩個男人，連看都懶得看她們一眼，認爲這只是趙仰德『品味太差』。趙仰德讓兩醜女，去把光束投影機以及視訊電腦拿來。袁毓真、李光旭坐在會議室內，看趙仰德玩什麼把戲。

東西與醜女都回來，架設好之後。趙仰德開口說：「老實跟你們說，世界上根本就沒有『夢與』這個女人！」李光旭跳了起來說：「你是不打算給我們見她嗎？」袁毓真倒是感覺他，不是說假話，趕快拉著李光旭坐下說：「讓趙老闆把話說完！」他才又坐下。

趙仰德說：「你們知不知道，影視明星，可以只是個虛擬假象？五年前我就已經在做這個計畫了。」於是打開記錄影片，解析趙氏財團的「虛擬明星計畫」，然後接著說：「蕭蘭心，藝名『夢與』，是我在計畫中虛擬出來的女人。會這樣做，原因很多。第一，虛擬人不會跟我要任何昂貴的出場費用，所有收入都由我來調度。第二，虛擬人不會跟我耍大牌。第三，虛擬人不會跳槽，架構她的技術，只有我趙氏集團才有。第四，虛擬人不需要談戀愛，不會利用名氣，勾搭政府高官，而甩掉我這經紀人，不會鬧花邊緋聞來自我炒作。第五，虛擬人可以完全被我控制，沒有出場時間問題、沒有心情不好的問題、更沒有身體不適，不能出場的藉口，我想怎樣演出，就能夠怎樣配合。第六，找她替身，只需要幾個廉價的，長相醜陋的女人代替就好，而夢與的替身有五個，我身邊這兩個，只是這次演唱會要用的。第七，虛擬人可以變身成完美女人，而真人不行。請兩位看一下當初的計畫。」

於是他打開了架構虛擬明星的概念圖：

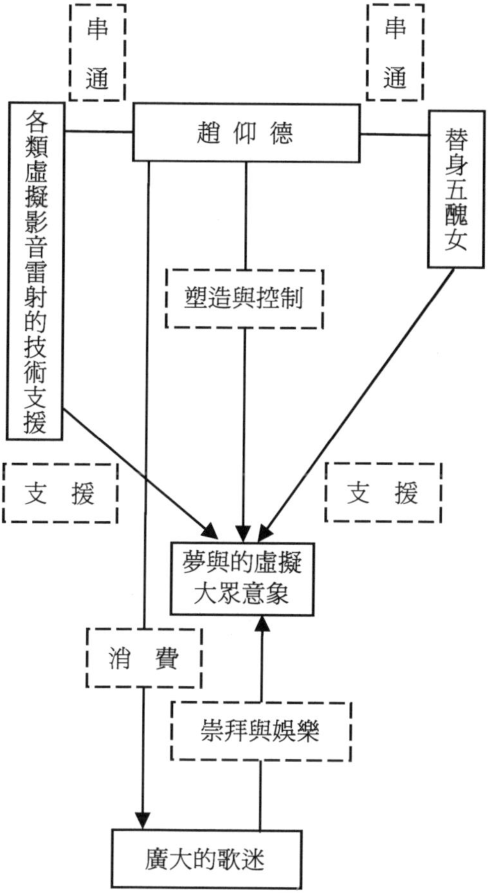

趙仰德秀出這張概念圖後，袁毓真與李光旭，兩人下巴同時滑落三公分。

趙仰德接著說：「夢與的意象，總共用六種高科技系統，以及十二種外圍人員的聯合體，所架構出來。然後這個意象，給廣大歌迷來崇拜，而我趙仰德就可以消費這些歌迷！趙氏集團的收入，有六分之一都來自這個虛擬人。」

聽完敘述，袁毓真呵呵傻笑，而李光旭瞪大眼、張大嘴，雙目無神，攤在椅背上，頭歪斜於一旁，彷彿靈魂出竅，成了死屍。

趙仰德說：「兩位都明白了吧？這方案可是通過，真理部新聞局的批准，列為社會性國家機密的方案，蕭蘭心也有虛擬的戶口註冊，以配合方案實施。兩位出去，嘴巴可別亂說啊！」

李光旭跳了起來說：「不對！電視與照片，可以虛擬真人，這我知道！但是我之前跟她通電話，還有演唱會現身的光影，還有各種雜誌追蹤所拍，這又是怎麼回事？」

趙仰德問：「請問你是那一省人？」李光旭快速地答：「首都新河洛人！」

趙仰德就指著在一旁站著的肥胖醜女說：「那你通電話時，是她在回話，視訊影像，連通我這裡的伺服器供應，系統可以辨別你們的對話，來提供該有的臉部表情。通常跟一個歌迷，網路談幾分鐘就要下線，一個省開啓時，另一個省就關閉，甚至用語音信箱代替，以免歌迷之間，會拆穿同時間對話的矛盾！至於舞台上的人，是替身在上面，歌喉以及面貌，都用電腦雷射系統補強，再用連線大電視投影牆，投射夢與影像，奪走大家的目光。這系統功能強大的程度，可以讓任何一個粗野的男子，在台上一站，台下的人都會把他看作是『夢與』。

一切的漏洞，系統都能夠用圖表上列舉的支援，全部補強完美。」

趙仰德越說神情越得意：「至於雜誌上面，偶而有拍攝到『真實夢與』面貌者。那些照片是我們工作小組，故意賣給緋聞雜誌社，來創造新聞、彌平懷疑的『例行性工作計畫』，同時也是賺錢的另一種方式。各種新聞雜誌媒體人，看到照片可以幫忙自己的媒體暢銷，又不用花錢派記者採訪，誰還會去印證真僞？一家拿到照片，又會連帶其他家媒體也有照片，這工作簡單得很。」

袁毓真聽完，傻傻呵呵地笑說：「假作真時，真亦假，真作假來，假亦真。」

趙仰德右手食指，輕輕指了一下袁毓真，微笑說：「讀書人果然不一樣，說中我在創造『夢與』時，內心深處的哲學。真真假假，假假真真，本來就可以是一體，有時候我自己也希望，世界上真的有『夢與』這個完美女人。不過這一切的美麗，都是爲了一個更原始美麗的目標，就是：『消費社會上的其他人』！」李光旭現在才知道自己是被消費的，面目呆滯，內心怒火中燒。

趙仰德卻若無其事，面帶微笑地說：「啊！最後再告訴兩位，『夢與』的藝名由來。並不是媒體網路說的那一套故事。不是她的什麼師兄，『作夢與之』登台。而是我平常每兩三天，都有不同的女人，陪我上床睡覺，但是在虛擬明星計畫創造期間，都是挑醜女來訓練。而選醜女目的，是避免讓這些『假夢與』，把自己變成了『真夢與』，所以故意挑醜得吐血的女人，來當替身訓練。說她自己是夢與也沒人相信，這樣才會乖乖地配合虛擬計畫，而沒有其他企圖。我在那段期間，沒有女人陪床，又不想要跟這些醜女同床，睡覺時竟然『夢遺』了。當時我就突發靈感，引爲紀念，把那段『夢遺』的日子，當作虛擬人的藝名。當然啦！這名稱得改一改才好，於是把『遺』字找一個諧音，『與』字來代替，所以她的藝名就叫做『夢與』。」

李光旭過去無數次，抱著洋娃娃親熱，嘴巴一直喊著「夢與」，結果竟然是因爲趙仰德的「夢遺」而來。嘴巴張大，頭歪一邊，冷冷地笑：「呵呵……呵呵……你的夢遺……變成我的夢與……呵呵……我的夢與，變成你的夢遺……呵呵」就這樣傻了十秒鐘，旁邊的兩醜女，也跟著呵呵而笑，似乎在表示，這些男人的醜態，更甚自己身爲醜女的相貌。李光旭的忿怒，終於爆發出來，從右襟胸中，掏出原本想脅持夢與的手槍，對著趙仰德大喊：「你這個大騙子！我要殺了你！」

趙仰德嚇得馬上蹲下，兩醜女嚇得竄出房門，袁毓真急忙拉住他的手，奪下手槍。李光旭還大喊：「放開我！我要殺了他！姓趙的，我跟你同歸於盡！」袁毓真把槍搶下之後，死命拉他出去。李光旭被拉到門口時，還嘴巴大喊：「我一定要告你！揭穿你的假面具！你的『夢遺』要結束啦！」

趙仰德緩了神，走到門口關上門，喃喃自語說：「哼，笨蛋！想要我結束？大家走著瞧！」

袁毓真拉他到十三號別墅時，李光旭仍然情緒激動，拉住袁毓真說：「你把書還給我！」袁毓真說：「你跟我發什麼瘋？要不是我拉你出來，你就是殺人罪了！你還是軍人，用軍法呢！」李光旭更大聲喊：「我不管！把書還給我！」

袁毓真也大聲說：「好好好！我全部都還給你！」於是進門，把書與茶葉禮盒都還給了他，他拿了就離開，走到停車場，開車離去。

袁毓真看他離去後，在門口，往地上「呸」了一口說：「呸！李光旭、趙仰德，兩個大爛人！以後別再讓我看見！」

李光旭氣沖沖回到家，從法律的社群網，下載了「人民提告申訴書」的表單，仔細填寫一切經過，準備提告趙仰德，以虛擬人欺騙大眾的事實，邊寫邊說：「姓趙的，我讓你的『夢遺』雞飛蛋打！」一邊在填寫，旁邊的影視新聞，同時在報導。才剛寫完，把提告內容朗誦一遍，忽然看見旁邊的電視新聞快報：

新聞主播臉色凝重，眼中含淚，肅穆地說：「昨天，十二月二十二日上午，風靡全國，被稱爲『完美女人』的歌星『夢與』，得了『伊波拉急性病毒症』，在首都的趙氏集團醫院，搶救無效，與世長辭。她的經紀人，趙氏集團負責人趙仰德先生，急忙趕去弔唁，並且語帶驚人地表示：『夢與是大家的夢！而今去世，我十分心痛，雖然離開人世間，但是永遠都會懷念她。過去有些人忌妒她，對她用盡各種方式詆毀，顯露出他們的人性醜陋面，但是因爲『夢與』不去計較，所以我趙仰德也就不去計較。而今人已故去，死者爲大，假設還有任何人，想要詆毀死去的『夢與』，那麼我趙仰德以及整個趙氏集團，都會對他採取法律行動，控告到底！』」

李光旭氣得跳起來，指著電視罵：「狡猾的老王八蛋！」靜了幾分鐘，然後又改面孔，冷笑著說：「哈，至少我挫敗了你這個大騙子的『夢與』！你沒辦法再用『她』去騙人啦！」

結果數秒鐘之後，新聞主播即時以輕快且微笑地神情報導：「『夢與』哀悼會與送葬儀式，在今天中午舉辦，而『夢與』過去長期照顧的兩個雙胞胎『演藝界師妹』，同樣也是海南島人，一個藝名『夢彤』另一個藝名『夢蘿』，兩人在哀悼會中，含淚表示要完成『夢與』的遺願，將歌曲藝術與演藝事業，發揚光大。」於是螢幕出現『夢彤』與『夢蘿』的照片，兩人被說是雙胞胎，當然長相一樣。而輪廓與美貌，顯得比『夢與』還要更完美。

新聞主播繼續報導：「『夢彤』與『夢蘿』，三天後，將在首都新河洛，展開第一場演唱會，藉以與大家共同悼念『夢與』，趙氏集團估計，將會有超過十萬人參加。這一次的演唱會，因爲主旨是悼念大家熱愛，而不幸去世的『夢與』，爲了防止有『不肖人士』搗亂，屆時將聯合警察單位，加派警力，維持秩序。趙仰德又表示，爲了愛護大家懷念的夢與，將會用一切資源，更照顧這一對新人，對意圖詆毀或傷害『夢與』師姐妹的人控告到底……」

李光旭聽了，驚訝得往後退了幾步，坐在了床上，剛好屁股坐準了『夢與娃娃』的臉。嘴巴張大，目光呆滯，雙手垂下，手上的「人民提告申訴書」掉落在地上，如同袁毓真的常用表情，呆呆地傻笑著說：「呵呵……哈哈……夢遺……夢與……夢彤……夢蘿……我的夢……大家的夢……不肖人士……控告到底……呵呵……哈哈……」

五大艦隊終於開赴戰場，將遇到外星人怎樣的作戰策略？袁毓真真的從此就一帆風順嗎？紅又真的能回到外星主人的身邊嗎？夢與已死，夢彤與夢蘿，是否真的也能風靡全國？欲知後事如何，且待下象分解。

第七象　漫天混戰五大艦隊齊敗回　權力驅動過河小卒無退路

第一幕　人體與藝術的拉鋸戰

話說趙仰德改換方式，重新再啓動虛擬明星計畫，然而這只能壓制李光旭，對袁毓真的地位與背景，頗有不放心。於是帶了一份禮物，來找袁毓真。

除了紅還關在二樓自己的房間，不讓任何人進去之外，袁毓真與其他七人，在別墅二樓的空中花園，以及空中游泳池休閒中。女孩們穿著泳衣在游水，袁毓真與楊恒萱，坐在泳池旁的桌椅上閒聊。

牆上的螢幕顯示有訪客，趙仰德帶著禮品站在門口。

袁毓真看了，彷彿又見李光旭在前天早上帶禮來訪的情境，頗不高興地說：「大爛人，我不想見！」楊恒萱哈哈一笑，問：「他那裡惹你了？」

袁毓真本來想揭穿，他製造「夢與」虛擬人的大騙局，但是氣得不想多說話，只搖搖頭。楊恒萱說：「這樣吧，你陪女孩子們玩，我下去應門。」於是到了一樓。賀嘉珍叫袁毓真下來一起游泳，袁毓真搖頭拒絕。

賀嘉珍說：「麗媛，把他給我丟下來。」姜麗媛點頭說：「遵命。」於是忽然跳上岸，把袁毓真丟下水，引起女孩們呵呵笑。

袁毓真口耳浸水，好不容易站起來，咳了幾聲問：「姜麗媛，妳什麼時候變成賀嘉珍的走狗啦？」姜麗媛說：「早就是了，嘉珍大姐昨天以『智慧四人組』，袁英雄的同事身份，寫信給軍務省，要求把我們四個女兵，調到這裡來服役。我們以後就可以在這輕鬆，不用在部隊那麼辛苦啦！所以現在賀大姐是我與黃敏慧的長官，蔣妹妹則是何佩芸與歐陽玉珍的領導。你已經被我們孤立了。」眾女孩一陣呵呵笑。

袁毓真笑著問：「怎麼不分配女兵保護我？應該四個女兵分配給四人小組，一人一個才公平。」

蔣婕妤笑著說：「這你自己去軍務省申請，不過我可有言在先，假設這別墅再多住一個女孩，我就要趕你走了，因為房間已經不夠住。」女孩們又是一陣呵呵笑。袁毓真獸慾有點隱隱發作，說：「沒有關係，妳們六個都是我的女兵！」然後使命潑水，眾女子便與他玩在一起，嘻嘻哈哈，賀嘉珍說：「你少做夢了，至少我跟蔣妹妹，跟你是一樣的階級。」但是她表情仍然很開心。

袁毓真感覺奇怪，怎麼楊恒萱下去那麼久，應該是兩人正在聊天，也就不去注意這麼多。於是故意去調戲女孩子們，好不容易當了「名人」，徹底鹹魚翻身，當然希望能藉此找愛人。正在游泳池潑水開心，忽然楊恒萱與趙仰德一起上來，同時還帶了另一個男人。

這男人油頭粉面，樣子帥氣，但是袁毓真戴好眼鏡，仔細觀看，感覺他就是一個心術不正，腦子有邪念的人。袁毓真懶懶地不想理會，跟女孩子們說：「別理他們這些老人，我們繼續玩。」

姜麗媛指著跟隨趙仰德一起上來的男人，說：「他不老，感覺比你年輕，而且比你帥多了！」眾女孩又是一陣呵呵笑。

趙仰德開口說：「袁英雄我們又見面了，我介紹這一位，他姓名跟您很相似，叫做袁義真，也住在歡樂部裡，是我們這貴族社區裡的藝術家。」袁毓真歪了嘴，故作高貴姿態，說：「喔？原來是本家兄弟啊？不過恕我個性孤僻，我不認識你。相信我爺爺也不認識你。」然後繼續在泳池裡，貼近蔣婕妤，相互潑水。

趙仰德說：「袁英雄，在下今天是專程送禮來的，可以上來一談嗎？」

袁毓真又故意走到姜麗媛身邊潑水，但是女孩們似乎比較內向，沒有剛才的玩勁。袁毓真看到他在掃興，才緩緩回答說：「先說你送了什麼禮啊？」

趙仰德說：「一份是兩百多年前，『次易原理』作者的手稿，另一份是，『次易原理』作者當年使用的老電腦，這電腦可是創作『次易原理』的天字第一號。」

送的禮竟然與李光旭相似，而程度又更甚一籌。袁毓真學術身份為掌握「演變」的秀士，自然非常有興趣，況乎這種古董非常值錢。馬上跳上游泳池，在桌上打開他的禮盒，其他所有女孩也都跟著上來，圍著禮物看熱鬧。

袁毓真先用毛巾擦乾手，捲起濕衣袖，戴上手套，拿起了手稿，仔細觀看，確實是兩百多年的老古董，紙張都發黃了，而且筆跡也真的就是次易原理作者所寫。至於那台筆記本電腦，確實也是兩百多年前的老東西，女子們也都擦乾手，搶著撫摸那台老古董。

袁毓真不禁又跟當初拿李光旭禮物時一樣，笑得合不攏嘴，眼睛瞇成一條直線，對那個手稿更是愛不釋手。趙仰德與那個相似姓名，而腦袋有邪念的袁義真，相互微笑點頭，知道事情已經奏效，也都對楊恒萱交談了一下。袁毓真忽然省悟，轉變神情，把手稿交給賀嘉珍去看，然後對趙仰德說了李光旭送禮的事情。接著道：「你該不會像他一樣，也有什麼奇怪的要求吧？」

趙仰德哈哈大笑，回答說：「我是什麼人？李光旭那個蠢蛋小子又是什麼人？我送禮純粹是友誼，不要求任何回報的。」袁毓真不禁瞪大眼問：「天底下哪有白吃的午餐？這麼昂貴的禮物，是『靠譜的古董』，價格已經遠超過唐朝的金銀器，超過明朝四大家唐伯虎、文徵明、仇英、沈周的任何一張畫。甚至價格已經直追，宋朝范寬的谿山行旅圖，列為國寶之一。各大博物館想要都得不到，你怎麼會白白送我？」趙仰德點頭說：「錢對我來說是小事，寶劍贈英雄，自然是國寶贈士人。硬要說有要求的話，請今天晚上，到我別墅來狂歡一晚。」

女孩們聽到要狂歡，除了賀嘉珍沒有反應之外，其他都在高喊：「好也！」紛紛鼓動袁毓真答應。袁毓真心思：（這些女孩，跟我們一起分了那三百多萬，至少每人也有四十萬，已經算是發了小財。怎麼還這麼輕浮？）但是抵擋不住大家的要求，只好點點頭答應。

趙仰德見他先開心，而後答應得卻不爽快，猜測他不希望女孩們去，也怕人多而節外生枝，就改口說：「最好是『智慧四人組』一起來，其他女孩們，我各自準備了禮物給妳們，今天晚上對妳們抱歉，沒有太多安排。」

四個女子一陣失望，不過既然有禮物，也就不怪罪。於是被袁毓真認爲有邪念的袁義真，帶著眾女子到一樓分禮物。一下鑽戒、一下華麗服飾、一下高檔通訊用品，弄得眾女子們比剛才在泳池中還開心。袁毓真站在二樓天窗，看到袁義真跟女孩們有說有笑，相互觸碰，還打哈哈，忽然皺緊眉頭，頗是不快，心思：（這個邪人，敢觸我的禁臠！找死啊？小心我揍扁你！）而在一旁的楊恒萱，與跟著陪聊的趙仰德，都注意到了這一幕，各自在心理衡量出袁毓真的個性，不過兩人的盤算卻不同。

女子們分好了禮物，各自回房把玩。賀嘉珍問袁毓真：「今天我不想去宴會了。次易作者的手搞與電腦，可以借我研究嗎？」袁毓真望了望趙仰德，趙仰德笑著說：「現在這東西已經是袁英雄您的，您作主吧！」袁毓真點頭答應。

於是袁義真、趙仰德與智慧四人組的另外三人，一起去趙仰德別墅。那裡已經打點好一切，眾人一到，就開始吃飯。飯後還有酒宴，酒宴之中，袁義真對袁毓真大談繪畫藝術，袁毓真因此逐漸放掉心防，以為他真的是藝術家，甚至跟他開始稱兄道弟，袁毓真年紀比較大一歲，於是以老哥自居。忽然趙仰德對著他使了眼色，於是袁義真引著袁毓真，去看他的畫室。

兩人說說笑笑，袁毓真不由得走在了前面，打開畫室一看，嚇了一大跳說：「對不起！走錯了！」趕緊關門。原來裡面有十幾個不穿衣服的女人，而且不只黃種的同胞，竟然還有白種女子，甚至也有黑種女子在裡面，都一樣不穿衣服。

袁義真哈哈笑說：「那些都是我包養的世界人體模特爾，不論身材與相貌，都是百中選一的美女。老哥要不要進去看看？」袁毓真面紅耳赤說：「不了！我回去！」說罷要轉身，袁義真攔住他，又哈哈笑說：「美女配英雄，老哥你也差不多三十歲啦，有什麼好害羞的？我是你老弟，都已經身經百戰，御女不下百人。你連一個都沒有，太差勁了吧？」

袁毓真雖有點酒味，意志卻還清楚，問：「你怎麼知道，我一個都沒有？」袁義真愣了一下，回答說：「喔，是法士小姐告訴我的。」袁毓真追問：「蔣婕好？她什麼時候告訴你的？」袁義真笑了笑，說：「剛才飯局我不是離開一下嗎？就在庭院裡與蔣小姐聊了聊老哥的事。她就告訴我了。」袁毓真喃喃自語說：「哼！多嘴婆！還是法士，竟然跟賣菜的老媽子一樣多嘴。」袁義真哈哈笑說：「你就別想太多，走，我們一起進去！」於是強行拉著他的「老哥」，進了房門。

就在裸體陣當中大談「藝術」。

從房門外可以聽得很清楚，袁義真很自然地說：「女人的裸體是最美的藝術，所以幾百年來，藝術家們都不放棄這題材。」袁毓真聲音已經緊張得，有點抖動著說：「我不認爲！我認爲女人裸體，純粹是故意吸引人目光。是很爛的藝術家，沒有人要欣賞他們的畫，才用這種下流的方式，炒作名氣。不會有效的！」

袁義真說：「不不不，你不能這麼說，女人的身體是上帝創造最美之物，才會讓男人這麼迷戀，難道你不感覺她們的曲線、膚色、乳房等等，是如此和諧，如此協調，是最能讓你感到『藝術』靈動之物？最能啓發你靈感之物嗎？」

袁毓真果決地回答：「這是你觀念偏差！我請問你，假設女人的身體是上帝創造的！那麼蟑螂是不是上帝創造的？老鼠是不是上帝創造的？你怎麼就不喜歡牠們呢？至於你說她們的曲線等等，器官的協調感觸，這些東西只是因爲，你身爲男人的性慾作怪，才會喜歡。要真的講美麗、動感、色彩等等藝術性，海裡面七彩魚的色彩、飛奔中獵豹的肌肉伸縮的協調、空中俯衝而下獵鷹的動感、甚至體態演化成與樹葉相似的昆蟲，才真是渾然天成之靈動，等等不勝枚舉，沒有一樣是輸給人類裸體的。說白了，人類只是沒有毛的猿類，是自然界中，頗爲醜陋的生物。是人類自己在消費自己，才編出來所謂的人體藝術！」

袁義真又哈哈笑，低沉著聲音，用著市獪地語調說：「老哥你是讀書人，我說不過你，不過假設你張開眼睛，把手拿開，你就會認同我的說法了。」

原來袁毓真一進房門，就假裝酒醉，手扶著額頭遮掩，眼睛閉著不看。袁義真說罷，示意那些模特爾靠上來，紛紛拉開他的手，一同解開他衣服。袁毓真剛開始抵抗，但「卻不知道爲什麼？」越抵抗越沒力，最終只剩下內褲一條，袁毓真內心慾火猛燒。心思：（來吧！反正這房間距離餐廳這麼遠，她們也都不知道，我怕什麼！今天就在這大發獸慾！）

而袁義真當然不客氣，左抱著白妞，右抱著黑妞，三種膚色人種由淺到深，還真的變成了「不同人種，膚色漸變的藝術」。而袁毓真這邊，則是一片通黃，袁毓真正打算徹底「棄守」，忽然感覺奇怪，這位老弟，怎麼故意在一旁嘻笑開心，好像躲著什麼角度似的。而瞥見牆上的裝飾畫似有玄機，有點像新聞媒體報導針孔攝影的佈局。心思：（趙仰德家中都是名家繪畫，怎麼這牆壁上有粗糙印刷品的畫置？）

袁毓真感到不對勁，故意拉著這些模特爾，走到他老弟那邊，說要一起狂歡，以試探動作。而袁義真卻把他推回去說：「你就看著我畫的裸女交歡圖，照著做便是，保證你今天晚上，能認同我的藝術價值觀。」

袁毓真眼鏡被一個女人拿走，更是感覺不對勁，急忙說：「我要戴眼鏡，不然我看不到！」女的回答：「那麼你把內褲脫了！不然不還給你！」袁毓真說：「你給我戴上，讓我看清楚妳們的身材，我才能有力氣脫。」

女的才把他的眼鏡戴回去。袁毓真越想越不對勁，故意拉袁義真過來說：「你來幫我解釋藝術。」袁義真竟然甩手返回原地說：「藝術是用來做的，不是說的！你敢快脫吧！」袁毓真心思：（哼！我猜的沒錯！）於是抓起了自己的衣服，靠近了懷疑的牆壁上，搬開牆上的畫板，驟然發現一個圓孔，果然有針孔在這，貼臉靠近一看，果然是針孔攝影機，於是大罵說：「想算計我啊？」然後推開所有模特爾，衝出房門，穿上衣服，氣沖沖走到餐廳。

看見趙仰德，正在跟蔣婕妤嘻笑搭訕，而楊恒萱不見了。袁毓真急忙問：「楊恒萱呢？」趙仰德一愣，說：「喝醉回去了。」

袁毓真罵說：「你趙老闆竟然先用禮物誘惑我，又擺裸體陣，引誘我上鉤？你以為我看不出來，你房間裡面有針孔攝影機嗎？想用照片來威脅我嗎？可惡！我一定告你！」於是拉著蔣婕妤就往外頭走，蔣婕妤竟然說：「你幹麻發脾氣啊？」袁毓真說：「我剛才都說了，他想暗算我，是個小人！他想把我們都吃了，妳還想在這替他數鈔票嗎？」

蔣婕妤當然看得出，袁毓真比趙仰德老實，於是跟著袁毓真回去。這回輪到袁毓真出門口時，像李光旭一樣，破口大罵：「做這種偷拍行為，如同小偷，我一定要告你！」趙仰德發現情況不對，計謀已經漏餡。趕緊追出門去說：「袁英雄誤會啦！我不知道什麼事啊！請你詳細告訴我，假設有委屈，我一定替你主持公道！」

袁毓真睜眉怒目說道：「公道？趙老闆，你當我是李光旭嗎？還是當我是沒有社會經驗的年輕人？我告訴你，我的秀士職位，不是靠作弊拿的！你回去告訴那個『變態老弟』，我不會放過他！你們走著瞧吧！還有我告訴你，人陰險要有個程度，像你這樣暗算人，未免太誇張啦！」兩人往自己別墅走去，趙仰德再緊追上去，攔在兩人面前，恭敬地說：「英雄請息怒啊，我真的不知道。老實說，今天白天，我沒有回別墅，我給他先去別墅佈置餐飲酒肉，然後約好在您別墅門口見面。我是去拿國寶與禮物送給你們，什麼裸體陣？針孔攝影？那跟我無關的！」意思在提醒，我有送你昂貴禮物。

袁毓真皺了眉頭，知道他現在想要與袁義真切割，忽然想起那些國寶而有些不捨，千萬不能又如李光旭的寶貝一樣，到了手又被退回去，只好給他下臺階說：「好吧，我相信趙老闆的爲人，但是那個敗類藝術家，我不能容忍，虛擬人夢與的事情我以人格保證不說出去，但今天所有事情都得說出去。」趙仰德怕身爲東道主，脫不了干係，只好繼續攔阻說：「別這樣，地點在我家，我責無旁貸。不如這件事情，交給我來告！我幫你告袁義真！來恢復您的名譽！」

袁毓真一方面擔心，自己扳不倒趙仰德，一方面貪他送的國寶，又一方面顧慮到他能虛擬人形當明星，也必定也有辦法把剛才的影片，改成他要的桃色情境。雖然可以申請國家影片單位的真僞鑑定，卻會耗時費力，緋聞頻傳，不利英雄的形象。既然沒有給他抓到真實的鏡頭，那就最好各自收手，幹掉討厭的變態藝術家，讓兩人都有臺階下。

只好點頭答應他問：「你準備怎麼告呢？」趙仰德故意怒氣沖沖說：「我告他防礙風化，意圖陷害他人，假藝術真宣淫，還有迫害知識份子的清譽。這些就夠他坐牢十年！」

袁毓真點頭說：「好，這位『變態老弟』，確實該去牢中反省，那麼我等您趙老闆告他的好消息。至於其他事情我都配合，我們永遠是朋友，相信蔣妹妹也不會說出去，對吧？」蔣婕好也點點頭說：「恩，我也不會說出去，不過我也等趙老闆告他的好消息。他剛才跟我問袁毓真的事情時，竟然對我語多調戲！我是看你面子不想發作而已。」趙仰德皮笑肉不笑地點頭成交。

當然宴會也就結束，兩人一回去，看見楊恒萱酒喝多，吐了滿地，歐陽玉珍與何佩芸，正在處理他吐出來的髒物。

袁毓真心思：（楊恒萱這個人，到底可不可信？）而賀嘉珍拿著趙仰德送的古董電腦與手稿說：「趙仰德送的這古董是贗品，五十年前台灣僞造貨，不是次易原理作者的真品。現在市值不到三十萬而已。」袁毓真問：「妳怎懂得古董鑑定學？」賀嘉珍笑著說：「我的母系先祖，可是次易原理作者的女徒弟，也跟著他學過鑑定古物喔。」袁毓真嘆口氣道：「趙仰德果然是個大爛人。罷了，不想要提他啦！」

第二天，袁義真就收到了控告拘票，立刻被警察帶走審問。他沒想到，竟然是來自於趙仰德的控告，前一天晚上，還安慰他回家去，嘴巴上一直說：「我搞定了，沒有問題，袁毓真不會怪罪你。」最後發現，竟然是趙仰德怪罪他。

除了防礙風化、設置桃色陷阱意圖陷害他人、假藝術真宣淫、迫害知識份子清譽之外，還外加非法偷渡引進外籍女子、強逼女子宣淫兩項。法官沒有傳袁毓真來出庭作證，就馬上對他下達判決，一判就十五年，而且不能再上訴。

第二幕 十面埋伏

就在袁毓真糾纏人體藝術的稍早，十二月二十三日下午，帛琉東方外海。

征北艦隊指揮官鄭開來，征南艦隊指揮官趙光必，征東艦隊指揮官陳無悔，征西艦隊指揮官秦玉衡，中央總艦隊指揮官何家寶。五位指揮官，在各自的旗艦上面，一邊部署潛入海底基地的計畫，一邊用即時視訊同時開會。

一時千軍萬馬，從天上飛，到海面航，到海中潛行，排山倒海般地往海底基地奔殺而去。但是奇怪的是，除了鄭開來抓獲袁毓真等人的那一次之外，無論怎麼樣的試探性攻擊，都沒有任何一個怪物的兵器出來迎戰，彷彿海底基地就是座空城。而海底基地的外牆，在被轟炸過後，都緩緩地自動修補完成。

何家寶在多方視訊會議上，不得不下令，派遣潛水艇突擊隊，進入海底基地佔領，如同上次袁毓真等人的成功模式。當然，突擊隊的裝備，雖然沒有像袁毓真的法寶一樣靈活，但是有他們打頭陣在前，而回報了海底基地的機關狀況，所有突擊隊，也都因之製定了應變措施。

中央艦隊情報官緊急回報：「報告指揮官，中華衛星太空站的觀測小組，發現有飛行物體，從宇宙快速飛下，已經突破大氣層外圍，直撲太平洋中央方向，預估一分鐘之內就會抵達戰略區的上空。而並不是隕石，是外星人的飛行體！」

何家寶皺緊眉頭，疑惑地問：「一分鐘？不太可能，這樣肯定會被大氣層燒毀。」

情報官說：「太空觀測站的人也不能理解這一現象，我也認為不能不防，萬一是毀滅性兵器就麻煩了。」何家寶感覺有理，緊急下令，實施高中低空，聯合防核武的超電磁盾。

結果該兵器接連突破電磁盾，衝進海裡，沒有半分鐘，又從海底飛升而出。此兵器與之前的海星兵器，大有不同。不只體積大了三倍而機動性不減，所有兵器威力也讓人瞠目結舌。整個機體泛水藍色，而透光如同水晶，背部有多角菱狀，空中疾速飛行，似如一隻藍鳳凰遨翔，四肢中，上兩肢尖端如同外星龍族怪的五指，而可以隨時變形，呈現半圓球狀，發射怪異光束。所射及的戰鬥飛機，都應聲而毀。才不過十幾分鐘的鏖戰，就毀掉兩艘兵艦與十幾台高速戰鬥機。

情報官緊急報告：「中央艦隊神遠號航母重傷、威遠號護衛艦被擊沉！這一架外星兵器，與我們之前所見到的海星型怪物，有很大差異。目前戰力評估還作不出來，只能說實力更加強大。」

何家寶大驚失色，轉令：「立刻出動中央艦隊所有空中打擊力量，全面迎戰，並且要求征北艦隊與征東艦隊的戰鬥機，全數支援！」何家寶的旗艦忙得不可開交，指揮快速部署，武器裝填，飛行員就位。所有電腦也都在高速運轉，從飛行定位，戰術運用，武器飛行軌道，等等綜合資訊你來我往，穿梭於五大艦隊之間。

一時一百多架空中最強悍的武力，從三個方向，同時分三種高度，同時往沉船的地方飛來。藍鳳凰型兵器，也跳入戰圈，一機就同時應付九種飛彈方向的攻擊，飛彈才靠近，就被外星兵器發射的飛行鐵球，全數攔截。然後發射菱形飛行彈，不一會兒就擊落最近的二十多架飛機。五大艦隊指揮官同時看到這種戰況，都大驚失色。

飛機採取雷射光束砲，分不同方位角猛切進去，藍鳳凰型兵器以靜待動，身上的菱形體把雷射光束砲都給化解掉，竟也毫髮無傷。並立刻做出反應，猛射更多菱形彈，一一擊落靠近的飛機，一下又折損十多架。

參謀官說：「指揮官快下令撤退，在這樣下去，中央艦隊的空中武力就會損失過半了。」何家寶汗流浹背，改下令：「空中武力撤退，留著遠方的觀察機定位，發射所有艦隊的飛彈，採取梯次遠射，把這大怪物動量給耗光。我就不信它本身防飛彈系統的損耗，可以跟得上我飛彈數量的填補！這就是以量剋質之法！」於是戰鬥機飛行員都收到訊息，掉頭就撤退。但是藍鳳凰機緊追不捨，一下就把中央艦隊另外五艘兵船，包含兩艘航空母艦全部擊沉。

中央艦隊旗艦，戚繼光號，所領的這一隊還有二十艘兵艦，對藍鳳凰的方位接連發射追蹤飛彈。征西艦隊與征北艦隊也快速趕過來，一同投入飛彈消耗戰。

並且征東艦隊、征南艦隊也同時調動，在外圍採取包圍。

果然藍鳳凰機，開始陷入疲態，剛開始發射圓鐵球攔截飛彈，後來不得不使用背上的菱形體阻擋，最後又改為高速竄入海中躲避。然而海底也不平靜，大隊潛水艇與水下戰鬥機，死纏而來，發射眾多魚雷追蹤彈，又逼得它不得不回到空中。五大艦隊指揮官見狀，不禁同時露出微笑，認為群猴戰猛虎的戰術已經奏效。

忽然間征南艦隊情報官，在聯通訊息的儀表左下方露臉報告：「報告指揮官！征南艦隊兩艘飛彈戰艦，遭到五架海星型外星怪物擊沉，所有征南艦隊潛水大隊已經前往迎戰。」沒有過多久，征東艦隊情報官也回報，出現海星怪物快速逼近，數量約為十架。

五大艦隊指揮官同時從笑臉，變得沉重。何家寶的電腦定位圖顯示，至少在南北兩個方向，有大批外星部隊夾擊而來。於是下令各自為戰，全數迎敵。

又忽然中央艦隊自己的情報官回報：「從外太空、與各方向的海底，同時又出現三十架海星怪物，往中央艦隊旗艦這邊猛烈撲來。」

何家寶此時才知道，自己已經陷入了十面埋伏當中。緊急下令：「五大艦隊各自採取不同方向，以且戰且走，外圍突破的方式。撐大整個戰略區域，如同河豚撐大自己以防止被吞食一般，讓外星人的埋伏威力減弱。」

一時方圓數千公里都陷入一場海空大混戰。只見飛機一台台掉下來，船一艘艘沉沒，而外星人只折損八架海星兵器，藍鳳凰型兵器稍有損害而已。旗艦戚繼光號遭「藍鳳凰」打中而重傷，還勉強有航行能力。何家寶緊急使用，元首大人授權的戰術氫彈一枚，不然外星海底基地不但佔領不了，五大艦隊就有全軍覆沒的危險。

結果氫彈發射出去，外星人竟然測得核武，所有海星怪物三台為一組，集中能量建立一個防護罩體，戰術小氫彈竟然打不穿，而被中和掉。

何家寶發現無法再戰，只好下令全面撤退，一路打一路退，直到所有艦船與潛水艇，貼近東瀛省四島的各軍港，外星兵器才停止追殺。而所有派進去的精銳突擊部隊，以及帛琉島上的軍隊，遭遇大批的蛇形怪物攻擊，幾乎全軍覆沒。

敗報通過聯合視訊，傳到元首大人府邸。

元首大人鐵青著臉，聽著五大艦隊指揮官各自報告戰敗的經過，越聽臉色越難看。當何家寶說到：「外星人損失八架海星兵器，我方總共沉沒兵艦五十二艘……飛機折損總共兩百八十架……潛水艇沉沒十艘……水下戰鬥機損失三十台。官兵陣亡一萬五千人……所有突擊部隊與帛琉駐軍，失去聯絡……」元首大人聽不下去了，用力拍桌大罵：「陣亡一萬五千人將士！那為什麼你們五個笨蛋還活著！」

何家寶與其他四人，全部低頭不敢回應。

視訊沉默片刻，何家寶小心翼翼地說：「不是我們戰士沒有士氣，所有官兵都已經拿出了中華男兒的本色，拼死奮戰。實在是外星人武器實在太厲害，連氫彈都打不穿，所以才有這樣的慘況，之前太低估牠們了……」

元首大人怒道：「你這麼說錯在我囉？」何家寶趕緊低頭說：「不……」

真理部長曾有能，在元首大人耳邊輕聲說：「請先息怒，聽說西歐陸地，已經出現外星偵查武力出沒，很可能會把戰火波及陸地。現在已經不只歐美聯盟，連我們都得罪了外星人。現在必須是思考退路，與外星人談判妥協的時候了。」

元首大人點了點頭，想到外星人連氫彈爆炸都可以擺平掉，其科技之高無法想像，且戰力逐漸加強，只好轉變臉色，對五大艦隊指揮官說：「給你們一次戴罪立功的機會！現在的任務是安撫部隊休養，並想辦法與外星人取得聯絡，什麼條件都可以商量。有任何的進展立刻通知我！」五人在視訊上點頭稱是。

第三幕　黃袍加身

十二月二十八日，元首大人與歐美聯盟首腦，再一次展開單獨的視訊會議。

歐美聯盟首腦，旁邊比上次多站了一個西洋美女，一個幫忙倒水服藥，另一個幫他推輪椅，但是穿著都很大膽火辣，而其首腦卻一副只剩下半條命的樣子。透過電腦自動翻譯，歐美聯盟首腦微笑著說：「你上次不是說，有辦法拿到星際之間旅行的科技嗎？還要求我們割讓三個月球開礦地，現在呢？你們不也吃了個大敗仗？」

元首大人不安地道：「這一次只是試探性的攻擊，我現在已經摸清楚外星人的底了，可和可戰。不管怎麼說，外星人是從我們實驗室跑的，我們了解的一定比你多。」

歐美聯盟首腦說：「試探性攻擊？五支主力艦隊損失近半，還敢說這是試探性攻擊？況且現在你了解多少不重要，重要的是科技有沒有找到？外星人將會不會有報復行動？我勸你還是少吹牛爲好。」元首大人知道他說的嚴重性，只好緩口氣說：「我並沒有吹牛，不管怎麼說，現在我們雙方都得罪了外星人，而事實證明外星科技遠在我們之上，最好能夠跟外星人談判，這樣對大家都好。不如我建議我們兩方聯合，對外星人提出聲明，表示可以和談。」

歐美聯盟首腦說：「根本沒有用！之前我方失利撤退的時候，就已經在媒體上面對外星人，用各種方式聯絡，甚至派遣情報敢死隊，進入海底基地談判。但是進去的談判代表，跟最早派進去的突擊隊員一樣，全部有去無回，甚至連生命晶片的感應都消失，大概都死光了！我看外星人根本不要跟地球人談判，就是要來攻佔地球的！你也別白費力氣啦！」

元首大人聽了，恢復底氣地說：「你的人有去無回，我的人可是有去有回，而且還帶來外星人的口信。這次我將派他們再次前去，宣佈談判，至少我在這一點是遠遠勝過你的，哈哈。」

歐美聯盟首腦氣得坐不住輪椅，怕萬一中國先跟外星人談判，那麼歐美聯盟就全面被動了，兩邊的西洋美女趕緊安撫，再送上一杯水，替他順順氣。緩過氣後慢慢說：「你這麼做違反國際公約，國際之間是要共進退的，要談必需共同派使節去談。」

元首大人微笑著說：「共進退？我中國現在還需要遵守什麼國際法？況且現在我已經有星際關係了，國際關係又算什麼東西？倒是等我談判完成，得到了一定的成果，可以交給你看，不過月球三個開礦地，還是需要割讓給我。」

歐美聯盟首腦氣得吹鬍子瞪眼，回答說：「還是那句話！等你有成果拿出來之後我們再談！沒有成果，都是白說！」兩人於是再次相互嗆聲了幾回合，關閉了通訊。

元首大人心思：（不管上次袁毓真與梁大成，誰說的是實話，外星人要袁毓真祖父的研究成果，這是肯定的。而這人就是我中國人，用他去談判，肯定可以交換東西回來。這就是我的施力點。你這只剩半條命的西洋老頭，等著下次被我氣死吧，呵呵呵。）

轉而打開電腦通訊，立刻對浙江省長與真理部長曾有能同時下令，令他們兩人親自去袁毓真祖父的家，要他立刻來首都，爲國效力。

過了幾小時，浙江省長與真理部長，同時視訊回報說：「這九十歲的老頭不識好歹，說我們層級太低，不能跟他相比，我們連他家門都進不去。」

元首大人皺眉問：「你們是不是態度不良？」

浙江省長說：「我們兩人都很客氣，倒是那個老頭知道我們頭銜後，罵說：『小官憑什麼找我談話？』然後轟我們離開院子。」曾有能也搭腔說：「是啊，太過分，連門都不給進去。後來浙江科學院的人，都告訴我們說，這老頭是個大怪人，已經快要三十年沒有離開家門。」

元首大人說：「不可能！三十年沒有離開家門，怎麼會有這麼多的科學研究成果？又吃什麼喝什麼？」

曾有能說：「我們詳細調查了他的資料，立刻把資料傳給元首大人您過目。」

元首大人看了看他個人的經歷：「袁續居，外號老頭子。三十歲時繼承父親二十五億的龐大資金，與連鎖全國的大型企業。三十五歲時，變賣了袁氏企業集團的相關企業，孤僻在家，自行作科學研究。六十三歲時喪妻喪子，兒媳也隨之去世，所存的資產也都耗盡，從此足不出戶，只與剛出生沒有多久的孫子袁毓真相依爲命。袁毓真二十歲成年後，就被趕到對面住，宣稱不跟處男孫子說話，然而仍然幫助袁毓真獲得秀士資格……平常的生活，都靠鄰居或是機器人打點……」元首大人看完，冷笑著說：「這個老頭子，有精神疾病、老年癡呆！」

曾有能視訊中應聲說：「是啊，竟然還嫌我們官小，他只是個破產的老百姓而已。」元首大人笑著說：「哈，真理部長，這你就錯了。古人說：『民爲邦本，本固邦寧』。老百姓的身分地位，確實是很大的！你們別不服氣。」兩人在視訊中，聽了元首大人這麼說，只好點頭稱是。

元首大人微微閉上眼說：「我立刻親自用毛筆寫一封信，讓秘書坐飛機送到浙江去，你們兩個帶著我的親筆信，客客氣氣交到他手上，說國家現在有難，外星人要他個人的研究成果，請他替國效力，替國家走這一趟。」

寫道：「袁先生緒居閣下鈞鑒。相信您已經知道五大艦隊與外星生物交戰的新聞，而先前閣下的孫子袁毓真，參加了南十字星計畫暨智慧四人組的行動，外星生物對您的創造有十足興趣，使鄙人非常仰慕。希望您能親自來首都新河洛一見，讓鄙人詳述一切事情經過，替國家度過這次難關，事後必有重謝，至此。」

於是秘書專程替這封信，飛到浙江，一同去他家。已經是十二月二十九日。

又過好幾小時，真理部長與秘書一同帶著老頭子的回信，到了元首大人府邸，此時眾官員正再開晚上會議。老頭子回了元首大人一封信，裡面外加一片影碟。

信外寫著「元首親啓」，元首大人打開信，在會議上就讀，發現他也用毛筆寫信回道：「天朝皇帝制諭！朕受命於天，位居九五，已於汝等來打擾之時，伏羲甲子曆十二月二十八日，登基稱帝，建國號爲華夏文明國，沿用前太上元首，所倡之伏羲炎黃曆法，與朕之年號『天威』並用，詔書自稱天朝，疆域爲朕之居所，與方圓十公尺處。敕令朕手下機械人，列居百官，承襲漢制，衣色尙黃。汝自稱中國之元首，疆域承襲前元首之一千八百萬平方公里，廣大國土，奈何對外不能拓境以勵中國之威？對內不能照顧子民尙愛士人以崇祖宗之德？又任華夏文化喪頹，格局破敗，使炎黃帝制垂廢如此多年，致使政客貪腐橫行無忌，謊言乖行罄竹難書，道德淪喪士女淫亂，實爲炎黃世胄之大恥也！祖先神靈之可怒也！可見汝乃無道無德之昏主也！不肖炎黃之僭逆也！百年之後當諡『繆醜』。若汝尙有炎黃子孫愛國知性，當好自爲之，以免天誅。汝既無德無膽無能，不能恢復炎黃故制，朕自當承制，位爲皇帝，以延華夏文明大體。」

元首大人看到此，已經是目瞪口呆，又滿面怒容，但是還有下一張，遂忍著怒火繼續看：「汝在信中所云種種，異星怪物之事，實爲汝無智昏主所形亂狀，今竟要朕替汝收拾殘局，實爲可笑之至。然我天朝上邦，撫被四方蠻夷，爲萬邦之主！況汝等亦爲炎黃子孫，雖曰不肖，朕為人君者，實不忍棄。汝若收斂乖狀，以古諸侯覲見天子之禮，三跪九叩，替朕備妥輦輿，遜辭來朝，俯首闕下，坦認己罪。朕自當護佑汝等，御駕親臨異星人之所，替炎黃世冑謀福。汝若能痛改前非，上表自責，對全體炎黃子孫公開道歉，朕自當授汝九錫，並予『劍履上殿、入朝不趨、贊拜不名』之權，替朕統馭萬民。汝若不服氣，自有天誅待汝。試問朕今天已然自稱皇帝，汝敢稱帝否？汝敢稱帝否？汝敢稱帝否？此汝之德，不如朕也。欽此！」

看完全書，元首大人把信往桌上一丟，用力拍桌大罵道：「這個瘋子反啦！」真理部長曾有能，急忙把信拿來看，也目瞪口呆，行宰與各部會首長，也都輪著看完此信，面面相覷不知道該說什麼。

元首大人開口說：「他腦袋有毛病，應該關進『龍發堂』，立刻給我派警察把他抓進去！」行宰大人急忙勸阻說：「元首大人請先息怒，這封信確實狂妄瘋癲。但是請先冷靜思考一下。目前五大艦隊損傷慘重，我國海空軍力量受挫，外星人的問題隨時可能波及本土，這個怪老頭的瘋癲行徑，暫時且別計較。他目前是唯一可以拿出去，跟外星人談判的籌碼。且請三思而行。」

元首大人收了怒容，但是仍然皺眉說：「難道你要我真如他信中所寫，『備妥輦輿』、『遜辭來朝』、『俯首闕下』？」

行宰大人看了一下有影碟，便說：「不如打開影碟，看他在裡頭說些什麼，再討論該怎麼對付。」元首大人雖睜眉怒目，卻也使眼色示意開打看。

結果看到影片中，老頭子在自己家裡，真的弄出了一張「龍椅」，身上穿著黃袍，頭上帶著禮冠，底下兩列站滿機械人，下跪磕頭，三呼吾皇萬歲。喊完之後，從龍椅站起來面對著螢幕，左手叉腰右手伸出五指說：「朕於後天，伏羲甲子曆大年除夕之時，將要去五嶽之首的泰山封禪。汝等官員，趕緊通知泰山有關的管理單位，清空所有的遊客，停止一切登山行爲，打掃乾淨，準備好封禪大典所需之物，朕將會親自駕駛飛行器，從泰山玉皇頂上從天而降，汝等官員及早辦好，在該處恭候御駕，並且讓新聞媒體都在場，通知我天朝的建立，炎黃子孫，又有皇帝了。假設封禪大典順利進行完成，汝等不肖炎黃子孫的要求，朕會酌情辦理。」說完，神情嚴肅，坐回龍椅，繼續接受機器人高呼「吾皇萬歲」。

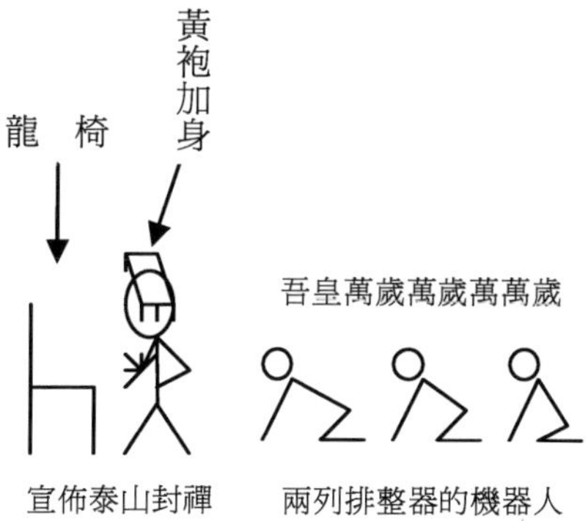

會議上的官員見了，知道元首大人非常厭惡，所以也跟著你一言我一語，一片叫罵老頭子：「瘋子！」「連泰山封禪都玩出來了！」「什麼時代了，怎麼有這種狂人？」「中國的帝制已經瓦解三百五十多年，怎麼還有這種人？」「關在家裡把自己都關瘋啦？」元首大人冷冷一笑說：「我不需要這個瘋子幫忙，把信件還有磁碟都丟掉！把他送到精神病院！」

行宰大人說：「元首大人請冷靜，歐美聯盟屢次派出搜索偵查與談判代表，都無果告終，連使節都沒有活著回來的。現在我們只能知道，外星人對這個瘋子有興趣，不如軟處理，別去計較他的瘋癲。您就當作導演一齣『瘋子大戰外星人』的影片吧！」

元首大人其實內心已經失去冷靜，外表強作無恙而已，大聲地說：「那你們說該怎麼辦？」行宰大人緩緩回答說：「不如派人告訴他，我們真的答應他去『封禪』，也真的去清空泰山。但是準備好警察待命，等他一下來，就把他抓回府邸，強迫要求他接受這次任務。」元首大人拍桌道：「你被他的黃袍加身給唬傻啦？派警察抓他現在就可以！馬上命令浙江省長，把他連夜帶來首都，明天早上，我要看到這發癲的老頭，在這等我！」

行宰大人感到很奇怪，元首大人過去也遇到很多爛事情，就算有脾氣，從來也沒有到這樣失去思考意志的情況，怎麼今天對一個老百姓「稱帝」，就氣得說不出思考性的言語？說罷就匆匆下令散會。

二十九日上午十點，元首大人在泡澡，背後有兩名女性在替他按摩，在澡堂的螢幕牆上，收看視訊。浙江省長灰頭土臉，一副整晚沒睡的樣子，出現在視訊螢幕上說：「報告元首大人，那個瘋老頭的機器人，已經把五百多名警察都打倒了，現在全都躺在醫院療傷當中。搞了一晚上，用盡各種方法，我們都抓不到他……」

元首大人氣得拍水，濺起水花，罵道：「什麼機器人？竟然把警察都扳倒？過程全部轉播給我看！」後面按摩的兩名女子，趕緊退後，坐回池外的椅子上。

於是澡堂螢幕上出現轉撥畫面，先是警察敲門，結果被機器人轟出來，機器人還大罵說：「何方刁民？竟然驚動御駕！」警察組織強攻，被機器人用痲痹雷射，全部打倒，轟出「華夏文明國」的國土。甚至從警察局調來各種槍枝武器，但是都打不動機器人，一下警察全部都倒地哀叫，警車全部被打拋錨，因此引來很多人的圍觀與新聞媒體的採訪。袁老頭立刻在七名機械人護衛下，在房屋的頂樓對媒體，重新宣讀「詔書」，表示天朝建立以及帝制的恢復，並且把元首大人寫信與「皇帝」回信的過程，都重新講述一遍，並且再度宣佈，除夕要去泰山封禪。

浙江省長發現打不動他，只好把媒體與老百姓都趕走，以免事態鬧大。看完昨天晚上的轉播，元首大人又怒火中燒，直叫罵：「他怎麼會有這種比軍方還要進步的機器人？立刻給我通知軍隊！」浙江省長急忙說：「元首大人息怒，我認為可以用另一種方式處理，不然對一個平民動用軍隊，傳出去會是個大笑話，有非常不利的影響，請您耐心聽我說。」

元首大人長吐了一口氣，旁邊兩個女人，趕緊上前幫他按摩順氣。點頭說：「快講。」然後閉上眼，頭仰後。浙江省長說：「他不是有一個孫子，是您之前指定的『救美英雄』嗎？

聽說現在還住在歡樂部的別墅中。而且聽他鄰居說，他其實非常愛孫子，只是平常會對他耍怪脾氣而已，但是孫子的要求，沒有不答應的。聽說連袁毓真秀士的資格，都是他幫忙弄來的。況且這次外星人的行動，不也是從袁毓真開始的嗎？就從他這個孫子著手，一定可以讓他乖乖聽元首大人的吩咐。」

元首大人聽了，心情終於按下，享受著澡堂蒸氣，與高檔次的按摩，緩緩說：「知道了，你關訊吧。」於是結束通訊。

第四幕　白

歡樂部十三號別墅，老頭子稱帝次日，十二月二十九日中午午餐時間。

袁毓真睡到中午才起床，走到餐廳，看到大家在吃午餐。賀嘉珍說：「你還真慢，大家都快吃飽了。」袁毓真看了看眾人，問：「奇怪，楊恒萱老哥去哪裡啦？」蔣婕妤回答：「今天一大早就離開，不知道爲什麼。可能明天就是大年除夕，他要回家看老婆小孩吧。」又問：「那紅呢？不是昨天就跟大家開始一起吃飯了嗎？」蔣婕妤半閉眼，嘟著嘴說：「這幾天，她只把東西拿到她房間吃，根本沒有理我們。況且我們根本也不想跟她一起吃。你想跟她吃你自己去找她！」

袁毓真搖搖頭，坐下來拿起筷子，邊吃邊說：「妳別老是跟她過不去，我感覺她都被妳騎著欺負。」蔣婕妤說：「她根本就是外星人養的奴隸，騎著她欺負又怎樣？」袁毓真說：「她的功夫可是比妳強啊，你也知道要打架，她可能會把我們全部的人擺平。」

姜麗媛笑說：「經過上次，她不敢了，現在又不是在海底基地。現在她碰到我們姐妹任何一個，都閃到一邊去，更何況是我們的領導階層的大姐頭們，呵呵。」其他女孩也都跟著笑。

忽然門鈴響了，客廳螢幕顯示，是一個穿白衣服的女子站在門口，賀嘉珍說：「袁毓真，女孩肯定是找你的，大概是要英雄簽名喔，你去應門吧。」蔣婕妤說：「你可別太花心啊，不然我們可會不高興，聯合把你趕出這裡。」於是又是一陣嘻笑揶揄。

袁毓真放下碗筷，馬上去應門，把門打開，只見一個身穿全白，開右襟改良古服的女子，衣服與髮型完全與當初在海底基地見到的紅一樣，只是顏色不同。而身高也與紅相若，高袁毓真十幾公分，有差半個頭以上，但是身材比例勻稱，減一分太瘦，增一分太肥，似乎都恰到好處。五官面貌讓袁毓真驚爲天人，若說姜麗媛、蔣婕妤與紅，賽過文君薛濤。那麼眼前這白衣女子，肯定只能用，遠過西施、貂蟬、王昭君、楊玉環來形容。一時袁毓真心花怒放地說：「妹妹找誰？」

可是白衣女子，卻忽然臉色一變，把袁毓真扭了起來，痛得他大叫。其他所有女孩紛紛離開餐廳，奔到門口，見了此狀，姜麗媛說：「妳是誰？想幹什麼？」

白衣女子回答說：「紅呢？是不是在這裡？」蔣婕妤說：「喔，你是紅的同伴對吧？同樣是外星怪物養的狗！」白衣女子沒有紅這麼壞脾氣，只冷冷說：「看妳一眼，就知道是書香世家的女孩，怎麼罵起人這麼狠？難道不知道口德嗎？」

蔣婕妤不服地說：「因爲妳們背叛國家，也背叛人類。」袁毓真痛得緩說：「我知道……紅說過……妳叫做白……與紅是同學……我不是妳的敵人，好痛，快放手啦！」姜麗媛本想衝上去打，但是知道紅很厲害，這個白，肯定也不簡單，於是不敢妄動，只好指著說：「妳快放人！」

白的神情很沉穩，緩緩說：「我看到紅，自然就會放了他。」

忽然二樓傳來紅的聲音，說：「妹妹，我沒有事情，妳放了他吧！」說罷就走下樓梯。白於是放了手。

賀嘉珍問：「妳是怎麼穿過警衛，來到這別墅的？」

白並不回答。而紅走到一樓時說：「是我自己改裝電腦通訊器，連絡上她，請她來救我走的。而我們自然有方法，可以來去自如。」

眾女子仍然保持警戒，蔣婕妤說：「要走就快走！各過各的生活，以後別再見面啦！」紅說：「我被妳汙辱那麼多次，受委屈的是我！妳放心，我也不想再見到妳。」

於是紅就跟著白，一起走出門口，而院子裡面竟然停了一架，蝌蚪形的飛行器，形狀怪異，兩女上去之後，玻璃護罩放下，就騰空而起，而竟然沒有多大的聲音，眾人頗爲一驚，看著她們駕機遠去。黃敏慧對其他女子說：「她們用的飛行器還真可愛。」

白與紅共同離開的飛行器

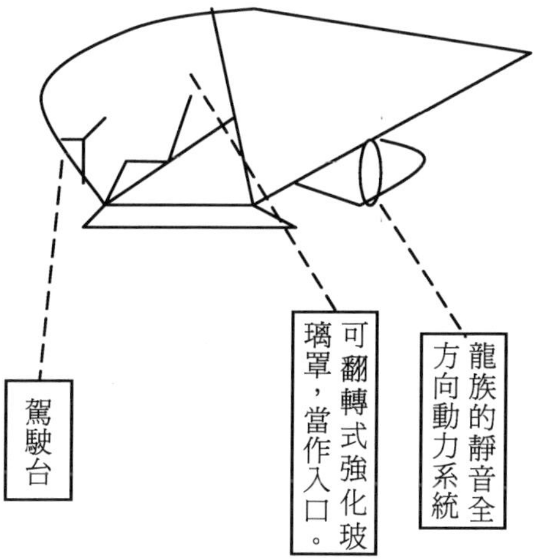

袁毓真說：「好啦，現在沒事了，吃過午飯後，我們一起去別墅的地下室，模擬實體電影院，體驗故事好嗎？」眾女子一陣叫好。

別墅外頭，有餐飲與零食的買賣商店街，專門替別墅的貴族們服務的。買了零時與飲料，七人一起回到自己別墅的專用電影院。戴上觀賞用頭盔與目鏡，相互連通，選擇影片內容，而觀眾可以在當中扮演角色，體驗故事的時候選擇不同的選項，則會有不同的結局。當自己選擇的角色沒有在演出時，就跳到螢幕外頭，看其他人的演出，沒有被選中的角色，則由電腦隨機代替。

第一片選擇「荊軻刺秦王」，袁毓真模擬扮演的秦王，最後被姜麗媛模擬扮演的荊軻給殺死了。第二片選擇「攔截十二道金牌」，蔣婕妤模擬扮演的主角劍客，最後不但攔下了十二道金牌，還把袁毓真模擬扮演的秦檜給殺死。

結束之後，袁毓真搖搖頭說：「我連玩電影都輸妳們。」蔣婕妤呵呵笑說：「當然啦，我們現在可是最厲害的娘子軍團。」

忽然門鈴響了，賀嘉珍說：「壯丁，你去應門！」袁毓真說：「怎麼不派妳手下的女兵去啊？」賀嘉珍微笑著說：「說不定又是美女來找你，當然叫你去啦！」袁毓真只好乖乖跑腿。到了門口，開門一看竟然是行宰大人，背後還跟著一些隨扈。進到了客廳，袁毓真恭敬地問道：「請問行宰大人親臨，有何吩咐？」

他臉色嚴肅地說：「這今天你沒有看網路社群嗎？你的祖父鬧得很大的新聞，弄得滿城風雨。」袁毓真吃驚地搖搖頭說：「這幾天我都在別墅，跟同事們玩，沒有看新聞，更別說網路社群的消息。我祖父向來足不出戶，怎麼可能有什麼新聞？」

行宰於是把元首大人的邀請，與他的回信，與他『登基稱帝』，大戰警察，以及明天將要去『泰山封禪』的事，都說了一遍。然後問：「袁秀士，外星人的問題越來越嚴重，你身爲南十字星計畫的核心人物之一，說說看怎麼辦？」

袁毓真傻笑了片刻，扶了扶眼鏡，抓了抓頭髮說：「我也不知道……我對我祖父也是無可奈何……他連我是處男都要計較……」

行宰大人心思：（這對祖孫，一個瘋一個傻，什麼爛家族血統，麻煩得要死！）神情嚴厲地說：「我可以坦白告訴你，這歡樂部豪華的十三號別墅，是國家資產，不是給你白住的！元首大人下了敕令，你必須要說服你的祖父，代表國家去跟外星人談判。倘若你搞不定這件事情，別說在這裡享福，你秀士的資格都會喪失。只要上面一句話，你現在週遭的東西，馬上就會被剝得乾乾淨淨。聽明白了嗎？」

袁毓真臉色頗顯不悅，心思：（白住？我是知識份子！你竟然用對軍人的口吻來對我說話？哼！我就是不去，你剝啊！）但是又轉而心想：（那些女孩們會跟我玩，原因就是我有這一切東西，假設被剝掉了……那麼我真的什麼都不是了……難道又要回去當孤單的窮人？而且他說連秀士資格都要拔掉……肯定會比以前還慘。尊嚴與愛欲還真兩難。）於是緩緩地點頭說：「報告行宰大人，我願意替國家赴湯蹈火，在所不辭。我祖父的問題我會嘗試說服，假設他不肯答應，我願意代替我祖父，前去談判。因爲我之前在海底基地，也見過外星人，而我對我祖父的研究項目，也略知一、二。」

行宰大人才緩緩露出點笑容說：「好，你肯這樣配合，那麼就不枉我親自跑這一趟。明天你祖父就要去泰山，我建議你現在就打電話找他。」

袁毓真問：「我想問一下，外星人怎麼出使？難道還是去海底基地？」

行宰大人說：「這你別管了，先把這件事情搞清楚，我們會告訴你下一步怎麼走。」袁毓真感覺自己又變成棋子，但就算不甘願，也只能點頭稱是，保證明天之前一定搞清楚，有消息立刻打電話回報。等送走了行宰大人，只好回到地下室，把事情經過都告訴眾女子們。

賀嘉珍說：「我看這回，不只袁毓真有事，我跟蔣妹妹也得跟著牽涉進去，畢竟我們也是『智慧四人組』的成員。」

姜麗媛說：「我們四人也要算進去，因爲我們已經是妳們的女兵了，這樣才能暫時不回部隊。」其他三女也都點頭說對。

袁毓真說：「談到『智慧四人組』，楊老大怎麼這次也可以不出場？」賀嘉珍笑著說：「人家是中行士，管行動設計的，所以對於事情的發生，就會像船上的老鼠一樣敏感，假設船要沉，他是第一個會知道的。他負責設計，我們負責行動便是。」袁毓真傻笑了一下說：「他根本沒有設計……」

第五幕　空蕩的泰山

七人當下也就不能在別墅玩樂了，袁毓真立刻打電話給祖父。沒有想到祖父回答說：「朕已經告昭天下，明天一定要去泰山封禪，君無戲言，況且封禪乃大事，豈能收回成命？你身爲皇孫，明天一大早就應該在泰山接駕！」

袁毓真苦笑著在電話中說：「爺爺！你就別玩啦！孫子我現在已經有六個女朋友，假設你不答應，我所有一切都會被剝得乾乾淨淨，終究還是個爛處男。」

老頭子聽了，頗爲欣喜說：「六個？好！明天帶到泰山給朕看！朕會冊封她們名分。」

袁毓真皺眉苦笑，說：「你就別再談泰山啦！還什麼朕不朕！現在外星人的事情一定要搞定，不然我秀士都沒得作，我就自殺給你看！」

老頭子緩緩地說：「你就別急，朕自有打算。你明天早上就到泰山等我，封禪完畢，我會有主意告訴你，怎麼解決外星人的問題。」袁毓真苦道：「你還要玩封禪啊……你封禪，我就要『瘋疝』啦！被瘋癲疝上啦！」

老頭子說：「朕意已決，你明天早上在泰山頂上等我便是。」於是掛斷電話。

才關閉通訊，蔣婕妤帶著其他四個女兵圍上來問：「你剛才怎麼會說，我們六個都是你的女朋友？」袁毓真傻笑著說：「應付我祖父的，開玩笑。」

蔣婕妤皺眉頭說：「玩笑？一點都不好笑。一下六個，你應付得來嗎？」

賀嘉珍笑著說：「他現在身價不凡，有別墅、有地位，連元首大人都要他幫忙，當然就會開始動這種歪念頭囉。」蔣婕妤又逼問：「袁毓真你老實說，你有沒有動這種歪念頭？」

袁毓真傻笑著說：「呵呵，沒有啦……不過妳們假設願意，我一定不反對。」眾女子一陣嗤笑，姜麗媛搖搖頭，嘟嘴說：「男人還真低級。我勸你還是別想太多，一次六個，這是不可能的。」袁毓真嘴巴上是屈服了，心理的這種想法，卻越來越熾烈。

把結果通報行宰大人後，他安排了泰山頂上的旅館房間，並用專機直接載往泰山頂。當然，不會禁止遊客入山，也不會替老頭子安排封禪的所需。七人擠在一間旅館通舖睡一晚，感覺當然比別墅差太多。第二天清晨，泰山頂上仍然是旅客絡繹不絕。

忽然天空中出現兩架碟狀飛行器，體型約與中型的客機相當，其中一架放下了十幾台機器人，開始對泰山登山各要道，實施入山封鎖，甚至還對空開槍驅趕，大喊：「皇帝陛下今天泰山封禪，閑雜人等全部滾下山去！」旅客們見到機器人，先是一陣吃驚，又是一陣疑惑，到底哪裡來的皇帝？看到機器人對空開槍，接著就是一陣恐慌，還沒登山的只好紛紛竄逃，逃下山報警去了。

已經在山頂的人，則被另一架派下來的機器人，一個個驅打而趕下山。機器人邊趕還邊說：「皇上要封禪啦！中國又有皇帝啦！閒人不可以犯蹕！」甚至還有數百個小機器人，協助封鎖要道，與佔領空中往返纜車系統，不肯走的旅客，一個個被電昏，由小機器人抬上纜車，往山下運送。對大批乘車而上的旅客，則用槍打壞懸浮車引擎，一個個被鎖在山下。

最後只留下袁毓真，與同行的六名女子。第三架碟狀飛行器，降落於玉皇頂上，老頭子身披黃袍，頭戴禮冠，手持香爐，從裡頭走出來，見到袁毓真與六名女孩在一起，強忍住了歡喜，冷冷地說：「袁毓真！你雖然是朕的皇孫，但是見到朕難道不行禮嗎？更別說後面六個女孩啦！難道不知，見到皇帝，該怎麼三呼萬歲嗎？」

袁毓真實在受不了，呼呼兩口氣說：「好好好……」於是回頭苦臉地示意六女子說：「我們跪下行禮吧，不然事情辦不了，我們就白來了。」眾女子只好隨著袁毓真跪下，一同喊：「吾皇萬歲萬歲萬萬歲！」老頭子頭抬起，緩緩地說：「平身！」眾人又一同喊：「謝萬歲！」

行禮完畢，老頭子大喜，說：「太好啦！女孩子喊萬歲的聲音，原來這麼好聽。」馬上跳下來，對著袁毓真說：「你先別說話！」

然後走到六女子當中，問：「朕問妳們，妳們老實回答朕，妳們有沒有把袁毓真的身體玩過？把他處男之身破了嗎？」蔣婕妤雖然見過他的樣子，但也不禁跟眾女子想得一致：（這白髮老頭，是個變態兼精神病！）

眾女子都臉紅耳赤，沒有回答。老頭子接著說：「朕看來，是還沒有！朕現在傳妳們口諭，妳們可以隨便把朕皇孫的身體玩弄，最好是一起玩把他玩死……」說到此，袁毓真馬上拉著他的黃袍說：「好啦！皇爺爺！趕快去封禪啦！這事情，以後換我當皇帝，不就都可以解決了嗎？」

老頭子瞪大眼說：「你當皇帝？那不是得朕駕崩之後？」袁毓真緊閉眼睛，大喊道：「你有完沒完啊！別再發瘋，去封禪啦！然後我們談事情要緊，不然你沒駕崩，我倒快死啦！」

老頭子笑了笑說：「好吧，不跟妳們玩啦。」於是正經八百，把封禪過程簡短演一遍，旁邊有一台機器人，被封官為「大司馬大將軍」，手上有專用攝影機，把封禪過程都拍下來。

老頭子完畢後，回頭說：「大司馬大將軍。」機器人答道：「臣在。」又說：「立刻把影片，用無線傳輸，放到網路社群上，告昭天下，朕封禪完畢。」機器人又答道：「遵旨。」

然後老頭子對七人說：「我知道你們急什麼，不就是外星人的事情嗎？跟我一起上飛碟，我們一起駕回宮談吧！不然山下的軍警就要趕來了！」袁毓真心思：（開始自稱我，總算慢慢恢復正常）另一台機器人，被封官爲「大司空」，於是對其他所有機器人下令：「皇上起駕回宮，所有陪同人員快上飛碟。」分佈出來的大小機器人，全部登上飛碟，凌空飛走。在登上飛碟時，袁毓真回頭看了看空蕩蕩的泰山，不禁心思：（純粹對泰山來說，還是沒有旅客比較好。）

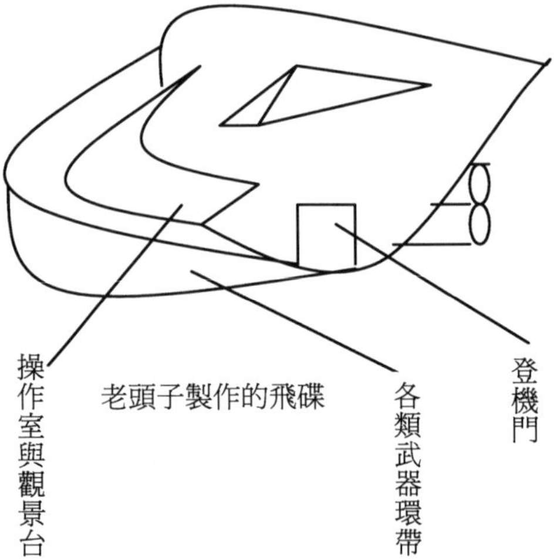

老頭子製作的飛碟

飛碟內部空間頗大，除了兩個駕駛座位，另一個指揮觀察座位，後面還有環形沙發，後艙除了簡單的武器庫、醫療設施、小餐桌，竟還有舒服的衛浴設備。女孩子們如見新穎，在飛碟內部好奇地玩了起來，還跟機器人「大司馬大將軍」握手，一片嘈雜的對話聲。

袁毓真才想阻止，老頭子說：「別管她們，隨她們去玩。我很久沒這麼熱鬧過了。」兩個駕駛座位由兩台機器人操作，老頭子在觀察指揮座位上，對機器人說：「所有人員到齊，起駕回宮啦！」於是最後一台飛碟也凌空飛去。

袁毓真問：「原來你有這種好東西，我怎麼一直都不知道？」老頭子說：「當然不能全部告訴你，你還是個爛處男。還沒有資格知道一切。」

姜麗媛站在操作飛碟的機器人旁邊，看著外面飛行的景色說：「真像是科幻場景，能飛上外太空嗎？」老頭子笑著說：「當然能。祇是重力問題還不能克服，目前我正在想辦法。不過假設你幫我孫子一個忙，嫁給他，把他處男給破了，我送妳一台。」

姜麗媛臉紅耳赤地說：「這……我得考慮一下。」說罷躲到廁所去了。袁毓真拉住老頭子說：「你當你的皇帝，別管我們的事啦！」老頭子哈哈大笑說：「知道了！朕不管你的事了。」

蔣婕好感覺這老頭還蠻有意思的，開玩笑說：「皇帝爺爺，你開的條件並不難啊，我們這有六個女孩，你有六台飛碟嗎？」

老頭子拼命點頭說：「有有有！剛好六台。現在就可以送妳們喔。」

袁毓真緊閉眼說：「皇爺爺，君無戲言，別再管我的事啦！我才正跟她們當好朋友，結果你卻來加油添醋，不是給我找碴嗎？」老頭子呵呵一笑說：「好吧，不說了，妳們看看飛碟外的風景，我們回宮再談。」

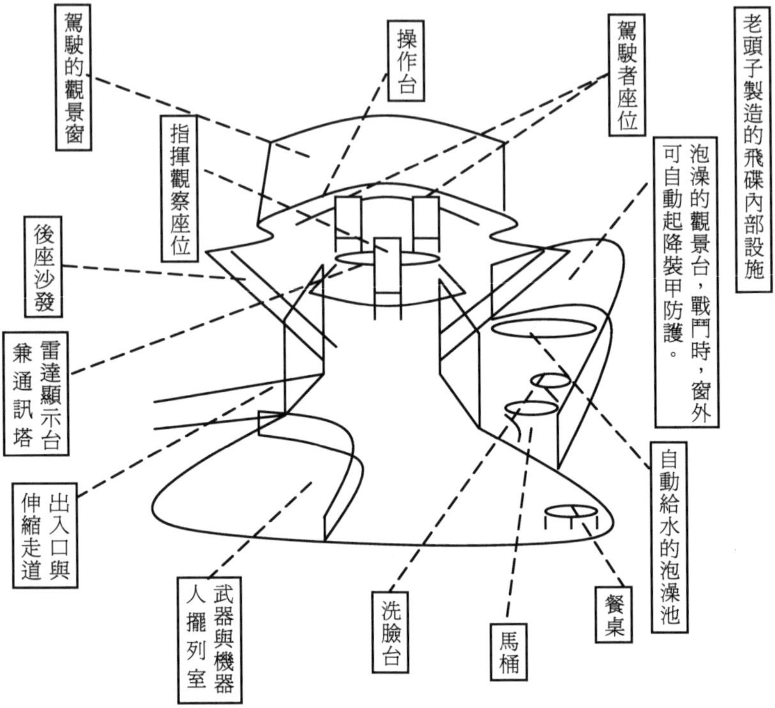

老頭子製造的飛碟內部設施
駕駛的觀景窗
操作台
駕駛者座位
指揮觀察座位
泡澡的觀景台，戰鬥時，窗外可自動起降裝甲防護。
後座沙發
雷達顯示台兼通訊塔
出入口與伸縮走道
自動給水的泡澡池
武器與機器人擺列室
洗臉台
馬桶
餐桌

外星人遭到五大艦隊攻擊後，是否真的會報復？老頭子到底有什麼方式解決外星人問題？袁毓真又將會再冒險嗎？欲知後事如何且待下象分解。

第八象　年關來臨空中商議分歧途　不屑一顧空中迷宮險生還

第一幕　地下皇宮

話說老頭子帶著袁毓真與六女子，在泰山頂上封禪完畢之後，乘坐飛碟回到了他建立的「華夏文明國」。只有一棟住所，以及周圍的院子，就是「華夏文明國」的領土。但是經過上次警察強攻的慘敗，周圍增設了很多監視系統，嚴密監視這個有史以來，最小的國家。

三架飛碟垂直下降，老頭子住所的頂樓，只能擺得下兩架飛碟。但是頂樓的地板忽然如地毯般收縮，把飛碟一架架放進去，直通於廣大的地下室。

眾人隨著老頭子下了飛碟，袁毓真吃驚地說：「我終於知道，當初我曾祖父遺留了那麼龐大的遺產，爲什麼最後全敗在爺爺你手上。原來你自己在地下，偷偷搞出來這些名堂啊！

我當初怎麼都不知道呢？」

老頭子打了他腦袋說：「笨皇孫，什麼叫做財產敗在我手上？朕有拿去吃喝嫖賭嗎？你自己睜大眼睛看，朕在地底更加光大遺產，足以建立自己的國家。朕已經不管你是不是處男了，你倒管起朕的事情啦？」又開始自稱朕了，袁毓真不禁苦笑地說：「好啦，皇爺爺，你敢快告訴我們對策。」

不只袁毓真，眾女子被這地下巨大的工廠吸引住，好奇地看著這些勞務型的金鐵皮機械人，正在製造各種奇奇怪怪的零件。賀嘉珍對著老頭子說：「難怪袁毓真有那些怪東西，原來都來自於這裡。」老頭子笑道：「要不是妳們是朕皇孫的朋友，就不會讓妳們進來。這裡是『華夏文明國』的宮殿，妳們出去可別亂傳，不然永遠不歡迎囉。」賀嘉珍、蔣婕好、黃敏慧、姜麗媛、歐陽玉珍、何佩芸，都紛紛點頭，說：「不會的」、「不會說出去的」。

袁毓真說：「拜託我的皇爺爺，外星人的事情，現在到底該怎麼辦？你到底幫不幫元首大人走這一趟？」

老頭子搖搖頭說：「朕是皇帝，是華夏正統，豈可以聽命於一個『僭逆』的元首？朕寧願駕崩，正統也不可改。」袁毓真知道祖父的個性，不答應的說什麼都沒有用，只好癱坐在地下工廠的沙發上說：「你不去我就完了。」

老頭子說：「現在也不能夠去，外星人根本就不要跟人類談判。」眾人不禁都盯著老頭子看。袁毓真問：「你怎麼知道？」

老頭子說：「之前你不是拿我的機器人去跟外星人打仗嗎？神兵二號的殘骸裡面裝有我的全球定位儀，本來想要利用它來得到外星人的動態，結果竟然被牠們發現了。牠們竟然從那個系統，來跟我的主電腦通訊，還趁機放了一個外星的『邏輯炸彈』在我電腦裡面，大肆竊取牠們要的資訊，害得我系統零件都要重新換過。牠們在通訊的時候，用人類文字表達得很清楚，地球只是個星際旅行的中繼站而已。但是人類是會干擾中繼站的物種，牠們將會做出最後『物種解決』的行動，以清理中繼站上的阻擾物，這是沒有任何商量空間的。」眾人聽了都大爲吃驚。袁毓真說：「這是誤會啊！我們目的本來都只是探索而已……而且要不是我們實行南十字星計畫，把外星生物從隕石內部物體解放出來，牠們怎麼可能在這個『中繼站』復活呢？」

老頭子呵呵一笑，說：「你還真的相信『南十字星計畫』的書面內容啊？那個透明體是牠們的『星際穿梭門』，有自動轉換與探測的功能，根本不需要人類多管閒事。反而人類在牠們首批隊伍出現的時候，就把牠們抓起來作實驗，讓牠們很是厭惡我們這物種，早就不想要跟我們談判了。而且我可以再告訴你，不只是我們得罪了外星人，歐美聯盟也一樣讓牠們反感。出兵打過牠們，結果同樣慘敗，你說現在牠們還要跟我們談什麼？等著被外星人修理吧。」

賀嘉珍問：「那您有沒有跟牠們說，人類不是每一個都這麼壞。」老頭子搖頭說：「這些『老外』！我說的這個老外，是指外星人，不是外國人。牠們已經是把人類看透了，知道我們所謂的好人，是自己定義的，當接觸到利益或是權力的誘惑時，思想結構就改變啦。所以還有什麼好人壞人？牠們是用物種的精神層次在看問題的。」

袁毓真說：「可是牠們之前也跟我談判過，代表不是沒有機會談下去。不如您就跟我一起去談吧！牠們不是要您的研究成果嗎？我們還是有籌碼的。」

老頭子說：「我的東西牠們早就知道得差不多了，你以為外星人是省油的燈嗎？牠們只是藉我的資訊系統，更快速地了解人類物種，好做滅亡人類的準備。並不是牠們要我的科技！」說到此，轉變了態度，咳了一下，接著說：「朕倒是認為，你們自保就好，別混這個爛污。誰惹出來的麻煩，誰自己去收拾。」

賀嘉珍說：「皮之不存，毛將何附？假設人類真的被外星人消滅，我們怎麼可能獨善其身？至少我們要保護自己的國家吧。」

老頭子哈哈笑說：「朕已經建國華夏，所以我們保護自己的房子就好。現在已經正加緊研制新武器，把所有後備資源都投入。況且我是楊朱之類的人，要我拔一毛以利天下？決不幹！除非是『華夏文明國』的子民，喊過朕『萬歲』的人。」

蔣婕好笑嘻嘻地說：「我們都喊過啦！皇帝爺爺至少得保護我們吧？」老頭子又繼續哈哈大笑說：「當然會保護妳們！就算妳們不喊，看在妳們是我皇孫的好朋友，我也一定會保護妳們。」袁毓真深怕功名利祿被剝奪，嘆口氣說：「拜託……我的皇爺爺，你別再鬧啦。好吧！我是沒辦法說動你了，但是我個人是一定得去，你就幫我這個忙，可以嗎？」

老頭子說：「去當使節，談判就談判，找朕幫什麼忙？」袁毓真說：「因為任務特殊，外星人對我們很反感，我想帶些法寶防身，還有您手中，外星人所不知道的知識性東西，來當作談判的籌碼，這樣這次任務才好處理。」

老頭子哼了一聲，說：「朕的東西不給『僭逆』的元首利用，他手下不是很多『御用學者』嗎？讓他們拿東西去！你是朕的皇孫，不可以被『僭逆』所使！」

袁毓真心理想的還是豪華的別墅，以及美女的圍繞，非常需要權力階級的支持，所以仍然不願放棄哀求，但是老頭子就是不答應。蔣婕好發現袁毓真已經沒輒，遂拉著其他的女孩，圍著老頭子說：「皇帝爺爺，你不會不管我們吧？我們是您孫子的好朋友，也是喊過您『萬歲』的女孩。您就幫忙一次嘛。」

除了賀嘉珍之外，老頭子被五個女孩圍著，一下幫他按摩肩膀，一下拉著黃袍撒嬌，老頭子樂不可支，呵呵笑著不停，眼睛瞇得只剩一條線，如袁毓真收到國寶時，表情如出一輒，實在是遺傳所致。於是樂著說：「好好好，我幫，我幫，但是妳們可要加入我『華夏文明國』，當我皇孫永遠的好朋友。」袁毓真下巴掉下三公分，都九十歲老頭了，還這麼愛年輕媚妹，兩三招就超過親孫子的苦求。

蔣婕好笑著說：「當然啦！我們永遠是袁毓真的好朋友，而且以後我們會繼續對您高喊『吾皇萬歲』，認您當我們的皇帝。」

老頭子歡喜得眼睛都張不開，左摟蔣婕好，右抱歐陽玉珍，說：「好好好，我馬上幫把所有秘密研究的成果，都拿出來，交給袁毓真去談判，妳們可要好好幫助他，我皇孫假設安全回來，我封妳們當公主，給妳們每人都有豐富的賞賜。」所有女孩都笑著說：「謝皇上！」

賀嘉珍見到情勢變好，才開口說：「那麼皇帝爺爺，您認爲我們該怎樣處理這次任務？外星人有敵意，我們不好使啊。」

老頭子說：「妳們思考事情別只想著一頭。那個『僭逆元首』一定會派人跟著你們去，而且一定會攬和，到時候事情成功他攬過去，事情失敗你們背責任。你們得要一個正式的官銜，然後手拿他正式的命令文件。另外我剩下的研究成果，不能給他介入，私下帶著去跟外星人談判，看能不能讓外星人，別出兵打我們。事情成功之後，才可以雙方都有好處。」

袁毓真說：「這點我們懂，我們這裡就有秀士、法士、參士，會聯合討論該怎麼行動的。」

老頭子從主電腦中，取出了一片手指大小的金屬片，交給袁毓真說：「裡面都是我的另一部分研究成果，除了依照次易原理衍伸的理論之外，還有大量對於機械人的設計應用資料。應該夠應付那些星際老外了……」

袁毓真點頭說：「明白了，我一定會小心的。」老頭子發現，自己又開始自稱我了，於是再改了改嚴肅的神情說：「你們現在涉入複雜的問題中，安全可憂，所以朕會派機械人部隊，保護你們的安全。」轉頭命令機器人，說：「大司馬大將軍！驃騎將軍！大司徒！大司空！你們四個過來。」於是四台機器人走了過來，老頭子說：「你們四個，帶著你們手下編制的機器人，分乘兩架飛碟，聽從我皇孫以及這些女孩們的指示，協助完成任務。」四台機器人，同時下跪道：「臣遵旨！」蔣婕妤拉著大家也下跪，說：「謝皇上恩寵。」

老頭子又因此樂不可支。

袁毓真傻傻地笑，說：「妳們還真的是比我有用……」姜麗媛說：「當然啦，誰像你這麼傻。連自己的皇爺爺都說不動。」眾女一陣呵呵笑。

第二幕　空中商議

眾人坐著同一架飛碟，另一架讓機器人乘坐，以緊隨於後，而飛碟都由人工智能自動駕駛。黃敏慧、姜麗媛、歐陽玉珍、何佩芸，都還看著觀景台。賀嘉珍與袁毓真，在雷達顯示台兼通訊塔旁邊，討論如何向元首大人回報。蔣婕妤在飛碟中的泡澡池中，泡著熱水看著窗外飛行中的景色。

賀嘉珍說問：「這件事情該不該給楊恒萱知道？」袁毓真搖頭說：「不要讓他知道，每次有任務都消失，實在讓人不舒服。」賀嘉珍說：「你也別這樣講，今天畢竟是除夕。大家都過著年呢，說不定他是要回家過年去。只有我們才陪著你啊。」袁毓真經他一說才想道，於是問大家：「妳們要不要回家吃團圓飯啊？」

黃敏慧說：「要！等一下用飛碟送我們回去。」袁毓真半閉眼，苦著說：「拜託，妳們的家在不同的省份也。」何佩芸說：「小器鬼！我們早就知道，這飛碟是核能動力的，可以飛很久不用裝燃料，難道你怕我們浪費啊？」女兵們對賀嘉珍與蔣婕妤比較尊重與服從，因爲袁毓真的傻樣出眾，所以敢對他沒大沒小地叫罵，袁毓真也只會笑著順從。

袁毓真說：「不不不，不浪費，我馬上載妳們回去。但是我是想說……今天我們可以一起吃飯。」賀嘉珍說：「我還有蔣妹妹，都已經准她們的假了。今天可是要休息的喔。」袁毓真嘆了口氣，說：「唉！可是元首大人逼我很緊，出發去泰山之前，行宰大人還跟我說，這項任務是沒有假日的，只要說服了我祖父，不論晝夜立刻回報。」

蔣婕妤已經泡好澡，穿好衣服走出浴室說：「我本身不放假，與家人通訊問好就行了，陪你一起去完成任務。不然你的皇爺爺，要是知道我們不照顧你，以後我們就沒有公主可以當啦。」

袁毓真心中一喜，他就是怕自己落單，沒有女孩子們陪，但是總得表示自己很照顧女性，於是說：「這倒不必勉強，還是讓大家自由選擇要不要放假。」眾人沉默了片刻。

賀嘉珍對袁毓真說：「這樣吧，既然飛碟有兩台，不如我們兵分兩路。要放假的跟我來，過年前後，我都會用飛碟，載妳們往來十三號別墅。其他人就跟著你走，讓這次的任務可以順利完成。」袁毓真點點頭，眾女子也都說好。

於是經過商議，袁毓真、蔣婕妤、姜麗媛、歐陽玉珍、「大司馬大將軍」與「大司徒」，當第一小隊，回別墅後立刻對元首大人通報，並且執行出使的任務。賀嘉珍、黃敏慧、何佩芸、「驃騎將軍」、「大司空」當第二小隊，乘坐另一架飛碟，回家過年，並且留守別墅，隨時連絡老頭子。

賀嘉珍雖然沒有跟著去，卻有一股山雨欲來風滿樓的感覺，竟然莫名的感到，這一次的過年是最後一次安逸的年假。心思：（明年的除夕，社會還會是這麼安寧嗎？）

第三幕　迷路的使節

啓易三年，大年初一凌晨，元首大人府邸。

在五大艦隊受重傷後，元首大人的心情就再也沒有輕鬆，從除夕深夜到現在都還在開會，研究應付外星人進攻的兵棋推演。

面對眾官員與將軍，因爲年假開會而心不在焉，不禁冷冷地說：「你們在想過年吧？告訴你們，假設外星人打來，明年就沒有春節。假設應付過這一關，天天都可以是春節。」會上眾人低頭不語。

忽然行宰大人的電腦顯示出文字通告訊息，趕緊對元首大人說：「袁毓真來訊，說他祖父的東西已經拿到，可以代表祖父找外星人和談。」元首大人回答：「讓他立刻來這裡見我。」行宰點頭稱是，回文字訊之後，沉默片刻，元首大人忽然又問：「他那個老瘋子，你們監視得怎樣了？」

治安總監官，在會議上回答說：「他家周圍都有便衣警察監視，回報說除了有奇怪形狀的飛行器升降之外，都沒有任何異常。」

元首大人的情緒，竟突然比剛才談外星人還要嚴肅，甚至有點憤怒地說：「小小一塊巴掌大住所，怎麼會有那麼多違禁品？一下有比軍隊進步許多的機器人，一下有古怪的飛行器？難道說他們有跟外星人勾結？」

行宰大人回答說：「我猜還不至於，聽浙江科學院傳聞，他在自己房子的地下，開了一個大地下室，在裡面關了快三十年沒有離開。可能這些怪東西，都是他以前繼承財產自己研究開發的。」

元首大人拍桌怒道：「就算是自己研究的，也是犯法！」行宰大人點頭說：「是犯法，但是現在非常時刻，我們反倒是需要他自己研究的科學成果。而且目前所知，外星人對這些東西有點興趣，是唯一可以談判的籌碼。不然我們就會像歐美聯盟一樣，連派使節過去，都不得其門而入。另外……歐美聯盟的西歐諸國，陸上已經開始遭受大批外星兵器攻擊，死傷慘重，這是我們唯一的談判與自保的機會了……」

元首大人無法反駁，因爲兵棋推演之前，才透過衛星畫面，看到了西歐陸上的慘況，而北美大陸也發現有外星兵器在偵查，對於中國到底會不會受到攻擊，心裡沒有任何把握。轉而說：「那個老頭精神有毛病！手上又握有超過國家科學的武器，難道能不處理嗎？而且還竟然狂妄地……」說到這收了口，不方便繼續講下去，忌諱被眾官員知道，元首大人原來非常地介意老頭子「登基稱帝」。但是又已經說出語氣的端倪，只好再轉口說：「他這樣鬧新聞，根本就違反國家體制，昨天竟然還在泰山上面，真的搞起『封禪大典』，而且還驅散旅客，說什麼『出警入蹕』！鬧得網路社群上，謠言一片。你們說能不處理嗎？」

行宰大人已經看出他的心思，緩緩地說：「您且息怒……」元首大人神情裝作不屑，忽然打斷地說：「我沒有怒！只是替社會還有國家體制，討公道！」

行宰大人內心頗為訝異，公道二字已經很久沒有聽他說了，怎麼今天會說出口？然而表面仍謹慎地點頭說：「是的，是公道。不過這老瘋癲的孫子，現在正在替我們辦事，只要對他劃一定的底限，並不至於傷害國家體制。等過了這次風頭，我們再派人去跟他勸說，反正他都九十歲了，只有一個孫子又在我們掌握之中，不必在乎他的狂妄。」

元首大人心結仍然不解，說道：「底限我當然有，假設他真的超越底限，我一定派軍隊把他……」說到這停頓一下，又忽然轉變語氣，接著說：「……把他給帶來我這裡，我要親眼看他怎麼狂？」會場氣氛忽然變得很尷尬，眾官員或面面相覷，或低頭不語，沉默一片。

元首大人也感覺到，自己對這件事的言論，變得很「硬拗」，但是心裡仍感覺杵著什麼東西放不開，打破這一陣沉默說：「我先下去休息一下，你們在這裡等袁毓真。」於是站起而匆匆離開，眾官員自然不敢走遠，在會議室繼續等。

總算把他等到了，元首大人緩緩進了會議室，袁毓真、蔣婕妤、姜麗媛、歐陽玉珍四人坐在末座。

元首大人問：「從你的祖父那邊，帶了些什麼來？」袁毓真回答：「報告元首大人，大多是一些新的科學與哲學理論而已，還有一台先進的飛行器，現在停在府邸的廣場上。」元首大人傲慢地說：「把東西拿出來給大家看看。」

袁毓真面有難色，搖了搖頭。元首大人忽然板起臉說：「有什麼困難嗎？」

袁毓真恭敬地回說：「這一次參加談判代表，沒有一個正式的官銜名分……所以……」

元首大人冷笑了一下：「難道為國效力，還要計較個人？」

袁毓真也笑了笑，低頭說：「孔子說：『名不正則言不順』，所以這還是要計較的。不然真的會有困難！」元首大人作了作臉色，對行宰大人緩緩說：「你立刻安排他接真理部副部長的缺，其他待遇依舊保留，包括南十字星計畫的補助。」行宰大人點頭稱是。然後轉面對袁毓真說：「這樣滿意了嗎？」

袁毓真內心竊喜，真理部長地位僅低於行宰大人，副部長雖然比其他部長地位略低，但假若一旦真除扶正，接替正職，那麼就可能當上全國第三號行政人物，趕緊點頭說：「感謝元首大人的栽培。我一定竭盡所能，完成談判的任務。」說罷拿出老頭子給的金屬片，並且用專用器具，轉換到所有人的電腦上。

眾官員圍上來研究了半天，一位科學顧問說：「真是匪夷所思，比兩百多年前，次易原理提出來的時候，還要更讓人驚訝。」

元首大人說：「曾有能，你馬上備份，然後明天帶著複製本，一起去帛琉找外星人交涉，除了談和平、歸還俘虜，最好能夠換到星際旅行的秘密。外星人若有需要其他條件，馬上通知我。」袁毓真想要詢問談判事先的溝通，但是會議上似乎再也沒有給他說話的機會，只好放棄疑問。

大年初一早晨，袁毓真等四人，與真理部長曾有能，及五位科學家所組成的談判代表，分乘飛碟與國家專用飛機，飛往帛琉而去。

在飛行途中，兩架飛行器，展開談判前的多方通訊，袁毓真就忍不住問：「部長，您知道怎麼找外星人嗎？」

曾有能說：「先前國家通訊局，不斷地尋找過外星人通訊的頻道，但是接軌不上。後來衛星查到帛琉島上，有外星人的新建築物，所以推論這裡一定有外星人。」袁毓真驚訝地說：「什麼！沒有任何事先的溝通？是用推論的？那麼我們會不會跟歐美聯盟的談判代表一樣，有去無回？」

曾有能板起臉孔說：「我們都不怕，你怕什麼？」其實曾有能與其他五位科學家，也是被強逼而來的，說此話時，還語帶顫抖。袁毓真小聲地問：「難道沒有帶護衛來嗎？」曾有能說：「元首大人有令，談判是要展現和平誠意，不帶任何武器，以免造成外星人的誤會。」

蔣婕好皺眉頭說：「我還想把機器人都帶著去呢。」

一位科學家說：「不可以，任何武器都不可帶。別破壞談判的氣氛。」雙方還因此起了爭執，最後還是決定任何武器都不帶。結束多方通訊後，蔣婕好說：「袁大哥，我們還是要帶著與機器人相通的通訊器，要是有什麼萬一，馬上請飛碟上的機器人來救援。」眾女子經歷過海底基地之戰，也都這麼認爲。於是所有人都帶著通訊器在身上，令「大司馬大將軍」與「大司徒」，領著其他機器人在飛碟上面等候。

原來龍族外星人，已經佔領的帛琉，上面還有半圓體的建築物，明顯是龍族外星人的傑作，只是眾人感到奇怪，飛到帛琉上空竟然沒有外星飛行兵器的攔截，直接了當地下降到島上。一下機就看到島上一片荒蕪與殘破，杳無人煙，明顯是戰火波及的痕跡，眾人頗爲恐懼。

總共十人，一起來到半圓體外，半圓體自動打開一個圓形洞口，似乎就是要讓眾人進去。曾有能緩口氣，露出笑容說：「各位，外星人在天空中沒有擊落我們，現在又自動開門給我們進去，可見談判是沒問題的。」

蔣婕妤卻說：「由我直覺判斷，有點不對勁。早知道就別讓那條小母狗走，讓她給我們帶路就好。」曾有能疑問：「誰是小母狗？」

袁毓真嚇了一跳，怕之前欺騙元首大人的事情露餡，趕緊說：「沒有沒有，只是一條能讓蔣妹妹有靈感的寵物狗。」三個女孩，一陣嗤笑。

一位肥胖的談判代表說：「這次談判，有女孩子們來，倒也緩減了我們緊張的氣氛。袁副部長，你還真有豔福。」袁毓真呵呵笑說：「我把她們當好朋友，兼好妹妹照顧啦！我到底是否真有豔福，還得讓這些女孩們決定。」眾人聊著聊著，緩解緊繃氣氛，走進建築物去，裡面有許多半透明光板，大家以爲是隔間牆，就繞了進去，結果眾人竟然在裡頭迷路，才發現這是一座迷宮。

袁毓真忽然想到海底基地的經驗，急忙喊道：「大家等一下，別再深入走進去！」曾有能問：「怎麼回事？」袁毓真說：「之前我們在海底基地，就碰過外星怪物建築物的四象迴返法則，是採取縱深防範模式的，把變化層次深藏在內，而陰陽對應，隨著空間分佈與外來體進入情形，採取組合變化。那麼內部常用空間就會變成防衛功能的一部分，我們就成了待宰的侵入體。我看這建築物，頗有類似之象！」曾有能等談判代表，都看過他們回來時的報告，知道這環節厲害，於是都止步不敢再前進。過沒片刻，眾人一片恐慌。

蔣婕妤小聲地附在袁毓真耳邊問：「是不是要聯絡機器人，進來幫助我們？」也小聲回答說：「暫時不要，別把談判氣氛破壞。」

曾有能大喊：「外星先生，我們抱著誠意是談判來的！」其他人也跟著喊了起來。但是仍然沒回答。

姜麗媛忽然一腳蹬上牆壁，跨跳到了半透明板的頂上，站起來俯瞰整個迷宮。牆板至少三公尺，曾有能等談判代表，看到姜麗媛這種身手，頗爲一驚。

袁毓真問：「看到了什麼？」話才問完，姜麗媛被嚇得面花容失色，失足掉下來把袁毓真壓倒，兩人都慘叫了一聲。歐陽玉珍與蔣婕妤急忙把兩人拉起來，姜麗媛倒沒有什麼事，袁毓真全身痛得站不起，歐陽玉珍與蔣婕妤，各撐著他一隻手臂而立。

曾有能急問姜麗媛說：「到底看見了什麼？」

姜麗媛緩口氣說：「我們飛在半空中啦！而且迷宮的另外一邊，有很多樣子恐怖的機械兵器，在到處亂竄，尋找我們。」眾人低頭看了看地下的半透明板，確實可以看到，腳下正逐漸離開地面，全都嚇得說不出話來。

袁鯍真痛著苦道：「外星怪物在開什麼低級的玩笑？難不成又要開戰？」

曾有能說：「可我們沒有武器啊！」袁鯍真說：「該是叫『大司馬大將軍』救我們的時候了。」眾人一片疑惑時，蔣婕妤邊撐著袁鯍真，邊使用通訊器，命令飛碟上的機器人快速飛來。

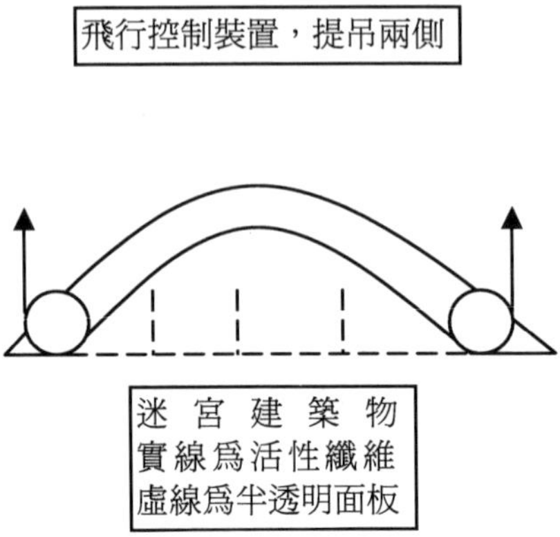

第四幕　迷宮驚魂

在緊張中，袁毓真喊道：「我看外星人根本就不想談！我們快跑吧！」曾有能說：「能跑哪去？線在我們都飛在空中啦！」但是眾人還是本能地奔竄，姜麗媛帶頭，歐陽玉珍與蔣婕妤扶著袁毓真跟在後，曾有能等六人也跟隨在後，盲目在迷宮中跑竄，結果在走道中，忽然前面遇到蛇形怪，後面睹上了三腳立身怪，都是機械兵器，已經沒有去路了。袁毓真心思：（這回跑不掉了。）才想要仿效上次下跪求饒，結果曾有能搶在他之前，就高舉雙手說：「別打我們，我們是談判使節。兩國交兵不斬來使！」袁毓真也苦笑地說：「是啊，別開火我們是見過面的。」

結果三腳立身怪率先開火，打斷了一個談判代表的一條腿，使他慘叫一聲倒地痛喊。其他人同時嚇得全部蹲在地上，袁毓真忽然全身不痛了，摟著蔣婕妤、姜麗媛、歐陽玉珍三人，苦著說道：「妳們躲我後面，等一下我推倒那三隻腳的，妳們三人就跑！」三人只是搖頭，蔣婕妤說：「能逃哪裡去？你別逞英雄。」忽然又是一光槍，又打斷了另一個談判代表的手臂，鮮血噴出。連勇敢的姜麗媛，都不禁尖叫了起來。

忽然頂上的活性纖維被轟出一個大洞，飛碟從天而降。『大司馬大將軍』打開飛碟艙門，率領著好幾台小機器人，飛了出來，往這兩隻兵器這邊開砲，兩方短暫交火，眾人全部蹲縮在一旁。外星兩隻兵器寡不敵眾，被轟毀在地。「大司馬大將軍」降落後，說道：「皇太孫殿下，千歲安好。」

袁毓真說：「好啦，別什麼千不千歲，有兩人受重傷，快讓小機器人帶他們回我的飛碟上，用急救醫療包治療。」曾有能等人，不禁心安妥了一陣，紛紛說：「好厲害，我們得救了。」

蔣婕妤白了他們一眼，說：「哼！剛才不知道誰不准我們帶武器的！」

曾有能說：「我們是率先拿出誠意，誰知道這些外星人這麼不講理。」等到小機器人拖著重傷的兩人，上了飛碟治療。曾有能問：「副部長，現在怎麼辦？還要不要談？」袁毓真說：「得先探探情報。」於是拿出通訊器，對還在飛碟上的『大司徒』說：「大司徒，你用飛碟在上頭給我偵查一下，看有多少戰鬥兵器，還有沒有外星人可能的蹤影，然後回報給我。」通訊器回應：「遵令。」曾有能等四人，緊跟著袁毓真與『大司馬大將軍』，眾人擠在一起不敢分開。

結果飛碟還沒探測開始，就受到地面火力的攻擊，『大司馬大將軍』說：「殿下，這樣下去飛碟會被擊落的，趕快令飛碟反擊。」答道：「好吧那就反擊！」於是飛碟發射了十枚追蹤飛彈，只聽見轟鳴聲不斷，迷宮中的所有機械兵器都摧毀。眾人掩著耳朵，等到安靜下來，通訊器回答說：「沒有敵人的蹤跡了。」眾人不禁鼓掌雀躍。

蔣婕妤說：「等一下！牆壁在動！」所有透明的光板，不斷地在移動，好像是在地板上滑溜遊戲，眾人擠在一起，忽東忽西。

袁毓真心思：（糟糕，這有點像次易原理的拘埒卦所述，是「絕對動健吻合體」，假設再一批機械怪物，把迷宮的動態變化當作底本，自身的動態又在這底本上移動運行，那麼我們的武器就算比他們厲害，也會慘敗。）接著說：「不好了！大家都跟緊了，這是空間動態的切割戰術，比迷宮中的兵器戰還更高一級。很可能等一下又會有兵器出現，伴隨著動態空間一起發動攻擊。」

曾有能兩腿發抖，喊道：「我們還是趕快回去吧！怪物不想談判！」其他談判代表也早已經被嚇破膽，紛紛都說要回去。袁毓真還沒有答應，曾有能又大喊：「副部長！你沒有聽到我的命令嗎？」

袁毓真一來官位立基未穩，急欲求功，二來有眾多機器人護駕，於是說：「我不甘心就這樣回去，假設害怕，你們自己回去報告！」『大司馬大將軍』對著曾有能說：「這裡是皇太孫最大，是他對你下命令才對。敢再出言不遜，我就要懲罰你啦！」曾有能內心深銜，但是迫於形勢，只好笑臉點頭，心思：（皇太孫？回去你等著瞧！）袁毓真對『大司馬大將軍』說：「好啦！他才是首席代表。別再說什麼皇太孫啦！不然讓你滾回飛碟去！」

袁毓真雖然幫襯著他下台階，卻不知道自己還是得罪人了，繼續隨著動態迷宮，邊走邊跟飛碟上面通訊，正在躊躇之間，所有牆板都逐漸往兩旁邊靠攏，呈現一整排的八字形，然後對面走出來兩名女子，各自穿著紅色與白色的衣服，正是紅與白兩名女子，身後還帶著大批的異星龍族的機械兵器。『大司馬大將軍』立刻命令小機器人們，排列攻擊隊形，袁毓真說：「等一下，這些是認識的熟人，別開火，全部後退。」

兩女子也遣退機械兵器，一同走上前。蔣婕妤跟著袁毓真、姜麗媛、歐陽玉珍也迎上前去，半瞇眼說道：「還真是冤家路窄，才沒幾天又見面了。」

紅說：「哼，你們來做什麼？」袁毓真微笑著說：「看到妳們真好，紅妹妹，我們是代表國家來談判的。」紅怒目說：「我說了幾次，我不是你妹妹！」

白拍了拍紅的肩膀，示意她稍安勿躁，然後沉穩地對眾人說：「龍族主人們不想跟人類談判，之前所有來的使節，都死在建築物的防衛體中，你們還不怕啊？」袁毓真說：「不是的，中國是第一次派使節來……」說到這，曾有能打斷他，搶著說：「我是元首大人談判的首席代表，兩位小姑娘應該也是中國人吧，請幫我們引薦外星人的領導者，我們是來談和平的。」

白的姿色，已經在內心中，傾倒在場所有男性，但是她冷傲的樣子使人不敢隨便接近，冷冷指著袁毓真，回答說：「我們這已經算是第一次接見使節，違反了命令。要不是看在他之前釋放了紅，我就讓你們死在動態空間裡了。現在請回吧，主人們不與人類談判的。」

曾有能心思：（好傢伙，袁毓真原來通敵。）但是故作無所謂，緩緩對白說：「等一下，我們有帶新的科學研究成果，這些是外星人們之前就喜歡的東西。我們願意給所有條件，希望能談一談，相互取得諒解。」

這倒說出了重點，紅與白相互私語幾句，然後白冷冷地說：「那你們在這等著，我們回去通報主人。」兩女子於是進入建築物中的小建築物，明顯是操控迷宮的中心點。大家見到事情有所轉機，都放下了心。

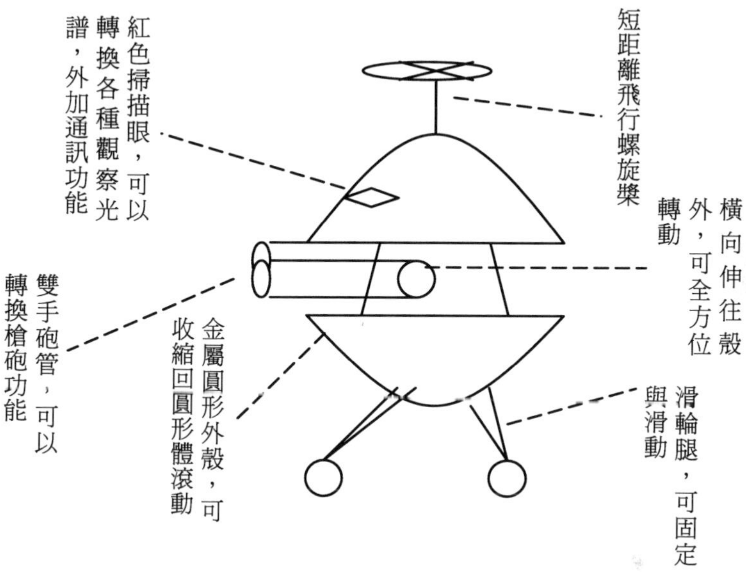

大司馬大將軍，作戰機器人，總長一米三

第五幕　宣戰佈告

兩女走了出來，白冷冷地開口說：「主人們同意談判，妳們乘坐飛行器跟我們來。」眾人遂上了飛碟，而紅與白二女子，乘作著蝌蚪型的小飛行器，頂棚活性纖維開了天井，兩飛行器飛馳而去。而原有的迷宮飛行物，也自行往宇宙的母艦方向飛去。飛行了沒多久，從飛碟內傳來紅的通訊：「你們的飛行器可以飛到外太空嗎？主人們正在太空船上。」

袁毓真說：「可以，但是重力的問題沒有辦法解決。」所有談判代表，對於袁毓真竟然有可飛往外太空的東西，頗為驚訝。紅說：「那就把自己綁在座位上。」眾人先把傷員固定在沙發上之後，其他人各坐定位。

飛碟與蝌蚪機飛出了大氣層，頭一次沒有感受重力而輕飄飄，多少有些不適。望著預備駕駛座前的觀景窗外，出現魚形的太空基地，等到靠近後，赫然感到它是個龐然大物。開了艙口，把兩架小東西與迷宮體接納了進去。進入太空基地後，才發現裡頭竟然是有重力的，如同地球一般。

到了太空基地的大廳，龍族外星會議室。這裡如同海底基地一樣，一大堆龍族怪物用怪異的姿勢坐著，第一次見到怪物的談判代表，頗有驚恐之色，紅與白拿來了一堆金屬耳塞，命令眾人戴上去，這是與龍族的溝通翻譯器。

戴上之後，果然可以聽到龍族在說什麼，而龍族怪物們也在大腦袋的耳骨上，帶著翻譯器，語言往來只是略有幾秒鐘的時間差。於是眾人也都就坐，談判開始，其中一個代表完全不說話，負責用筆記本快速記載談判過程。

袁毓真看到紅與白，兩手食指都帶著金屬套，如同上次在海底基地的雷射砲手槍，站在會議室兩側，當起了龍族怪物的護衛。雙方是完全不同的智能生物，根本沒有共通的文化認知，不知道該怎麼樣在談判之前寒喧問暖，熱絡場合，怕無意間說出得罪龍族的言語。曾有能只好開門見山，首先恭敬地說：「各位外星先生，我們是來談判和平的，也帶來人類最新的科學成果，表示我們對各位的友好誠意。希望各位笑納，停止對人類的攻擊。」

其中一個龍族怪物，先聒聒鳴叫，說出了語言。如同人類的呵氣、吐氣、尖啞、斯鳴、破唇、捲舌、收語、段音等等高難度的舌技動作，全都集中在一起，而又展現出『一氣通貫』的語言流程。袁毓真心思：(這外星怪物還真的都是『八音才子』，連語言都顯得如此高深。)

翻譯器傳聲：「你們到底是代表人類？還是代表人類當中的中國人這個族群？你們這種動物，時常表裡不一，語言敘述與實質內容又有落差，開頭講話就不符實際，我們不知道該怎麼跟你們談。」

曾有能陪著笑臉，在怪板凳上，彎躬哈背，急忙回答說：「對不起，這是我的語病，我是代表中國的元首大人來談的。希望各位外星先生，先別打我們國家，一切條件都好商量。

當然最好世界上其他國家的人，也都不要攻擊，我們也希望能替他們建立談判管道。」

怪物又是一陣高難度口技，翻譯器傳聲：「你們這物種外交談判的歷史。在戰之期間，充滿了虛僞與詭詐。在和平時候，塡滿政客之間，無聊的『嘴砲交際』，外面作政治秀，裡面搞政治分贓。一切圍繞虛僞與慾望，這根本就是在浪費智能與精神時效。我們在有了符號運行規則後，語言溝通就是很慎重的了，必須產生有深邃事態變化的實際意義，才會運用，不會隨便浪費口舌，一旦要談，那麼一切存在於物種之間的變化法則，就必須詳細探索與理論。要談就先把條件都擺上桌，我們也把底牌全亮出來，然後在兩者之上，建立邏輯流程，引述各自的後續演變關係。這種方式，你們人類懂嗎?所以你們不要講什麼『談判管道』。你們這些爛物種之間，低等的生存規則，不必拿出來獻醜！」曾有能吃了閉門羹，發現面對的事態，已經不是政客經驗與交際手段可以玩弄的，只好看了看袁毓真，與其他談判代表。

袁毓真說：「好，這種方式我喜歡，直接了當地說。」然後讓曾有能從隨身包裹中，拿出祖父的科學成果備分檔，以及全世界的資源分布檔案。恭敬地交到說話的外星怪物『手上』，接著說：「這些是我們的底牌，最先進的科學理論以及地球資源分布，我們可以跟你們一起利用，但是主導權在我們，畢竟我們才是這裡的主人。至於你們的底牌，可以交給我們了嗎?」

另一個外星怪物，拿出了一疊紙張，上面竟然是手寫的東西，而且都是中國字，袁毓真拿到之後，看了看紅與白，相信這些是紅與白翻譯出來的條件。於是交給眾談判代表看。看完之後，眾人面面相覷。

一位談判科學家說：「原來外星先生們，不是要佔領我們星球，而是要當做中繼站，移居到其他星球去，這點好說，我們願意全程配合與協助。但是裡面說，人類是低賤的生物，要先全部予以反擊消滅，清空地球這個中繼站，這點我們不能認同。畢竟都有各自的生存權利。」

其中一個怪物又展現高難度口技，翻譯器傳聲：「我叫做『邦邦』，是龍族生物的『思維學者』，也是這次談判的首席代表。在我們的智能判斷中，你們是想要獲取我們的科學成果，獲取不成、談判不成、就使用暴力行爲。你們以爲只有你們才有毀滅其他物種的能力嗎？地球的資源我們只需要一小部分，當作中繼站的空間投射而已，不需要你們提供什麼東西。至於你們的科技成果，只是有些參考價值。況且這並不是人類的主流思想，所以並不能拿來當作全體人類層次的籌碼。所以老實說，我們攻擊人類的時間排程，已經確立，不能因之更改。」

曾有能說：「你們怎麼可以這樣說？我們已經把你們有興趣的東西，交到你們手上了，怎麼拿到之後就翻臉不認？這不是欺詐嗎？」

邦邦快速地口技，通過翻譯器回答：「我們不會欺詐，而是正常時空中，這些東西無法被人類所擁有，是人類必然會自我放棄的優秀物品。所以我們不承認是你們的。而我們雖然得到了這些參考性科技，但也還不會列爲我們龍族生物的資產，因爲這些科技成果並沒有比我們高明。人類與這個眼睛上掛有玻璃物的人，必需分開處理。」這裡面只有袁毓真戴眼鏡，大家不約而同看了看他。

袁毓真緩緩地說：「我也是人類一部份，現在也擔任政府的官職。所以我希望你們不要攻擊所有人類，最好也教導我們星際旅行的科技，我們可以永遠和平相處。人類智力雖然還不如你們，但是已經獻上我們的所有，希望貴方能參考一下我們和平的誠意。」

邦邦通過翻譯說：「星際之間往來的科技，不可能交給你們這種生物，至於你個人的和平要求，我們可以斟酌輕重，再給予回應。」袁毓真說：「能不能給個實據，例如簽署談判條約，讓我們有信賴感。」邦邦說：「果然是低等物種，還沒有擺脫觸感意識。或是說，你只想回去應付你的上級。我們不要人類所訂的『談判條約』這種東西，我們是用建立『精神聯通器』來達成協議的，這種東西你們有嗎？」

眾人聽了還不知道『精神聯通器』是什麼，自然無法回答。曾有能改變方向說：「我們能不能先建立一個，常態性的談判管道？」另一隻龍族怪物阻止說：「我們現在是跟這個眼睛掛玻璃物的人談，其他人類就不要多說話。」眾人不禁大爲失望。

怪物之間開始了一連串自我討論，而此時翻譯機，都不顯示聲音，代表翻譯機是被龍族生物操作，選擇性的翻譯給人類聽。等了約二十分鐘。

邦邦的會議桌柱上，浮出一個人類製造的影碟片，交給袁毓真說：「這是我們談的最後定案，即時轉換到你們人類可解讀的訊息，我們對人類宣戰的決心已定，無法更改！但假設我們移居的流程開始執行，或許就放過人類。算是對你們友好的最後告知。」袁毓真傻了，心知談出這種結果，回去肯定元首大人不滿意。此時不只是曾有能，其他三個談判代表，也都懷疑袁毓真已經跟怪物們有過勾搭。於是怪物們開始驅趕眾人。紅與白趕緊帶領眾人離開會議室，前往飛碟停放艙。

曾有能開口說：「這樣吧，既然袁毓真跟這些怪物比較友好，不如你就留在這裡跟怪物繼續周旋，不然這種結果，元首大人回去會發怒的。」袁毓真傻笑著說：「這不太好吧。」曾有能正色說：「現在只有這條路可以走啦！不然這種結果你敢回去跟元首大人交差嗎？」他臉色顯得有點陰沉，內心有其他的想法。袁毓真繼續傻笑看了看蔣婕妤、姜麗媛與歐陽玉珍，說：「我是一定要跟妳們在一起，妳們認爲該不該留下呢？」

蔣婕妤之前汙辱過紅，瞄了一下紅的臉色，毫無笑臉，怕紅報復說：「我不想待在這，給那條小母狗欺負。」曾有能心思：(原來小母狗是指穿紅白衣，幫助怪物的那兩個女孩，袁毓真原來之前真的有跟她們搭關係。)

紅氣得說：「沒有想到妳到了這裡，嘴巴還是不乾淨。」白拉了拉紅的衣服，說：「別生氣，隨她去罵吧。」轉而對袁毓真說：「我認爲，假設你們要讓我們的國家不受攻擊，你們還是留下來，找機會繼續跟龍族主人們談判比較好，我與紅都不會報復你們。」

蔣婕妤說：「妳們兩個還知道，中國是妳們兩個人的國家，竟然幫助外星人做事。」紅說：「國家與物種是兩回事，外國與外星又是兩個層級。我不想跟你們多說。」蔣婕妤說：「袁大哥，你說留我們就留，反正看看外星人的太空船也不錯。不過你可得保護我們，別被母狗咬傷啊！」

袁毓真點頭說：「好吧，我、蔣婕妤、姜麗媛、歐陽玉珍，都留下來。『大司徒』駕駛飛碟，載部長與所有談判代表回去，然後再回這裡報到。」白說：「這沒問題，不過這架飛碟回來之後，包括裡面所有機器人，我們必須暫時替你們保管住。你們的安全，我與紅可以保證，主人們不會傷害你們。」

大司徒，參謀型機器人，高一米一

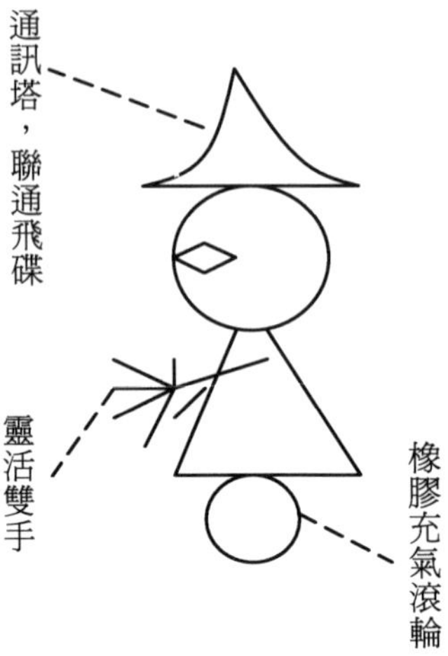

袁毓真等第一小隊，已然留在龍族生物的太空船內，還能談判出什麼結果？賀嘉珍等第二小隊在地球上又會遇到什麼事情？外星生物真的要對全人類發動總攻了嗎？曾有能懷疑袁毓真通敵，回去又會如何對元首大人報告？欲知後事如何且待下象分解。

第九象　通敵指控暫緩疑心顧大局　時空相爭龍族怪物出閒隙

第一幕　撅豎小人

話說袁毓真等四人留在外星太空船上，而曾有能等談判代表，被送到元首大人府邸後，飛碟被機器人駕駛飛回太空去。已經是啓易三年大年初二晚上。

受傷的談判代表，被運往醫院，而曾有能等人，在醫院的會議室中，等待元首大人慰問傷員後，回報談判過程。在會議室，曾有能心思：（袁毓真這傢伙，不過是秀士職稱，從『智慧四人組』開始到現在，才幾天的時間，竟然就高升爲我真理部的副手。手上又有高科技的東西，遲早我的位置會被他取代掉。我所能享受的福利，極有可能會轉移到他身上去。）

抽了一口菸，繼續心思：（這傢伙威脅我的利益，不能不想辦法把他扳倒。況且這次談判僅有的成果，竟然也是他獲取的。等一下在元首面前，談判過程都有書記官記錄，得用我的語言來解釋這次事件。）喝了口桌上的水，心思：（至少有三個施力點，第一就是那兩個在外星陣營的女人，代表之前梁大成與袁毓真報告相互矛盾時，是袁毓真說謊，而不是梁大成。第二，他祖父玩『稱帝』的鬧劇，而他本人在這次談判中，外星人竟然唯獨對他友好。第三，手上有那麼多的奇怪的武器，很可能會不受控制。相信就這三點，依元首大人的個性，就夠讓他吃不消。）

元首大人安撫傷員，給予優渥的金錢撫恤後，來到醫院的會議室中，問曾有能等四人談判過程。當中的書記官把一切記錄，交出去給他過目。

元首大人手握記錄本，頗是不滿地說：「這些外星怪物，太囂張了。對了，袁毓真還有他的女朋友們呢？」

曾有能剛要說話，被另外一個科學家搶先說：「曾部長認爲他跟外星人比較有交集，所以命令他們留在那邊。我們可以用衛星通訊，與他保持聯絡。算是在外星人那兒，常駐一個大使，有了一個固定的聯絡管道也好。」元首大人看了看曾有能，點了點頭，表示認可。曾有能心思：（哼，誰要你多嘴！）

曾有能開口說：「這次的出使，詳細過程元首大人已經知道，但是我總感覺袁毓真這個人，似乎跟外星人關係匪淺啊，這點不能不防。」元首大人瞪大眼睛問：「此話怎講？」

曾有能說：「請您回想一下。之前從外星人的海底基地回來，他與梁大成等人的報告都不一樣，說沒有中國女子幫助外星人的事情。但是這次我們也都看到，確實有兩個我們中國女子，在幫外星人做事。當中袁毓真到底想隱瞞什麼？難道是他跟那兩個女子之間，有不可告人的關係？還是他也是外星人的外圍人員派兩女子當作代表？」說罷，停了一下，仔細看元首大人的表情，果然他皺眉頭疑心頓時泛起，元首大人說：「你繼續講！」

曾有能說：「還有，他祖父玩稱帝鬧劇，手上還有這麼多奇怪的先進科技，難道真的一切都是他們自己發明的？我是有點懷疑。另外元首大人也可以在談判記錄中看到，外星人唯獨對他們另眼看待，無視於我們全國將近二十億人口的示好。捨大逐小，讓人匪夷所思啊。」

隨行的書記說：「說不定這只是外星人邏輯跟我們不同，真的比較重視非主流的科學家，或是新穎的邏輯理論。況且他們也說，不屑地球的資源。」

曾有能說：「不管怎麼不同，大小多少難倒分不出來？而且這當中有矛盾，假設真的不屑地球資源，爲何還要大規模進攻人類？只是要報一箭之仇？這太浪費星際旅行者的資源了。」

說到這裡，元首大人已經頻頻點頭，皺眉地說：「袁毓真有問題！還有他那個瘋子祖父！」本來還有其他科學家，想幫袁毓真說幾句話，畢竟他用機器人救了所有談判代表。但是看見元首大人已經起疑，怕自己也沾上邊，只好都沉默不語。曾有能見計謀奏效，更是搧風點火說：「他祖父玩稱帝封禪的鬧劇，我猜一定有後台支持，不然一個九十歲的老頭，哪還會有這種野心？」

元首大人說：「好了，今天的話，只有在座諸位知道，你們別傳出去！現在袁毓真還有利用價值，談判還需要他，等時候到了，我自有處置。你們就別再提這件事了！」眾人點頭稱是。

一位胖胖的科學家，認識袁毓真的祖父，知道他只是桀傲不遜的老頑童，不想被自己看不起的權力階級所利用，才會玩『稱帝』來戲搪，而曾有能根本就是在挑撥離間。但是情勢如此，已經不敢牽涉其中，畢竟他的繪聲繪影，都有似是而非的『實據』。心思：（唉，這對祖孫，只能自己自求多福。）

第二幕　智力與能力

在外星人的太空船中，四個人被限制在，一個只有四張床的狹窄起居空間，以及空間外小範圍的宇宙觀景台上，吃喝拉撒與洗澡換衣，或是打麻將，沒有任何事情可以做，龍族外星人也不再接見。剛開始還盯著外面地球的光影，頗爲開心，連續五日都被限制在這不能隨便走動，年假都已經過去，蔣婕妤開始煩悶了起來，袁毓真只能跟她們不斷聊天，打發時間。

紅端著吃喝的東西，打開艙門，來到觀景台，擺在桌上就對四人說：「你們四個，吃飯的時間到了。」蔣婕妤跟她有『宿怨』，之前幾天都忍耐不想發作，但是現在實在悶得慌，說：

「妳們也太過份啦，緊閉艙門，不給我們在其他地方走動，把我們當囚犯啊？」

紅說：「這是主人們的規定，我只是聽命辦事。誰叫妳們要自願留在這？」

蔣婕妤胸中懷氣地說：「主人們？喔！我差點忘了妳是條小母狗，妳可以耐得煩，我們可不一樣啊！」

紅氣得花容失色說：「過去我忍妳很多次，妳還真的把我當作好欺負嗎？別以為我不敢揍妳！」紅的功夫確實了得，連姜麗媛都不是對手，她這一說，倒是讓蔣婕妤靜了一下。袁毓真說：「好啦，兩位漂亮的女孩，不要鬥氣了。不然我們再多等幾天，希望紅妹妹轉告外星主人，至少讓我們能回到飛碟上，跟地球方面通訊一下。」

紅皺眉頭，不開心地說：「你怎麼還改不了口？老是叫我妹妹！」姜麗媛與歐陽玉珍早已經站在蔣婕妤這邊，跟她同樣厭惡紅。姜麗媛說：「袁大哥你就別抬舉這條小母狗，她不想被我們當作是人。」歐陽玉珍也搭腔說：「是啊，你以後就別對這條外星人的看門狗拉關係了，她沒這資格。」

紅用力拍了觀景台的餐桌，罵說：「妳們嘴巴太不乾淨啦，我今天一定要揍妳們這三個賤女人。」袁毓真知道蔣婕妤這三人，打不過紅，急忙伸長雙手，擋在紅面前說：「紅美女，紅姑娘，看在我之前替妳隱瞞元首大人的份上，就別生氣，我們繼續等就是了。」

紅雖然對袁毓真頗有好感，卻仍然忍不住氣，用力把他推開，罵道：「閃開，我現在就要揍她們！」然後蹬上前就揮掌，與姜麗媛、歐陽玉珍，交起手來。蔣婕妤急忙從觀景台退到房間內部。袁毓真看見她們的拳腳交手，是武功高手之間的過招，不是一般的打鬥，根本不敢靠上前去。只在旁喊說：「拜託別打啦！打傷人就不好啦！不要打了！」

如同之前在海底基地打架，紅的手腳關節，把空間分割成動態的三角形，能把姜麗媛的太極拳分解。姜麗媛這回除了太極拳之外，聯合了氣功運用，拉著歐陽玉珍，雙人搭配，企圖利用多一倍數量的手腳，多幾個方向，主副相互搭配打擊。但是紅絲毫不受影響，身影矯健如同鬼魅，動態上始終佔上風。

袁毓真看了，心思：（這怎麼跟之前動態迷宮很相似？空間動態與本身動態吻合，而達到更高的動態法則？）這麼想之後，似乎看見，紅的身影矯健就如同迷宮的動態空間，而手腳快速三角進擊，就如同動態上的機械兵器攻擊。心思：（完了，姜麗媛這兩個輸定了，我得替她們掩護才可以。）

果然兩女不斷中招，被打倒在地，紅才想對姜麗媛窮追猛打，袁毓真撲上前抱住她，替姜麗媛挨了一腳，急說：「紅美女，她們輸了。」紅看見袁毓真替她挨揍，急忙收手，「哼」了一聲。

但是餘慍未消，看了房門一眼，知道蔣婕妤躲在裡面，至少得賞她幾個耳光才肯罷休，於是放棄這三人，按了房門外半圓體，打開活性纖維門。才走進去就聽到紅大叫一聲「啊！」然後全身軟倒在地上。

蔣婕妤把她拖到房門外，面腹朝上，用力踢了她大腿說：「這條小母狗，還蠻重的。」

袁毓真、姜麗媛、歐陽玉珍，都各自撫著被打的傷痛，站了起來，一看蔣婕好手上竟然有麻痺電擊棒。袁毓真問：「妳這東西哪裡來的？」蔣婕好笑呵呵地說：「呵呵，就藏在我的隨身背包裡面，之前在你的飛碟上面的武器庫中，偷藏進來的。」歐陽玉珍笑著問：「是不是之前那個什麼部長，不准我們帶武器，大姐妳偷帶進來的啊？」蔣婕好半閉眼，合併了紅的雙腿，用力正坐在她的兩大腿上說：「當然啦，就是那時候藏的。現在這條小母狗能說話，下半身卻不能動彈了。我們剛才的氣，趁現在好好發洩。」

袁毓真急忙說：「別這樣，畢竟現在我們是在她主人的太空船上，出了什麼事情還是我們倒楣的。」姜麗媛板起臉孔說：「你別管，我們不會讓她死，只要讓她知道我們的厲害，以後乖乖不敢惹我們。」蔣婕好搭腔說：「沒錯，不狠狠教訓這條小母狗，她不知道我們的厲害。」紅已經氣得臉色如衣色，瞪大眼，用力地說：「妳們有膽殺了我。」蔣婕好立刻賞她一耳光，然後說：「我們才不會殺妳呢，不過會稍微比死還難受一點！」姜麗媛與歐陽玉珍也上來，紛紛打她耳光出氣。袁毓真敢緊拉開二女說：「算啦，妳們兩人別這樣，這樣勝之不武。」

蔣婕好說：「對付外星人的走狗，我們才不管武不武！」紅臉被打了好幾耳光，卻全身不能動彈，氣得流眼淚說：「妳們不殺我，等我能動，我一定殺妳們。」

蔣婕好笑了笑說：「這可不一定。」於是改變電擊棒的功能，在她耳邊一放，紅又「啊！」了一聲。袁毓真急忙拉起蔣婕好的手，說：「別再這樣啦，她會死的！」

蔣婕好用力把手撇開，另一隻手推開他，說：「你放心！你的紅妹妹死不了的！她要是死了，我抵命，可以吧？」然後再用電擊棒靠近她耳邊，說：「小母狗，剛才這一電波，讓妳夠舒服吧？妳總算知道，我的智力勝過妳的能力了吧？」

紅又尖叫了一聲，感到一陣痛楚又酥麻，這是綜合神經電波的刺激，大腦差點昏了過去，實在很難受，不過卻不會造成重大傷害。蔣婕妤說：「妳不回答我的話，代表喜歡囉？那我就一直用這種功能電妳！」

紅說：「不要，妳快問……我輸了：我都回答……」姜麗媛也走上前，靠近她清秀漂亮地臉說：「妳終於屈服了，可見剛才那一下肯定不好受，事情演變成這樣，真讓大家都感到可悲啊。」紅怒目說：「還不都是妳們……」蔣婕妤皺眉作色，大聲地「嗯？」了一句，把電擊棒更靠近她。紅閉上眼說：「不不……是我的錯……都是我不好……」蔣婕妤狠狠地說：「既然妳也承認是妳自己不好，那就更要嚴厲懲罰！」

袁毓真一手摸著蔣婕妤的背，一手撫著姜麗媛的背，皺眉苦著臉說：「別再鬧啦，讓人家好過點吧……」他這幾天睡覺都很守分寸，如同大哥，所以女孩被他摸背也沒有感覺不妥。姜麗媛回答說：「你少憐香惜玉，本姑娘長相不比她差，剛才我被她打，你怎就不幫我？」袁毓真苦著說：「我不也替妳挨了一腳？」

姜麗媛哼了一聲，回頭拿了蔣婕妤手上的電擊棒，依然用同樣功能，逼迫在紅的另外一隻耳說：「現在我們問話，妳都得老實回答，而且注意語氣，如同對妳的主人們一樣。不然我就再電一次。」紅本事雖高，畢竟是不滿二十歲的女孩，氣得流出淚，哭了起來說：「嗚嗚……

我知道了……」

姜麗媛問：「妳在當外星人的小母狗之前，到底叫什麼名字？」紅哭著說：「李韻怡……」蔣婕妤仍然坐在她大腿上問：「那個白衣服的叫做什麼？」紅哭著回答：「廖香宜……」哭的樣子頗使人愛憐，袁毓真說：「好啦好啦，別爲難她……」歐陽玉珍拉開袁毓真說：「袁大哥你別管。」

歐陽玉珍搭腔說：「哼，有名字不叫，還用『紅』這種寵物名？真的是小母狗。」蔣婕妤仍然

蔣婕妤說：「每次我罵妳小母狗，妳都會生氣，現在承不承認妳是小母狗。」李韻怡哭著說：「別這樣啦……我承認了……我承認我是小母狗……」姜麗媛笑著說：「呵呵，總算認輸了。」蔣婕妤說：「既然妳承認了，那麼妳就帶路，等一下我架著妳，就像上次在海底一樣，帶我們回飛碟去。」

李韻怡說：「我主人們……不准啦……」姜麗媛作了聲，把電擊棒靠近她耳朵說：「妳再說不准？我馬上電到妳哇哇叫！」李韻怡哭著說：「求妳啦……這樣主人會殺我的……只要不是出去……其他什麼我都聽妳們的……」

蔣婕妤與姜麗媛交頭接耳，講了一下悄悄話，然後說：「好吧，不爲難妳了，現在讓妳自己說『我是小母狗』十次，然後發誓說，以後得尊敬我們四人，我們就放過妳了。」

李韻怡哭著說：「妳們欺人太甚……」姜麗媛馬上用輕電波，再電了她一下，李韻怡痛得大哭了出來說：「好……啦……」

袁毓真有點不開心地說：「算了，已經夠了。」蔣婕妤說：「不行！剛才我還想丟她進糞

坑，現在讓她自己說自己是小母狗十次，已經很寬容了。」然後反臉對李韻怡說：「妳快說！」李韻怡只好哭著，停停頓頓地說：「我是小母狗」十次，又說：「我發誓以後永遠尊敬你們四人……」三女子才放過了她，把她扶上觀景台的躺椅，然後拉著袁毓真去吃飯。

過了片刻，白走了進來，看到眼前景象，馬上問：「妳們對紅作了什麼？」

蔣婕妤手趕緊握電擊棒，臉上微笑著說：「廖香宜小姐，她沒有怎麼樣，只是身體會幾小時不能動彈。」

白問：「妳怎麼知道我的名字？」姜麗媛微笑著回答說：「李韻怡告訴我們的，她現在可聽我們的話了。」廖香宜趕緊走上前，把哭喪著臉的李韻怡，背了起來，然後離開房門。蔣婕妤對大家說：「白衣服的，似乎比紅衣服的沉穩多了，假設對手換成是她，我肯定吃不消。」袁毓真說：「是啊，長相更漂亮，個性更沉穩，也許她的其他能力，也遠勝過李韻怡。」

第三幕　不對稱的談判

過了好幾小時，四人坐在觀景台桌上，打起了麻將。

忽然廖香宜又進了房門，神色頗是緊張。三女子沒有反應，而袁毓真仍然喜歡看她的美貌，不禁望著她說：「請問有什麼事嗎？」廖香宜小聲地說：「紅出事了。我想請妳們幫忙……」

蔣婕妤吃了一驚，以爲自己把她弄傷了，趕緊問：「她出什麼事了？」

廖香宜說：「紅連續兩次失誤，被你們抓獲。主人們正在討論，說她能力不夠標準，要把她給『處理掉』。」袁毓真問：「什麼意思？」廖香宜說：「不敢確定，不過我偷聽到，有可能把她丟到生態艙，或是丟到外太空。」袁毓真問：「什麼是生態艙？」廖香宜說：「主人們在太空船上，造了一個小型地球生態圈，從當中提煉食物……紅假設被丟進去，那就凶多吉少。」姜麗媛緩緩地微笑說：「她還真的是風箱裡面的老鼠，兩頭受氣。」

袁毓真問：「我們該怎樣幫忙？」廖香宜說：「跟我一起找主人們，主人們還在對你帶來的科學理論研究中，我發現牠們很有興趣，牠們肯定會聽你的。」蔣婕妤問：「妳不也是外星怪物的手下嗎？妳怎麼不去求情？」廖香宜說：「我在艙門外，跪了一個多小時，主人不願意聽我的。我怕艙門內的紅會有危險，已經想不出辦法了，只好找你們。」

袁毓真馬上點頭說：「好我立刻去。」蔣婕妤說：「等一下，我們幫助妳，請問有什麼好處？」廖香宜內心已經急瘋了，但是外表仍然保持冷靜地說：「只要你們救出紅，我願意替妳們做任何事情。」

蔣婕妤說：「好的，一言爲定。」然後轉面對袁毓真說：「你去幫她吧，我不太想看到那些噁心的外星怪物。」姜麗媛說：「這樣吧，我也跟你去看看，說不定能幫上什麼忙。」

於是袁毓真與姜麗媛，跟著廖香宜一起到了艙門外。

戴上了廖香宜給的翻譯機，就摸著半圓體，結果門不開。廖香宜說：「門被內鎖，外面打不開的，只能叫門。」袁毓真於是猛拍門，大喊道：「外星人！給我開門！快給我打開！」連續叫了十幾秒鐘，艙門才打開。按照外星主人的規矩，廖香宜此時不能進去，所以只好立刻跪在艙門外，袁毓真與姜麗媛兩人大步上前，看到李韻怡跪在會議聽中央，全身匍匐於地，額頭也緊磕在地上，動也不敢動，會議廳前面有五隻龍族外星人。

袁毓真與姜麗媛於是走到她身旁，袁毓真劈頭就大聲地說：「她是你們的得力部屬，爲什麼要殺她？」五隻龍族外星人，一陣口技與譁然，如同一群小恐龍在打架。通過翻譯器，一隻龍族外星人回答說：「白還真大膽，敢叫你們來打擾審判。」

袁毓真大笑說：「是不是翻譯器有問題啊？還是我聽錯？審判？我只知道有罪的人才審判。她又沒有罪，何來審判之有？你們外星龍族邏輯才是混亂。」

另一隻龍族說：「眷養的非龍族智能生物，只要能力不達到當初訓練的標準要求，就必須接受審判，目前我們已經判定她進入生態艙，你怎麼說也沒用了。」

袁毓真大喊道：「放你的外星屁！她的能力怎麼沒有達到訓練標準？」

袁毓真這樣罵，卻不知道龍族聽到了什麼內容，只見龍族怪物們一陣聒聒騷亂，比剛才更像是恐龍打架。一隻龍族說：「她兩次被你們給抓獲，連基本可以達成的內部防禦能力都沒有，當然未達到當初的訓練標準。」袁毓真說：「你胡扯！你有看到真相嗎？她打起架來，連我們人類訓練最有素的武功高手都打不過，不信你問我身邊這女孩！」

姜麗媛趕緊說：「是啊！我是軍隊中，最厲害的武術冠軍，但是兩次跟她交手都失敗，而且還是很多個打她一個，全部都被她打敗。我從未見過這麼厲害又這麼漂亮的女孩。」紅的頭緊磕地，聽到他們這麼說，內心充滿感激。

一隻龍族說：「你們人類的長相漂亮不漂亮，對我們沒有意義。我們不需要妳們的審美觀。至於妳說的武打，那只是低層次的訓練標準之一而已。更重要的是，她兩次都中計，可見智能運作上不符標準。」袁毓真說：「胡扯你的卵蛋！」罵完這髒話，不知道龍族翻譯器是怎樣翻譯的，龍族們又是一陣瓜瓜騷亂。罵完安靜後接著說：「智力這種東西，本來就是靠經驗與失敗當中成長的，她不多幾次失敗，智能怎麼會完善？」

坐在最中間的龍族外星人，就是之前談判的代表『邦邦』，邦邦說：「我們不可能承受這種失敗，給她這種機會。」袁毓真只好豁出去說：「假設你們真的要把她丟進什麼『生態艙』！那我就不會把最後的科學成果交給你們！之前你們拿到的，只是我祖父的小玩意，真正厲害的還在後頭呢！」

龍族怪物們，不禁又相互口技，一陣討論。袁毓真與姜麗媛站著盯著牠們看，而李韻怡仍然跪著磕著，完全匍匐在地，不敢有任何動作。

邦邦說：「我不相信你還有什麼更高科技，因爲這種成果，已經是人類智能邏輯方式的極限。我們可不是傻瓜，要知道我們的腦容量是你們兩倍以上，邏輯層次遠高於你們。況且我們也說過，這些只是消滅你們人類的參考資料。有沒有更高深的科技成果，也不重要了。」

袁毓真心思：（真厲害，我胡扯撒謊，牠們都知道。現在只能死硬下拗下去才可以！）

喊道：「這是你們自己狂妄無知。你們也知道宇宙有多大，什麼奇怪的事情都有！你又怎麼敢肯定，我沒有更高深的思維方式？」龍族怪物也透過翻譯器聽了，又是一陣呱叫。

邦邦說：「我們好奇的只是，你們人類竟然有建立人工智能的方式，如今已經破解當中的因果奧秘，不再需要你給我什麼科學成果了。你也準備跟著她一起進生態艙吧。」

袁毓真全身一怔，從腳底下發麻到頭，豁出般地大喊道：「不管怎麼說，目前全世界將近一百億人口，只有我們幾個人對你們最有利用價值。你們不是要進攻人類嗎？假設你願意答應我的要求，我就願意全力幫助你們。甚至於提供人類內部的情報都可以！」

怪物們忽然轉變了口技的態度，括括了一陣，邦邦說：「果然，人類被逼到最緊要關頭，不是團體出賣個體，就是個體出賣團體。果然是劣等生物，不過看在你願意替這個女人大膽賭博，我們就同意你這次的要求，饒過她這一次。但是你們也得替我們辦事。」袁毓真雖然感覺不到，龍族怪物倒底怎樣衡量眾人的利用價值，但給怪物利用，也可以展開談判的機會，使談判任務不至於毫無進展。於是接受邦邦的要求。

李韻怡此時才抬起頭，然後又磕下去說：「多謝主人！」邦邦說：「你們離開，我們還有事情要討論。」於是三人一同走出會議廳。李韻怡一出門，廖香宜馬上站起，露出了笑容，與她抱在一起。姜麗媛對袁毓真笑著說：「呵呵，袁大哥，剛才那些怪物還真好笑，你一罵髒話，牠們的大頭竟然會晃動，像一群動物園的笨鳥一樣。」李韻怡皺眉怒目說：「妳不可以這樣形容我的主人！」

姜麗媛也皺眉，兩手叉腰回答：「喂！妳可真夠賤婢本性也！請問剛才是誰救了妳？」廖香宜對姜麗媛說：「好啦，紅說錯話了。我向妳道歉，也向你們感謝。等一下我跟紅，帶你們所有人一起去吃新奇的東西，觀賞外星人的太空動態遊戲。算是我對你們的感謝。」

姜麗媛說：「這話說的才對，妳紅小姐得多學學她，不然下次還是會被妳主人們處罰。」袁毓真問：「現在可以自由活動啦？可見前幾天，不是妳們的外星主子不准我們走動的喔？」

李韻怡緩緩地說：「是我請求主人，不可以給你們走動的……主人的態度是無所謂……」姜麗媛嘟著嘴說：「原來又是妳搞鬼，可見妳活該受罪。」袁毓真說：「別說了，我們現在一起去玩比較重要。」李韻怡說：「我累了，你們去吧，我先下去休息了。」袁毓真說：「紅妹妹，我們可冒險救了妳一命喔，妳不來陪我們開心，怎麼可以？」廖香宜說：「是啊，我們欠他們一回，就陪他們去玩玩，妳也放鬆一下。」李韻怡說：「好吧，就這一回，這樣我們就兩不相欠。」姜麗媛笑著說：「妳關了我們好幾天，我們還救妳一命，回報卻是這麼廉價，那就希望別再有下次啦！」

四人別說邊走，回到住所艙門。

蔣婕妤看到袁毓真、姜麗媛跟著紅與白一起回來，還有說有笑，半瞇眼地說：「你們什麼時候變成朋友啦？」袁毓真笑著說：「已經把她救出來，當然就變成朋友啦！」於是把過程都說了一遍。蔣婕妤指著袁毓真說：「我可不當外星人的走狗。要當你去當。」袁毓真笑著說：「應付應付而已，況且這有利於完成元首大人給的談判任務啊。」李韻怡已經沒了底氣，低頭不語。

廖香宜說：「這次實在感謝你們，所以我請各位去我們的住所，吃喝玩樂。剛才的事情，就當我對不起你們，希望你們別生紅的氣。」蔣婕妤說：「放心吧，我們不會生氣。」又指著袁毓真，接著說：「況且他的紅妹妹，已經發誓要尊重我們四人，就像對外星主人一樣。」

第四幕　時間路線與空間路線

六人同行，搭了一台自動升降梯，到了一個全透明的半圓體大空間，整個像是玻璃全罩，但是一用手觸碰，卻像軟膠一般。外頭的星辰看得非常清晰，沒有了大氣層干擾，星辰完全不會閃爍。視野當然比這幾天盯著的觀景台，開闊多了。望著銀河眾星還有宇宙的廣闊，袁毓真、蔣婕妤、姜麗媛、歐陽玉珍四人，都不禁驚嘆出口，似如躺在一望無際的海水上，落入『無限大』與『零』的包裹中，視覺的感觸到達極限時，竟然牽扯了觸覺神經，渾身一股涼意。

袁毓真說：「太美了，這條銀河景觀，比地球上看到的，還要清晰銳利。」說完頓時感到涼意，又感觸到一股微微的尖刺，全身一陣抖麻。

蔣婕妤拍了拍袁毓真肩膀說：「喂！這也太誇張了吧？」

四人都在抬頭仰望時，李韻怡與廖香宜，在大空間的中央，擺了一張小圓桌，六張椅子，

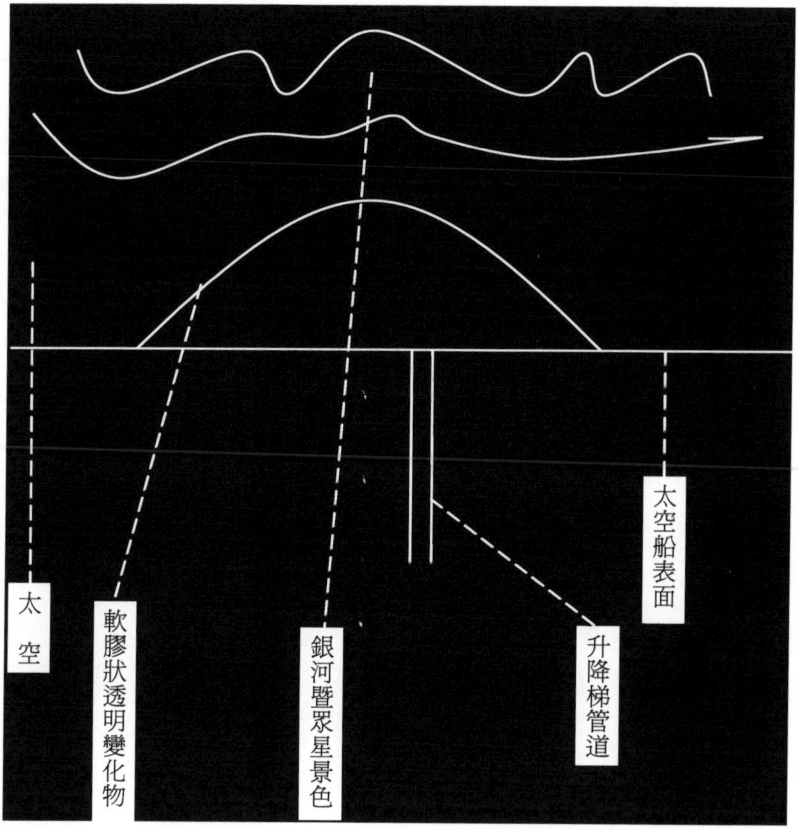

並放置了龍族自動機器料理好的食物，以及怪異顏色的飲料，甚至有茶具。

廖香宜說：「東西都弄好了，妳們四個快來上桌啦。」眾人坐下後，仍然是各自望著星辰景色。廖香宜笑著說：「先吃飯吧，這活性膠罩可以變換天文觀察景色，等吃完之後，再展現給你們看。」六個人於是邊聊邊吃，吃完後置茶閒聊。

李韻怡手按了一台操控器，頓時宇宙的深黑變成了有層次的黑藍景色，而眾星與銀河開始漸漸閃亮了起來。袁毓真端了杯熱茶及口，然後嘆道：「好美啊，不同的景色變化，讓人的感觸都不一樣。」廖香宜說：「是啊，我跟紅每次工作緊繃，心情煩悶時，都會來這裡一起觀星，百看不厭。」

蔣婕妤問：「妳們兩個怎麼能服侍那麼多隻怪物，忙得過來嗎？」

廖香宜答道：「大多的工作都是龍族自動機器去做，主人們其實不需要人類，我們兩個只是對地球與人類的分析工作方面，才有用到的。嚴格說起來不過是蒐集的活生物標本而已。」

蔣婕妤說：「妳們幹麻替外星怪物工作？在自己國家與熟悉的人群中工作難道不好啊？」

廖香宜微笑著說：「每個人的想法不同，這妳就別問了。」

袁毓真接著問她：「這些外星人不是只把這當作『中繼站』而已嗎？怎麼還要攻打人類呢？這似乎不合成本規則啊！」答道：「主人們是執著於精神思維與物質邏輯的生物，牠們剛到地球就遭到人類『綁架』，好不容易逃脫，建立了中繼站，與母星球搭起空間連通，卻又不斷受到人類的武力騷擾或是通訊騷擾，這中繼站必然不可能穩定地架設。只發現人類的大腦中，對牠們充滿各種奇怪慾望，自然在牠們的精神邏輯中，認定人類是敵人，得把人類掃除，地球才是安全且穩定的中繼站。」

姜麗媛笑著說：「呵呵，竟然有人會對外星怪物『有奇怪慾望』，我倒是沒有這種感覺，看了只想吐。」袁毓真說：「當然有這種人啦！至少我們國家的元首大人，以及歐美聯盟的首腦。就是標準地『有奇怪慾望』的人。」

歐陽玉珍說：「他們是想要獲得星際往返的科技，之前談判的時候，不是也說了嗎？況且宇宙這麼大，不見得會共用一個星球，為什麼不能接受呢？」廖香宜說：「不是每一種智能生物，邏輯都會跟人類一樣。總之主人們現在正在抓緊備戰，恐怕是免不了發動滅亡人類的戰爭了。而同時間，前往『九九星球』的計畫也正在執行當中。」

袁毓真問：「九九星球？那是在什麼地方？」李韻怡對袁毓真好幾次救護自己，頗為好感，於是搶著廖香宜之前回答：「一個距離太陽系約有五萬光年的地方，是銀河系星盤上頭的某一個小星團，當中的某一個恆星系統，其中一個行星。」蔣婕妤結舌地說：「哇……那麼遙遠啊……」袁毓真急著問紅與白：「妳們兩人會跟著去嗎？」

廖香宜還沒有回答，姜麗媛就輕踢了袁毓真一腳說：「你那麼關心這兩個妹妹喔！」袁毓真傻笑著說：「不是啦……只是害怕她們到那種遙遠的地方，會再也回不來……」廖香宜緩緩地說：「回不來也沒辦法，除非主人把我們丟棄在地球，不然我們也得去囉。」

袁毓真皺眉頭說：「為何要跟著怪物去？難道不怕找不到老公啊？」姜麗媛再踢他一腳，

嘟著嘴說：「那麼你跟她們兩個一起去，去當她們的老公！」

蔣婕妤也半瞇眼說：「是啊，這樣你就順理成章，一次娶兩個。」袁毓真臉紅耳赤，傻笑地說不出話。李韻怡泛紅著臉，對袁毓真說：「現在主人們還沒確定路線啦……說不定會走『時間路線』……」廖香宜看她說溜嘴，趕緊說：「紅姐姐，我們喝茶。」沉默了一陣。

袁毓真針對『時間路線』思索了一下，而後說：「假設九九星球是空間路線，那麼所謂的時間路線是指地球的時間，還是怪物母星球的時間？」廖香宜與李韻怡都不敢回答。蔣婕妤說：「白妹妹，妳可是答應我們，說要替我們辦事的，怎麼回答話都不肯了？」

廖香宜嚴肅了片刻，然後露出微笑說：「其實也不是什麼極機密的事。原因是主人們真正的母星，並不在外星，而跟我們一樣，就是地球。」

袁毓真等四人，聽了大為吃驚，面面相覷。袁毓真瞪大眼睛地問：「什麼！牠們也是地球生物？那麼怎麼會出現在這時間？」

廖香宜說：「牠們是某一支直立恐龍的後代，地球時間的六千七百萬年前被一群真正的外星人帶走，到外星去培植。不過那些真正的外星人，在改造牠們的智能型態與身體之後，不知道什麼原因，把牠們丟棄在與地球類似，有氧氣的行星上。經過十幾萬年的演化，變成高級智能生物，不過那一顆行星圍繞的恆星體，已經進入超新星爆炸的階段，行星氣候大受影響，所以牠們積極地尋找新的生存地。這些都是主人們的歷史中，記載地很詳實者。」

喝了一口茶，繼續說：「牠們剛開始，都一致同意，回到以前真正的發源地，地球。不過因爲先前真正外星人的空間旅行，竟然夾帶著時間規制的轉移，地球的時間會與原棲息地產生落差。牠們總共只過了十幾萬年，地球上已經過了六千七百萬年。本來這不會影響回地球的目標，但是當頭一批偵測小隊，回到地球後，發現地球上已經有另一種智能生物了，而且資源瀕臨枯竭，生態面臨毀滅週期前夕。於是產生了新的兩種意見，第一種是：前往更往後的地球時間，也就是人類已經滅亡後，經過長時間休養的地球。稱之爲『時間路線』。第二種是：前往偵測到的另一個環境優良的星球，也就是『九九星球』，稱之爲『空間路線』。目前空間路線佔上風，原因是未來的情況很難掌握，時間路線的難度，也會比空間路線的難度還要高。而空間路線，目前已經具有『零時差』的移動能力，比較有利於移居。現在唯一支持『時間路線』的主人，只有那個頭頂上有烙痕的『邦邦』。」

蔣婕妤問：「牠是龍族怪物們的首領嗎？」

廖香宜說：「不是，邦邦只是思維者，但是主人之間，還會以綜合智力來分意見的強弱。而不像我們人類，用原始的權力與地位，或是數量的多寡，來驅動團體行爲。所以目前正在判決牠的意見，等待定案。」

袁毓真點頭說：「畢竟是經過『真正外星人』改造的恐龍怪物，至少在這一點上，還比人類稍爲妥善一些。不過我猜測，既然牠們的根源也在地球，又地球萬物的基因都來自於同一根源演化，那麼基因中一定也有跟人類一樣，各種自私的劣根性。而這些原始因素，基於次易原理乾卦，所提的『乾綱原始』定理，肯定也會影響著這些恐龍後代的行爲，所以路線不同一定會產生爭執。這兩種路線不管最後如何決定，我擔心的是，妳們兩個跟著龍族怪物一去不返。」

蔣婕妤正坐在他身旁，用力拍他肩膀說：「你不是擔心龍族攻擊人類的戰爭，而是關心她們兩人啊？」歐陽玉珍笑著說：「呵，袁大哥又顯露本性了。」姜麗媛皺眉說：「哼！色鬼！」

袁毓真對於自己又說溜嘴，也笑了出來，急忙搖頭揮手說：「沒有啦，我關心所有的……朋友……」廖香宜與李韻怡也都泛紅了臉，不回話。

歐陽玉珍問：「怎麼龍族們不回溯時間，往過去走呢？」袁毓真說：「依照相對論，時間回溯是不可能的，只能往未來走。只是往未來走，相互之間的時制可能會有落差，所以龍族們大多採取空間跳躍的路線，是有道理的。」

廖香宜說：「這你就錯了，回溯時間並不是不可能，只是難度非常大，連目前的龍族主人們，都無法辦到這種事情。所以並不採納，但是牠們的理論中，這是可以成立的。」蔣婕妤與袁毓真都是知識份子，懂得相對論說什麼，於是蔣婕妤追問：「回溯時間，不就會破壞因果關係嗎？怎麼理論可以成立？」

廖香宜說：「這推論，說起來是好幾項理論組合而成，相當複雜，我簡單地說就好。第一，時間與空間，都是情境體，分爲情境的潛伏與情境的彰顯，都受變易體所制。空間可以無限制地往來，時間也必然可以無限制地往返。只是我們的存在慣性，決定了變化方向的存在，在當中取象受制而已。改變這個慣性，就可以改變時間回溯的自我阻礙。第二，因果律與變易，是兩回事，我們常習的意識，都把兩者混為一談，硬把時間前後關係的事情，牽連成因果，實際上不見得如此。第三，變易體有無窮的虛逝狀態，倘若變易體在未來有無窮多可能，那麼在過去也有無窮多可能，虛逝狀態只要能夠銜接，回溯過去與未來的情境，是可以存在的。這些都是『次易原理』也有提到的，只是龍族主人的理論，是把這分開的三項，合在一起塑論。所以得到這個結果。」

歐陽玉珍與姜麗媛，都已經聽得頭昏腦脹，根本不懂她說什麼，姜麗媛打岔說：「白，妳很像蔣妹妹的角色，都是用大腦的喔？而紅跟我比較像，都靠拳打腳踢的。」廖香宜笑了笑說：「妳錯了，紅也懂各種人與龍族的知識，而我也會拳打腳踢。我們兩個都受過嚴格的龍族訓練，被要求全方位均衡優越。」

歐陽玉珍訝異地問：「妳們兩個看起來很小，到底幾歲啊？誰比較厲害？」廖香宜微笑著說：「我十七，紅十八。我的成績都比較高，但是我仍然聽紅的話，把她當我姐姐。」袁毓真傻笑地說：「我過了年二十八歲了。結果智力與體力都輸給妳們……」蔣婕妤問：「對了，我們算是留在這兒的使節，現在可以聯絡地球嗎？」廖香宜搖頭說：「這點很抱歉，主人們已經不跟人類作任何的溝通，現在其實已經是不公開宣布的交戰狀態了。所以只能向各位說對不起。」蔣婕妤半瞇眼地說：「不會吧？那我們算是俘虜？」廖香宜說：「暫時委屈一下，等我把主人們最終要走的『路線』問清楚之後，再請求主人們把你們放回地球去，或是接受人類的求和。」

第五幕　總攻前的準備

六人繼續聊了一個多小時，李韻怡的氣勢已經被蔣婕妤等人壓倒，不敢造次，除了用曖昧地眼神看著袁毓真外，大多不敢說話。忽然廖香宜與李韻怡，手腕上的龍族通訊器，同步傳來一堆點狀組合的怪異符號，廖香宜對其他四人說：「主人們呼叫我們到作戰會議室，我跟紅必須離開了。你們的房間就改在這兒，我們事情結束會來找你們的。」

說罷，兩女子就起身離開，紅踩上自動升降梯的時候，還不禁回頭看了袁毓真一眼。待兩女離去，姜麗媛抓著袁毓真的手說：「喂！我看那隻小母狗，已經喜歡上你了，怎麼老是跟你眉來眼去？」蔣婕妤也白了袁毓真一眼說：「是啊，我也這麼感覺。老實說，她們兩人這麼漂亮，你是不是也動心啦？」

袁毓真急忙搖頭說：「沒有沒有，別誤會啊。」姜麗媛翹起了嘴說：「最好真的沒有。別學其他當官的人，好色貪腐。」蔣婕妤搶在他回答前說：「貪腐我相信袁毓真不會，他是有知識份子良知的，但是好色是男人的劣根性，我看他眼神，每次都亂晃在我們之間，要袁副部長專一是很難囉……」袁毓真抓著綁束起的漢式頭髮，傻笑地說：「至少我現在還是處男，不要計較眼神了吧？呵呵！」

廖香宜與李韻怡到了一間方形會議室，龍族怪物們還沒有進來，廖香宜小聲地問：「紅姐姐，妳看上了袁毓真嗎？」紅與白兩女之間，感情已經很深，無所不談，所以言語都相互坦承。李韻怡點頭說：「被妳看出來了，我承認。」

廖香宜說話時，表情都很沉穩，哪怕展現笑容，都只是輕微地點到爲止，而此時卻皺了眉頭，露出怒容說：「妳背叛我們兩人的情感約定！」

李韻怡說：「我們兩人都只是少女，那種感覺，只是姐妹情深……這跟男女之間是不一樣的。」廖香宜不甘心，摟住她，嘴對嘴親了上去，兩個漂亮的女性臉蛋，如此接吻，頗是怪異，所幸沒有第三者在場。沒有幾秒鐘，李韻怡推開她說：「別再這樣了，妳不覺得有點噁心嗎？」

廖香宜再也沉穩不住，激動地說：「他到底給了妳什麼？不過就是救了妳兩次！而我呢？從同班同學，到跟著妳一起淪爲主人們的奴隸，甚至家人都不顧了，難道還要我多說什麼嗎？」說罷流出了淚，跪在了地上，雙手癱軟。李韻怡摟起她，扶她站起，安慰地說：「別這樣，我永遠不會拋棄妳，但是我們是姐妹，而男女的事情是另外一回事。」廖香宜站起後，忽然狠狠地說：「妳別一廂情願！袁毓真身邊有好幾個女人，而妳被那些女人看成是敵人！況且他不會跟著妳去外星的！」

李韻怡說：「這我知道，但是也不能阻擋我這種感覺。」廖香宜繼續流淚地說：「感覺？這是對我的傷害！總之妳不可能得到他的，最終妳只能跟我在一起。」李韻怡還是頭一次遇到她這種情緒反應，也不耐煩地說：「我沒有傷害妳，論所有的能力與美貌，妳都還勝過我一籌，剛才袁毓真，甚至眼神看妳的次數，比看我還要多。甚至不只他，見過妳的男人都沒有不傾倒的。請問是誰傷害誰？」

廖香宜瞪大眼，指著李韻怡的臉說：「原來妳是這樣想的……我從來沒有喜歡過男人這種醜陋的動物！哪怕當初我們兩人，妳代表班上的班花，我代表學校的校花，我的『人氣指數』比妳高多了，不下數百個男生，對我大獻殷勤，可我心裡始終只有妳！而原來妳是在忌妒我！妳心思是這麼不純真，我真的看錯妳了！」說罷又哭了起來。李韻怡怕龍族主人隨時會來，趕緊又抱住她說：「別哭了，人總有糊塗的時候。剛才我道歉，我一輩子都不會離開妳的。」

廖香宜聽了，才露出笑容，收拾眼淚，頭靠在她肩膀上，溫柔地說：「我不希望妳再有下次，袁毓真遲早會回去，而我們遲早會離開地球。只有我才是妳永遠的依靠，而他有他的女人。」李韻怡忽然感覺到，一股前所未有的噁心，與之前的同性愛戀混為一處，頗是矛盾，為了支撐場面不破裂，才勉強接受廖香宜依畏。

忽然八隻龍族進了會議室，分坐在前面，兩女子同時下跪叩首，蜷伏於地上聽令。兩女懂得簡單的龍族語言，但是人類所沒有的深層邏輯架構，與情境分略表達，真正的語句兩女還是聽不懂，仍然要戴上翻譯器接納。

一隻龍族開口說：「對人類發動滅種總攻，五個地球日後，就要開始了。屆時我們將乘坐更新式的宇宙戰艦，到地球上作戰。妳們兩人待在本艦，負責監督所有機械兵器製造，與本艦的絕對安全。另外，『空間路線』已經確立，我們最終的目標是要前往『九九星球』，等到人類滅絕之後，我們就要離開太陽系，在戰爭期間，妳們兩人駕駛這艘戰艦，在太陽系邊緣的冥王星上，建立宇陣輔助系統。這就是妳們的任務。」兩女同時說：「是。」

李韻怡頭仍然磕著問：「我們的家人，還有船上的那些人類使節，該怎麼辦？」一隻龍族回答說：「放心吧，對人類的總攻擊，會繞開妳們家人的訊息，不會做出趕盡殺絕的地步，反正最終人類將會在這場攻擊之後自生自滅。至於在船上的這些人，能力也不太差，妳們若能夠策反他們，替龍族效力，那是最好的，就共同成爲這艘戰艦的成員，以後一起前往『九九星球』，成爲物種活性標本之一。假設不能，就把他們丟回地球上，有妳們兩人其實也夠了，我們不需要太多的低等生物標本，以免造成污染！」兩女共同遵命。

袁毓真等人是會被策反，或是回到地球？龍族將對人類發動總攻擊，元首大人又將如何因應？老頭子的『華夏文明國』又將如何面對戰爭？賀嘉珍等人回到十三號別墅又發生了什麼事情？欲知後事如何，且待下象分解。

紅與白共同乘坐的龍族宇宙戰艦

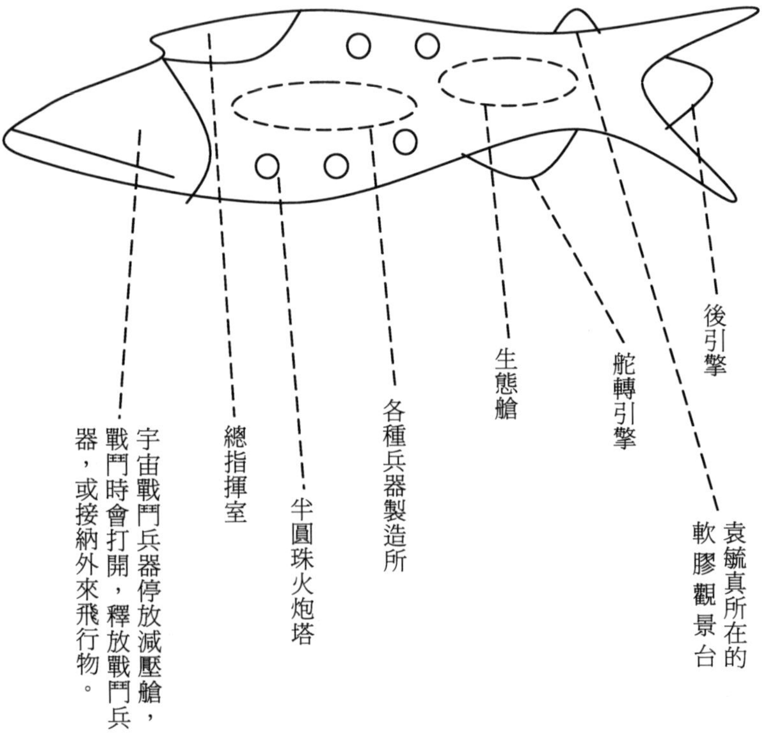

第十象　戰前繁華紙醉金迷不恤禍
權力誘惑自辨是非顯貞慧

第一幕　初四收假

話說在袁毓真出使之前，賀嘉珍、黃敏慧、何佩芸三女子，乘坐另外一艘老頭子的飛碟，各自回去休年假。賀嘉珍載了她們回到家，自己則帶著家人坐飛碟，在十三號別墅過年。

賀嘉珍的家人，來到歡樂部別墅過年，都如劉姥姥入大觀園，大爲驚奇這社區內的奢華與應有盡有。快樂了三天，賀嘉珍告知他們，兩個女兵與自己都該收假回崗位上，家人們都捨不得這優渥的環境。甚至不只一次地慫恿賀嘉珍，乾脆就嫁給才在新聞中公告，當上真理部副部長的袁毓真，這樣就可以一直住在這別墅裡。賀嘉珍都只是恬然一笑，不回應家人的要求。離開別墅時，還帶走了各種別墅裡面的新穎生活用品。賀嘉珍無法阻攔，不然他們就不想離開這裡，只好同意這種順手牽羊的行爲。

終於送走了家人，並且用飛碟載回黃敏慧與何佩芸。

兩人一進十三號別墅，大惑不解，何佩芸說：「咦？我們有沒有走錯啊？這裡是十三號別墅嗎？」黃敏慧也搭腔說：「沒走錯啊！家具怎麼都不見了？這裡管理那麼嚴格，難道還會遭小偷？」

賀嘉珍笑了笑說：「是我家人堅持要使用歡樂部的專用傢俱，我才用飛碟載走這些家具的。」黃敏慧歪了嘴說：「這些是國家的東西啊。」賀嘉珍說：「這我知道，我已經對社區管理委員會，報告了事項，他們向我索賠二十萬，我今天早上已經交給他們了，晚上他們就會把家具給補齊。」

何佩芸笑著說：「對不起，嘉珍姐，我們沒有其他意思，只是感覺奇怪，這裡怎麼會被闖空門。」賀嘉珍說：「不要緊，這些是我家人的錯，也是我的錯。要不是飛碟沒有地方停放，我也不會讓他們來這過年。只好自己出錢，來解決這個問題。」黃敏慧笑呵呵說：「沒關係，妳是我們的長官，只要妳是好人就可以了。」

何佩芸問：「新聞公告說，袁毓真現在當真理部副部長，我們是不是也要去那邊上班呢？」賀嘉珍搖頭說：「今天我的個人通訊帳號，收到元首大人府邸的敕令通告，說袁毓真出使外星生物陣營，留在外星人的太空船上，已經失去聯絡好幾天了。要我們協助楊恒萱完成聯絡的任務。」何佩芸笑了笑說：「呵呵！那就好啦！我最怕的就是把我調回部隊去，能夠這樣繼續領國家薪水，而做輕鬆的事情，那就是最完美的。」

賀嘉珍靜謐穩重地搖頭輕聲說：「沒這麼簡單，據元首大人府邸秘書，轉述統帥本部的宇宙軍情報，袁毓真出使的外星戰艦，已經遠離到月球軌道之外的遙遠地方，而且任何通訊都被屏蔽，無法與袁毓真他們的通訊器連通。況且外星生物在西半球的歐洲、非洲，已經展開小規模攻擊，可能把我們中國也當作敵人。」

黃敏慧皺眉苦惱地說：「怎麼會給我們這麼難的任務？我看除了去找『萬歲爺』幫忙，沒有其他方法了。」賀嘉珍說：「也未必，我昨天跟楊恒萱通過電話，他倒是轉述一項消息給我，說梁大成與何彩艷等，之前在海底基地的生還組員，本來在帛琉又被俘，後來外星人主動放棄那個島，現在他們都被接回國了。梁大成手上有拿到一套，外星人遺棄的通訊器材，這有助於破解外星人建立的通訊屏蔽。楊恒萱現在正在紫頂研究所，與南十字星的相關科學家，加速研究當中。我們或許也可以在當中，找到與袁毓真聯絡的方式，這樣就不用冒險去外太空。」

三女子，共同上了飛碟，帶著「大司空」與「驃騎將軍」，一同到了紫頂研究所外。楊恒萱已經在外側的空地上等待她們，共同進入研究所頂樓的會議室中。

楊恒萱沉重地說：「電話中談的外星通訊器材，已經破解成功，可以突破外星人宇宙船艦的通訊屏蔽。不過現在的局面很嚴峻，外星人拒絕談判，歐美聯盟與世界其他國家，都不斷地遭到攻擊，而且力度越來越大。我猜測只要展開大規模對人類的總攻擊，我們國家肯定也會站在外星人的對立面，總不可能幫助外星人打地球人的。所以我們的任務，會越來越困難。」

賀嘉珍說：「那更需要快點與袁毓真聯絡上，不然不知道戰爭是否有轉圜的可能。」楊恒萱說：「突破通訊屏蔽，也有一定難度，必須飛到外氣層空間，躲開這幾百年累積，圍繞在地球周圍的太空垃圾。還有躲開地球上，密密麻麻的無線電通訊網。這樣成功的機會才會大。另外元首大人希望妳們把『飛碟』上繳給國家，來辦這件事。」

黃敏慧苦著臉說：「國家的戰略宇宙軍，不也有太空飛行器？憑什麼要我們上繳？況且這是袁毓真祖父的財產。」楊恒萱搖頭說：「我們不都有拿國家薪水？元首大人的命令，還是別拒絕得好，況且這攸關國家安全。」

賀嘉珍也搖頭推託說：「袁毓真祖父會不高興的，況且裡面的機器人都有自我意識，不會合作的。」

楊恒萱說：「現在形勢比人強，妳去跟他商量一下，元首大人也轉告過我，假設他同意上繳一台飛碟，又在不違反其他法律之下，同意不追求『華夏文明國』違法的罪責。」賀嘉珍說：「這我不能傳話，你們自己找他商量。不然我們就只能把飛碟還給他。」

賀嘉珍不肯，那麼更別提連元首大人都不放在眼裡的，『華夏文明國皇帝』了。楊恒萱沉默了一會兒說：「這樣吧，我們取個折衷，我請示元首大人，飛碟仍然由妳們來駕駛與操作，要求國家不要上繳，不過這次任務，則由妳們聯合宇宙軍來執行。我在飛碟上作技術協助，這樣可以嗎？」賀嘉珍點頭說：「這我可以接受，不過也得元首大人認可才有用。」楊恒萱點頭同意。

在外太空失重狀態忙了兩天，終於穿過屏蔽，聯絡上袁毓真身上的通訊器，賀嘉珍指揮著飛碟，擔任轉播的工作，將訊息傳給元首大人府邸。

元首大人問：「這麼多天你在外星人那邊有什麼成果？」

袁毓真說：「報告元首大人，所有的過程，我都用文字記載下來了，現在立刻傳給您過目。」他把日誌傳到了府邸後，元首大人還沒有看，就趕緊問：「能不能讓我直接跟外星人的領導者談判？」

袁毓真搖搖頭說：「恐怕不能，牠們早已經拒絕與人類談判，不然不會建立這種通訊屏蔽。連我在這，都不得其門而入。」

元首大人冷冷地說：「那我怎麼聽說，外星人那邊有我們中國的女孩在幫忙？難道你不能透過她們，請求談判嗎？」袁毓真如同考試作弊被抓一般，渾身起了雞皮疙瘩，心思：（肯定是曾有能這些人告訴他的。糟糕，之前的謊言確實被揭穿。）緩口氣轉而心思：（不過現在他需要我，只要我辦好事情，到最後有功可以補過。）若無其事地說：「她們告訴我，龍族的進攻已經無法避免，我建議國家早做開戰準備。但是龍族還有更重要的事情要辦，那就是移民五萬光年之外的星球，我認為只要把戰爭撐過這件事情的負荷程度，龍族自然會跟我們談判。」

元首大人對於這種結果非常不滿，怒火中燒而表面強忍下來說：「你現在身居國家要職，必須盡力在那邊爭取國家的利益，我要的是與牠們建立聯絡管道！假設已經沒有任何進展，那麼你立刻回來！」

袁毓真點頭說：「是的，元首大人！我這兩天立刻去爭取重開談判。因為我這裡無法發送訊息，請您在後天，主動跟我聯絡。」

第二幕　政客、富豪、遮羞布

通訊完畢後，賀嘉珍讓機器人，把通訊器材裝載在宇宙軍的太空站中，就飛回十三號別墅裡。賀嘉珍帶著黃敏慧與何佩芸，才一下飛碟，就發現曾有能帶著另外兩男子，站在院落中等待。已經是啓易三年，大年初七傍晚。

賀嘉珍問：「請問部長有什麼事嗎？」曾有能微笑著說：「這次賀參士的任務圓滿完成，頗讓元首大人開心，我想請各位去參加歡樂宴會。」賀嘉珍搖頭說：「我不喜歡這種場合，況且替國家辦事是應該的，我們三人都剛從太空回來，蠻累的，就讓我們休息一下吧。」

曾有能說：「今天當然不打擾妳們休息，宴會在明天晚上，地點就在歡樂部外的商業街，而且到時候官蓋雲集，都是社會上有頭有臉的大人物聚會。我們都衷心期盼三位美女的大駕光臨。」

黃敏慧頗是好玩，慫恿賀嘉珍說：「距離這麼近，我們明天晚上就去看看，假設不開心我們再回來不就好了？」曾有能旁邊的一位男子，油頭粉面，趕緊搭腔說：「是啊，假設賀參士不開心，隨時可以離開的。」

賀嘉珍興趣缺缺，卻遇到官員的盛情難卻，只好點頭：「好吧，我們明天去看看。現在我們三人想進去休息。」曾有能等人才離開。

進了門，賀嘉珍對黃敏慧與何佩芸說：「古人說的好，生於憂患，死於安樂。現在都什麼時候了，部長級的大官還有心情聚會。」何佩芸內心雖也想玩，卻不敢回話。黃敏慧說：「大姐，反正我們去看看也好，說不定可以讓我們遇到，可依托終身的『貴人』喔。」賀嘉珍微微一笑說：「好吧，衝著妳這句話，明天我帶妳們去。」

次日，大年初八傍晚，歡樂部外商業街。

三女子赴會之前，挑選了最漂亮的漢式服裝，搭配最精緻的髮型，精心打扮了兩個多小時。賀嘉珍盤頭垂髻髮，面著淡妝，淺紫色開右襟服，腰繫紫紅帶，紫色綢褲。何佩芸髮置雙髻丫頭，前額流海，身著繡花旗袍，展現身材與長腿，面著淡紅粉底，粉淺櫻唇，還特地弄了假睫毛。黃敏慧白色右襟漢服，略有粉繡細邊，捲腿長裙拖地，要束寬佩帶，束捲長髮入髮簪，修面膜，容華泛光。直到相互都認為，對方都可以傾倒男人，才算告終。還在十三號別墅，同時合拍了影片與照片，以茲留念這三女子最美的一刻。

可是一到會場入了座，三女子都同感失落，才發現宴會上美女如雲，三個女子很快就被比了下去，隨處可見更漂亮的容貌、裝扮，與更誘人的身材。

曾有能與昨天那兩個男子，刻意坐在了三女子的這一圓桌上，曾有能介紹說：「這一位個子高的帥哥，叫周忠誠，才二十五歲，現任行爲監督局副局長。而這位斯文瀟灑的俊男，叫做王正直，是王氏財閥的繼承人，才二十三歲，擁有三十八億以上的身價，也在民生管理局，兼榮譽職的專員，負責官商兩塊的溝通。」

原來這兩位這麼年輕，就一官一商，大有前程，而且英俊瀟灑，身材高大，風流倜儻，賀嘉珍只繼續淺嘗淡酒，絲毫沒有動容之感。早在十年前，她二十歲的時候，賀嘉珍就交往過很多這類型的男人，什麼最淫亂的遊戲都玩過，甚至還因此懷孕與墮胎，飽受情感煎熬，乃至有過婚姻失敗。三年前放棄感情，從而認真進修，研考參士，不再欽羨這類型的男人。然而黃敏慧與何佩芸是女兵出身，頭一次見到這種大場面，馬上就與兩位『身價不凡』的男子搭上了線。

會場宴會開始是自由交際與認識，接下來就是台上的歌舞秀。歌舞秀是由趙氏財閥趙仰德全程安排，因爲底下都是大官大款，所以新捧出來的虛擬人，『夢彤』與『夢蘿』自然不能搬上台，不然無法應付台下的邀請。所以改由趙氏財閥歷屆的『選美大會』中，挑出幾百名最美的『實體』女子，專司台上的表演。

曾有能見賀嘉珍不怎麼融入情境，搭訕地說：「元首大人非常欣賞賀參士，說您是知識份子中的巾幗英雄。自從歐美聯盟的太空系統，全部被外星怪物打癱瘓之後，我國的戰略宇宙軍，大多都撤回地面上，保存實力了。只有這次賀參士，在太空中表現卓越，讓所有宇宙軍的官兵愛慕萬分。」

賀嘉珍淡淡一笑，冷冷地說：「我如果這樣就是巾幗英雄，那麼袁毓真那四人，留在外星太空船上，該怎麼說？」曾有能頗厭惡袁毓真，聽了馬上說：「他是我派在那裡的，何況外星太空船我也不是沒去過！況且我們知道內幕的人，都清楚，當初元首大人欽點他是『救美英雄』，實際上是權宜之計，根本就沒有虎穴救美的事，他根本稱不上英雄。」

賀嘉珍仍然微微一笑說：「我不喜歡英雄這個名稱，曹操與劉備不是煮酒論過英雄嗎？結果最後是誰統一三國呢？所以這就別提了。」曾有能皮笑肉不笑地說：「是啊，那就不提了。我要說的是，元首大人真的非常欣賞您。打算提拔妳任元首府總參士，那就是元首大人的私人秘書啦！我表面上是行政單位第三把手，實際上元首大人府邸內的小秘書說的話都比我管用。到時候還希望您，能夠多拉拔一下我們這些部會級的小官啊！」

賀嘉珍並不作聲，心思：（原來是這樣！我還正納悶，我這種姿色，還有著不清白過去的女子，怎麼會受這些達官貴人如此歡迎？）

聊了幾分鐘，王正直拉著何佩芸，周忠誠拉著黃敏慧，一同上台與眾人舞會聯歡。趙仰德此時應付了其他桌的權貴們後，走到賀嘉珍這邊來。曾有能坐在賀嘉珍左側，而趙仰德坐在賀嘉珍的右側。先舉酒敬了賀嘉珍一杯，然後說：「賀參士能光臨這次舞會，實在讓我這個主辦人顏面生光。」還繼續多客套了幾句。

賀嘉珍表面強顏歡笑，回答說：「趙老闆的名字如雷貫耳，全國沒有人不知道，我只是沒沒無聞，三十歲的醜女人，怎麼可能讓您顏面生光？」

趙仰德笑容可掬地摸著她手說：「賀參士自謙啦，未來的元首大人秘書光臨，當然能讓我生光。」賀嘉珍嘴角向下，冷漠了神情，縮開手，沒有受敬就淺嚐一杯，不再回話。趙仰德與曾有能都同感奇怪，這女人怎麼不識抬舉？論姿色與年紀，都已經是走入『三十喇叭花』的等級，而受到大官陪笑，鉅款敬酒，左右同時奉承，竟然還冷漠如此。

熱鬧的舞會過後，宣佈宴會結束，但是樓上樓下的場地，還有『各自帶開』的男歡女愛之所，也就是『午夜續場』。賀嘉珍在宴會結束前，感覺有點醉，就一個人到休息室靜躺，自行小睡片刻，等到醒來看了看手腕電腦報時，已經半夜十二點了。趕緊走出休息室，問了打掃的工作人員，黃敏慧與何佩芸所在，工作人員回答說大概在樓下『午夜續場』的地方。賀嘉珍趕緊下去找人，一看十幾間房，於是一個個去搜尋。才進第一間，就看見不少男女都沒有穿衣服，男的大多是老頭，女的大多是少女，可見是大官大款與少女們的狂歡之所。不過賀嘉珍已經不在乎看這種事情，一間間強行拍門，打開搜找。

找了五間沒有找到，感到場面一個比一個噁心，急忙用手腕型電腦，打電話連絡，但是沒有一個有回應。心思：(糟糕！我本來只是想讓這兩位妹妹見識一下大場面，但是一時疏忽，可把她們帶壞了！）於是不管噁不噁心，繼續逐房搜尋。某些房門內鎖，不肯開，就急忙拿著滅火器，在外面大喊：「失火啦！已經燒死人啦！快點逃命啊！」然後往半透明玻璃窗，猛噴滅火氣粉。

結果真理部長曾有能、趙仰德、王正直、周忠誠，還有很多著名的大官，軍隊的將軍，老頭權貴，及一大堆裸女，全部拿著『遮羞布』遮著『要害處』，從十幾間房間紛紛奔跑出來，一時出現春宮亂竄的情境。賀嘉珍一眼看到王正直與周忠誠，馬上推開擋路的眾人，左右手各抓一個，拎著他們的頭髮說：「跟我一起來的兩個妹妹呢？」

兩人都慌慌張張，遮羞布竟然都掉落，兩人竟然都不感覺羞愧，賀嘉珍也不以為然，繼續厲色質問，王正直醉醺醺地回答說：「剛才……還跟我們在一起唱歌，後來開始脫衣服的時候……她們……她們就跑走了……真是不懂開心……我們只好……找過其他兩個美女……來陪我們一起同樂……妳是不是想來參加？兩男三女同時玩……也很好……我們可以兩個專門服務妳一個……」賀嘉珍哼了一聲，連賞他耳光都嫌手髒，立刻離開大樓，奔回十三號別墅。眾人發現原來沒有失火，一陣抱怨之後，各自醉醺醺回房間去，集體丟棄僅有的『遮羞布』，丟棄時還面帶笑容，繼續『辦未完成的事』。

賀嘉珍回到十三號別墅，看見黃敏慧與何佩芸，坐在客廳沙發上看午夜新聞轉播。賀嘉珍才露出笑容，喘噓噓地說：「妳們嚇死我了，沒有給我通訊留言，就自己跑回來……害我剛才……大鬧他們的雜交場合。」

兩女子趕緊上去，一個端著水，一個幫她撫背順氣。何佩芸笑著說：「嘉珍姐姐，怕我們不守軍人的紀律啊？」賀嘉珍臉上雖然有笑容，但是語氣嚴厲地說：「當然啦！要知道妳們在我手下，還是當兵喔！」

黃敏慧看出她並沒有真的生氣，只是一陣虛驚，也笑著說：「可我剛才，看了好多軍方的將軍，就在那邊狂歡。」賀嘉珍轉而正色說：「他們是他們，妳們是妳們，假設全國的人都這樣，中國就又要回顧過去災難的時代了！」

何佩芸繼續撫著她的背說：「對不起，我們讓您受驚了。放心啦！我們不是那種沒分寸的女人。我們以後謹聽您的命令。」黃敏慧說：「是啊，王正直、周忠誠那兩個男生，典型僞君子與假紳士。宴會上一副彬彬有禮的樣子，我們還差點動了心，可進了房門喝了點酒，就對我們毛手毛腳，什麼地方都敢摸。還自稱什麼國家的『青年才俊』咧！我們當場就推開他們，一起回來了！」

第三幕　女中豪傑

賀嘉珍終於釋懷，帶跟著她們，一同上到二樓空中花園的游泳池，放了溫泉水，在裡頭泡池池觀星。

三女子穿著泳裝泡池，賀嘉珍喘了口氣，體內的酒精，經過熱氣催趕，由毛細孔散發，但是卻更加快血液循環，頗有更迷醉暈眩之感，輕鬆地微笑說：「其實要道歉的是我，原本只想讓妳們去見識場面，說不定真的可以認識好男人，結果差點帶壞了妳們。」

黃敏慧呵呵一笑：「沒事啦！我們又不是沒見識過男人，當我們還是處女啊？我們可不像袁毓真那麼遜。」賀嘉珍瞪大眼問：「相處了這麼多天，還不知道妳們幾歲啊？」何佩芸說：「我二十，她二十一。」賀嘉珍微笑說：「小妹妹就有男朋友，怎麼沒有看見他們來找妳們呢？」

何佩芸說：「那都是當女兵之前，學生時代的事。當女兵後，就分手了。」賀嘉珍說：「袁毓真是很遜，但假設把他放在在舞會那些男人之間來選。我寧願選他。」何佩芸呵呵笑說：「可惜姜麗媛，似乎很喜歡他，妳還不到囉。不過妳若堅持，我可以幫妳勸姜麗媛放棄。」賀嘉珍微笑而不應。

黃敏慧問：「剛才大姐妳怎麼那樣緊張？這又不是會出人命的事？」

賀嘉珍說：「妳不明白，一旦跟這些人混在一起，身爲女人的格調就下降了，只能成爲玩物。以前我就有過這樣迷失的經驗，三年前才重新開始新人生。妳們是我的下屬，也被我看成是妹妹，不可以讓妳們走這種路。」

黃敏慧嘆口氣說：「那些權力階級，以及富豪階層，原來這樣腐敗，難怪我們打不過外星人。」賀嘉珍閉上了眼，緩緩地說：「現在不只我們國家，整個世界都是這樣。我看就算沒有出現這些怪物，人類也會被自己破壞而成的惡劣自然氣候，所淘汰出局。」

兩女孩都點頭，何佩芸說：「您不是要升官當元首大人的私人祕書嗎？那麼我們可以跟著升級囉？」賀嘉珍淡淡一笑，睜開眼說：「有沒有當秘書無所謂，我本來就只是女學者，不是官員，而且元首大人可不是那麼好伺候的。我反倒喜歡跟袁毓真的祖父，那個『萬歲爺』打交道。」

何佩芸也笑著說：「是啊！我們只要三呼萬歲，他什麼好寶貝都拿出來給我們用。可是他的『華夏文明國』，實在太小了些……」賀嘉珍說：「小可以變大，大也可以滅亡，大小是其次，主事者的思想才是關鍵。不然妳對元首大人三呼萬歲試看看，看他會給妳什麼果子吃。」

何佩芸說：「嘉珍姐還真是少有的女中豪傑，我們從未見過女人中，有這等見識的。」

賀嘉珍長吐了一口氣，抬頭仰望天空中因爲光害，而稀疏的星辰。

啓易三年元月初九清晨。

三女子才起床，元首大人的懸浮專車，已經開到了十三號別墅門前，請賀嘉珍上車。何佩芸與黃敏慧留在別墅，看管著飛碟，賀嘉珍遂坐上了懸浮車，前往府邸。在勉強接受元首府總參士職位後，元首大人面帶詭異地猜疑神情，來回踱步，單獨對賀嘉珍說：「妳認爲袁毓真還會不會回來？」

賀嘉珍看出了他的疑心，謹慎地回答說：「能回來他當然會回來啦，況且他現在不是也任職於政府了麼？」元首大人把曾有能之前的控告，告訴了賀嘉珍。然後說：「他跟他的祖父都怪怪的，我看他們整個家族遺傳就這樣，不像是正常人，難道沒有投敵的可能？」

賀嘉珍沉穩地微微一笑說：「被認爲正常的人也會投敵，看似怪異的人也有可取之處，況且他祖父只是個桀傲不遜，九十歲的老頑皮。元首大人管理二十億同胞，應當包容二十億子民，不管什麼家族遺傳，都在您的治下，當中什麼怪人沒有？怎麼就不能包容這對祖孫呢？」

元首大人已經六十五歲，就職十五年來，頭一次感到羞慚，竟然在這個小自己三十多歲的女人面前，顯露自己的狹隘。趕緊也笑了出來說：「好好，我明白了。這樣吧，之前『智慧四人組』以及南十字星所有人，就由妳來主管，楊恒萱當副手，直接對我負責。」雖然在理智上，認同了賀嘉珍所說，但是在人性的感觸上，仍然相信曾有能的讖言。

然後坐在會議室首座上說：「據袁毓真傳來的資料所說，原來那些外星怪物，原本也是地球的生物，六千七百萬年前的某種小型直立恐龍，被真正的外星人帶去改造的，袁毓真稱他們為龍族。因為外星生物轉移的同時，竟然夾帶了時間規制的運行，牠們只過了十多萬年，地球卻已經六千七百萬年。龍族這次來並不是征服地球的，只是路過這裡，把這當中繼站，可能走『時間路線』前往遙遠的地球未來，但目前最可能走『空間路線』，移居五萬光年外的『九九星球』。妳認為這消息可靠嗎？」賀嘉珍說：「這有可能，而且假設真的是這樣，那他就提供了很重要的情報，不會讓我們誤判形勢。」

元首大人說：「妳先說，為什麼可能？」賀嘉珍說：「假設這些龍族怪物，打算征服人類，那麼就不可能拒絕與人類談判，這樣就無法充分利用，人類不同國家之間的矛盾，那麼打起來會很費力。假設牠們只想要把人類消滅而佔領地球，根本不想談，那麼袁毓真就不太可能知道這些消息。況且以目前情勢，要消滅地球上數量如此龐大的人類，只有使用毀滅性的武器，才不會有太大的變數。遠渡星辰回來，難道只想要接受一堆，經過毀滅兵器糟蹋過，資源又瀕臨枯竭的爛星球嗎？既然沒有利用人類之間的矛盾，也並不是想要搶奪地球的生存空間。那麼袁毓真說的，就很可能是實情。另外，龍族既然有遠距離跨越星辰的能力，宇宙無窮大，眼光必不會只盯著資源瀕臨枯竭的地球看。」

元首大人瞪大眼睛看著她，頗爲吃驚，一個才滿三十的女人，竟然有如此超過眾官員的見識。不禁追問說：「那麼牠們現在開始動手打歐美聯盟，西歐部分已經陷入戰火，又是怎麼一回事？」

賀嘉珍說：「極可能是之前對牠們採取各種騷擾，而惹惱了牠們，怕我們破壞了這個中繼站。假設牠們沒有絕對把握，不會輕言交兵，我看人類的底細，都給牠們摸得一清二楚了。至於牠們的絕對把握何在？我猜不外乎智能模式更高一籌。」

元首大人頻頻點頭，竟然握緊了賀嘉珍的手說：「妳比我女兒年紀都小，竟然幾百個中央高官，沒有一個見識超過妳的。」賀嘉珍臉紅耳赤，把手縮回來，低頭回答說：「這些是我該盡的本分，我當然要效忠自己的國家。還有我在海底基地也見過龍族怪物，確實有與地球生物相似之處，假設牠們真的也源於地球，依照乾綱原始之理，很多演化的本性也應該跟我們一致，改變的部份只在於後來分歧的某些因素。剛才的那些分析，是基於這個立足點而論，才會成立的。」

元首大人說：「好！以後妳就住在這，任何會議都要參加！」賀嘉珍趕緊說：「對不起元首大人，我還是住在十三號別墅吧！有需要的時候我趕過來就是。」元首大人突然感覺自己有『邪念』羞愧地呵呵笑說：「好好，我知道了。我會隨時跟妳保持聯絡。」雖然這麼說，內心對這個氣質通慧的女人，已經有一股熱烈的慾火在燃燒，但是表面上卻裝成沒事。

第四幕　臨別時的情懷

袁毓真在與元首大人通訊之後，幾次主動要求與龍族領袖洽談，卻怎麼樣都得不到回應。原先龍族怪物的會議廳外。

袁毓真、姜麗媛、蔣婕妤、歐陽玉珍四人，不斷地喊叫，卻沒有回應。忽然一台機械三角立身兵器走來，傳達出李韻怡的聲音：「你們別喊了，主人們都離開了這艘宇宙戰艦，你們跟著這台兵器到指揮室來吧。」

四人一同隨著三角立身兵器，到了戰艦的指揮室。指揮室頗大，是一個接近於蛋形架構的空間。除了地板與背面的銀河系立體運算星圖，周圍都如同觀景台一般，是軟膠狀的透明物，可以環顧艦外的宇宙景色。指揮塔兩側站著廖香宜與李韻怡，兩女竟然腳踩著半透明圓形物，懸浮在半空中，離地三公尺多。而指揮塔本身就是懸浮在空中發淡紅光的橢圓體，橢圓體兩側，有發淡藍光的懸浮面板，而廖香宜與李韻怡，各自操作著一面。底下的控制座位，至少五台龍族製造的三角立身機械兵器，負責執行橢圓體感應控制，所發出的指令。

指揮室縮小簡圖，實際空間更廣闊

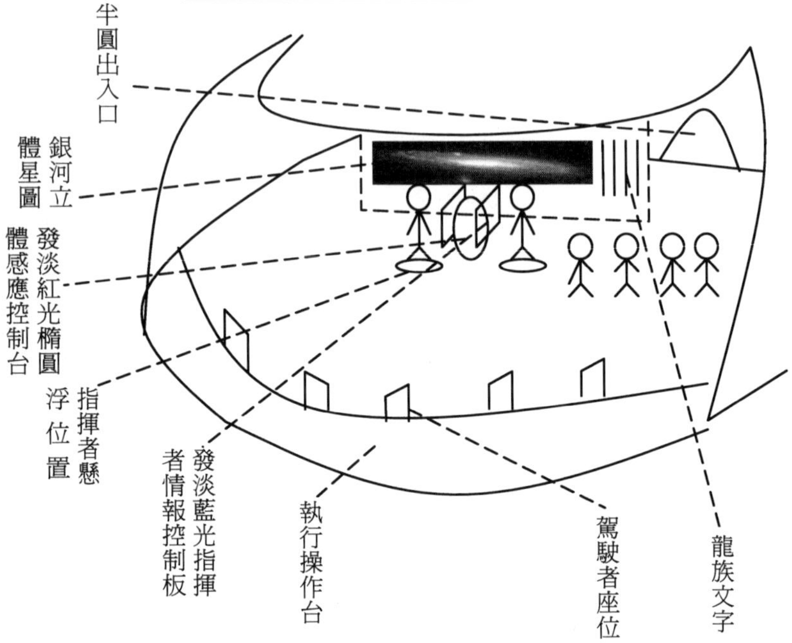

眾人被如此大器的指揮室，以及新奇怪異的控制儀器，給震攝了片刻，內心都嘖嘖稱奇。袁毓真大聲地問：「龍族主子們去哪裡了？我還正要找他們談判呢！」

廖香宜懸浮於上，淡藍色面板有擴音功能，所以小聲地回應，下面的眾人也可以聽得很清楚，回答說：「不用談了，就算是元首大人親自來這，主人們也不打算商量。『空間路線』已經確定，主人們換乘更新式戰艦，大批的龍族船隻，也正透過『宇陣器』由主人們的母星球，一批批轉移到太陽系，補充燃料與物資後，一部分前往九九星球，還會留一部份對人類發動掃蕩進攻，一切都太遲了。」

蔣婕妤頭仰上，喊道：「既然不願意談判，那也得放我們回家去啊。總不能老是把我們關在這吧？」

李韻怡極不希望袁毓真走，透過淡藍面板的擴音器，小聲地說：「地球很快就要成為戰場，中國會不會遭到攻擊，還很難說。這艘宇宙戰艦，主人們已經給我們使用，可以獨立在宇宙中生存。假設你們願意留下，我們可以一起在這裡生活。」廖香宜知道她說這話的意思，當然不可能是要那三個羞辱過她的女孩們留下，而是要袁毓真留下，對此心裡很不舒服，但是表情沒有因此變化。

袁毓真大聲地回：「很感謝妳們的善意，但這恐怕不行，我們一定得回去。況且大家都還有家人呢！我們至少得保護我們的國家啊！」

李韻怡說：「可我們的戰艦，目前正前往太陽系的邊陲，冥王星方向航駛過去，已經快到了火星軌道。」四人聽了都大驚失色。袁毓真急道：「天啊！那麼我們回不去啦？」廖香宜說：「這也未必，可以用你們的飛碟，自行飛回地球。」

袁毓真苦臉地說：「不行啊！飛碟只能短距離飛行，沒有宇宙導航器，而且裡面沒有像這艘戰艦一樣，有重力穩定系統。就算核能動力全開，直線飛回地球也要兩個多月，我們兩個多月失重，一到地球就死啦！」

廖香宜說：「這別緊張，你的飛碟我們研究過了，也有加以改造，加上了重力適應系統，引擎也有予以改良。本來是主人們要沒收，給我們作爲逃生的備用艙，但是現在還給你們。你們可以在一星期之內，就可以飛回地球，而且不會因爲速度，與地球產生太大的時制差距。」李韻怡知道，廖香宜不希望袁毓真久留，才會告知他們這件事情。袁毓真說：「那也得準備一星期，四人用的水與食物，兩位還是要幫我的忙啊！」

李韻怡說：「好，我幫你去準備。」於是降下了腳下的半透明圓形物，帶了四人前往飛碟船艙。廖香宜露出了微笑，袁毓真總算要走了，自己的同性之戀，不會再有人來干擾。

到了船艙，李韻怡指揮著龍族自動機器，往船上運送物品，袁毓真問：「我手下的那些機械人，都跑到哪裡去了？」李韻怡笑著說：「都被我吃了。」袁毓真傻笑地不知所措。蔣婕妤附耳對姜麗媛說：「小母狗還真的對袁毓真有意思了。」三女子因此竊竊私語。

李韻怡說：「放心吧，都堆在飛碟的倉庫內，保持你們先前的樣子，只是把動力電源切斷以免造次而已，我沒有改造他們。你接上電源系統，他們就又回復原狀啦。」

等到都準備好，四人走上太空艙，李韻怡忽然拉住袁毓真的手，含情脈脈地小聲說：「今天一別，可能就分隔遙遠宇宙，永遠都不會再見面，我要謝謝你兩次救我。」袁毓真另一隻手，抓著束起的漢式長髮，紅著臉笑著說：「哈哈，還好啦。我才要謝謝妳呢。」李韻怡也臉紅地說：「你可以再叫我一聲紅妹妹嗎？」

蔣婕妤拉著另外兩女子，趕緊走進飛碟，半閉眼地說：「算了！情人永別的場面，我們別看！」袁毓真收回了笑容說：「紅妹妹，妳說的那顆『九九星球』，我有記錄下方位了。假設妳真的要跟龍族去那兒。我以後晚上，會在地球上，看著那顆星，想著妳的。」李韻怡低著頭，緩緩地說：「我也會看著地球的方向，想著你。希望你在地球上多保重。」兩人都沒有料到，臨別時竟然會如此與對方，闡述情懷。

李韻怡指揮著兵器，慢慢地離開停放艙，還不時回頭。直到她離開，袁毓真才嘆口氣走入飛碟。姜麗媛故意嘟嘴對袁毓真說：「跟情人道別，還真不容易喔。」歐陽玉珍也作笑著說：「是啊，真是辛酸的一刻。」蔣婕妤說：「我看我們的袁大哥，是捨不得離開這啦。」袁毓真呵呵傻笑說：「剛才堅持要離開的是我也。我還是想著我的國家喔！」蔣婕妤『哼』了一聲說：「希望真的是想著國家，而不是捨不得官位！」袁毓真說：「放心啦，我不會騙妳們的。」

四人啓動飛碟，上面的駕駛執行軟體，已經略有更動，安裝了一個龍族邏輯控制系統。竟然開始說話，引導打開宇宙戰艦的發射艙門，而後奔出艙外。

四人同時感到驚訝。飛碟的龍族邏輯系統，用著人類女性的聲音說：「我叫做紅二號，是紅給我取了這名字。負責這架飛碟的導航以及駕駛。但假若遇到戰鬥或是危急狀態，你們還是要在指揮塔中，自行處理。我只是普通配備的，邏輯支援系統。」

蔣婕妤說：「紅二號？小母狗還真的是要袁毓真永遠記得她了。」袁毓真說：「好啦，我們別提紅了。現在是紅二號，請把目標放在地球。我們要以最快的速度回去。」紅二號回答：「遵令。」姜麗媛問：「大概多久才會到？」紅二號回答：「兩種引擎系統同時開啟，六天就可以到達。」

蔣婕妤走到浴室外頭說：「還得在這狹小空間待六天，我得先去泡熱水澡啦！」歐陽玉珍跟了上去說：「澡盆很寬，我也一起去吧。」袁毓真笑著問：「必需要省水，請問我能不能一起去啊？」

姜麗媛皺了眉頭，抓緊袁毓真胸前開右襟的衣緣說：「副部長大人！你可別胡思亂想啊！這六天我會盯緊你！」袁毓真矮姜麗媛，將近一個頭的高度，謹慎地說：「這麼多天來，妳不都在盯緊我嗎？我哪敢造次啊？」姜麗媛微笑著說：「這樣最好，你假設不結婚負責任，沒有女人會給你佔便宜的！」袁毓真呵呵一笑，說：「我在十三號別墅時，怎麼聽說，妳們三個，以前都有男朋友。那時候妳們就放得很隨便。」

姜麗媛說：「以前是以前，現在是現在，那種男人歸那種男人，你不一樣。」袁毓真『喔』了一聲，說：「好吧。但是我希望妳們可別像以前那樣，亂交男朋友，不然我可不把妳們當妹妹照顧囉。」姜麗媛放下他的衣襟，笑著說：「放心！現在我們不是軍人就是知識份子，很有男女分寸的。況且有你副部長大人照顧，我們會當好妹妹的。」

第五幕　胸與腹的對白（上）

元首大人任命賀嘉珍當元首府邸的總參士，不到兩天，就對她玉潔冰清的氣質以及聰慧絕頂，由欣賞轉成了『慾望』。晚上睡覺，腦中浮現出一個聰明絕頂的女軍師，同時具備賢慧、忠誠、恩愛、遠見、智慧，來當著他的助手，可以被依靠、訴苦、求助，甚至同時可以管著他。夢醒時刻，遣開大床旁邊睡著的，黃皮膚、白皮膚、黑皮膚三人種，十數個妖艷美女。心思：（這些從世界各國，精心蒐集來的騷貨，全都沒有用，配不上我的地位！配不上我至高無上的權力！我要賀嘉珍，我要這個打從內心聰慧，不受誘惑的女人！我一定要她！）轉而又自語道：「這女人我怎麼最近才注意到？早該緊緊抓在手上才對！」下了床，美女們又靠了過來，端水按摩順氣，一個西洋女子竟用流利的中文問：「元首大人，您注意到了哪個女人呢？是我嗎？」元首大人呵呵笑了一下，心思：（沒有人能逃脫我的掌握的。）

這兩天，定時派專車接送，還連續下達了好幾個命令，元首府邸所有全國各地來的文件，所有大小印章關防，除了自己之外，總參士賀嘉珍，同時也可以批閱與使用。除了中央級高官，軍方與科技界核心人士，其他人要面見元首本人，必須由總參士賀嘉珍同意。一下子小官掌大權，變成了全國最炙手可熱的人物。

賀嘉珍才上班第三天，元月十二日。忽然元首府邸內，大大小小的人員，對她畢恭畢敬前呼後擁，嘴巴裡連對她的姓氏，都不敢直接稱呼。走道上碰了面都喊著：「總參士好！」賀嘉珍知道了原由，敲了元首大人辦公室的門。元首大人從監視畫面上看到是她來，遣退所有人員，親自替她開門。賀嘉珍趕緊鞠躬說：「我有事情想問……」

元首大人拉了她進門，笑著臉說：「先坐下，在我面前，有什麼事情就直說。」

賀嘉珍坐了下來，元首大人竟然親自幫她倒了杯茶水。賀嘉珍趕緊站起喊說：「元首大人，我不敢當！」但是他仍然把茶水端到了賀嘉珍面前，直接遞其手上說：「別跟我客氣，有什麼事說吧。」

賀嘉珍微微喝了一口茶，緩緩說：「在您面前我不敢虛僞，我才來三天您就給我那麼大的權力，這種待遇我自問不敢接受。」元首大人露出了詭異地笑容，把她牽到自己的座位上，竟然要她坐在『御座』上，而自己站在她旁邊。賀嘉珍急忙搖頭。元首大人說：「妳先坐下，我再告訴妳。」半推半就下坐上了元首大人的『御座』，把茶杯放在桌上。

元首大人牽著她手說：「從海底基地開始，妳的才幹我就注意很久了。直到先前妳跟我說的那些話，讓我醍醐灌頂，當了十多年元首，我第一次省悟到自己的格局竟然如此狹隘。別說女人了，連男人都說不出那些話，而妳竟然能在我面前說得出來。國家正當用人之際，女人當中有妳這種豪杰，我怎麼能不大大地重用。不然人民就會笑我心胸狹窄了。」

賀嘉珍縮回自己的手，謹慎地說：「這是當下屬應該做的本分。我也只是普通女人而已，不是您期待的那種女中豪傑。」

元首大人叼起了一根煙盯著她，微笑著問：「妳喜歡什麼樣的男人呢？」賀嘉珍紅了紅臉，撇開眼神說：「報告元首大人，我對愛情已經沒有多大的感觸了。」元首大人微微一笑，更加貼近地問：「那麼妳喜歡什麼樣的國家領導人呢？」賀嘉珍醒了神，與他四目交對，回答說：「漢武帝、唐太宗或清聖祖三種人最好。不然漢高祖劉邦、元世祖忽必烈、清太宗皇太極，我也很欣賞。倘若是董卓、朱溫、蔣介石之流，只會讓我感覺到噁心。」

元首大人聽了，呵呵一笑，把煙熄掉，然後將象徵全國最重要的關防大印，推到了她的面前，微笑著說：「用人唯才是我的標準。我閱人無數，尚未見過妳這樣的女子。這個關防象徵全國的核心大權，哪怕是一張廢紙，蓋上了這個，就可以通行全國二十億人口，世界的四分之一權力。甚至可以誇張地說，以我中國目前的國力，全世界都得承認它的效能，它是世界權力的核心。妳未來的任務就是輔佐我，正確地使用它，我命令妳今天開始執掌這個核心官印。」

賀嘉珍神色不動，雙手放在大腿上，低著頭說：「元首大人有命令，我一定得遵從，但是必須要合理。老實說，您剛才說我是女豪傑，或是您用人唯才之類的語言，其實都是謊話。」元首大人瞪大眼睛，拉高語調：「嗯？」了一聲，從沒有人這麼直接戳穿他的謊言。賀嘉珍仍然神色不動繼續說：「我先強調，我願給元首大人驅使，替我的祖國效忠，不然我當初也不會參加『智慧四人組』。但是我才來這幾天，就馬上給我這麼高的尊榮，讓我平常在電視上仰望著的那些高官，忽然對我彎躬哈背，前呼後擁，我敢說這不是正常的現象。請元首大人明示，小女子才知道自己應該怎麼做，不然我會忘記自己到底是誰。」

元首大人開心得點點頭說：「到了這份上妳都還清醒，妳果然不是普通的女人！我就老實告訴妳，我心裡想的事吧。」於是露出了些微的淫笑，緩緩地走到了座位後面，邊走邊說：「女人我見多了，自己國家的女人且就不論，歐洲、美洲、非洲、拉丁美洲，白種的、黑種的、甚至混種的，我都見識過，但是從來沒有見過像妳這麼氣質脫俗，理智絕頂，不受金錢權力所誘惑的。原本我只是欣賞妳在外太空的表現，想讓妳當個總參士歷練一下。但是直到曾有能向我報告，在宴會中妳連正眼都沒有看他一眼，對趙仰德更是嗤之以鼻，最後還大鬧官商宴會的『午夜場』，目的只是想拉開自己手下的兩個女兵。當我聽到他的報告時，我就告訴我自己說……就是妳了……就是這個女人……」賀嘉珍已經聽出他的弦外之音，頗為緊張，不敢動彈。

於是終於走到了她背後，伸出雙手，按在賀嘉珍的雙肩上，露出更加詭異地笑容，賀嘉珍望著正前方窗外的園景，元首大人也望著該處，但是眼神卻孑然不同，他繼續用著緩慢的語氣說話，表情隨著語調變得越來越詭異：「外面的那些男男女女……都只是會揣度『風向』……奉承『上意』……是一群庸俗之輩，雖然我很開心，卻不是真正的喜歡……當然要是換成男人像妳這樣說話，可能已經被我打入十八層地獄了。但是……我就偏偏喜歡女人像妳這樣……敢在我面前撕開底來說話的人……無論是在府邸辦公，還是在我居住的地方，甚至於在床上……我都需要。只要妳配合我，相信未來妳就會是，全國……不……是全世界，最有地位的女人……想要什麼就有什麼……」

在元首大人施放權力誘惑的緩慢語調中，賀嘉珍耳邊響起了，『榮華富貴的鎮魂歌』，這短短的語言中，彷若經歷了一場權勢、金錢、利益、榮耀等等音符所組成的『惑亂交響樂章』，內心勾起一股前所未有的欲望。只要放掉矜持與道德，什麼就都有了。

一般的女人，還用不上這種樂章，只需要一點虛榮、一點經濟優勢、一點社會趨尙，甚至一點外來人優越的迷思，或這山坐望那山高的心理，馬上就立刻貼上去，什麼都給光光，甚至可以到達下賤無恥的地步。

在這全國乃至全世界最有權力的男人面前，這樂章的魅力，遠遠大過於讓一般女人淪陷的火力，早可以把一般女人抛到外太空，又丟到深海當中。賀嘉珍自問自己過去也迷失過，早就不是什麼清白女子，就算幾年前在打擊中，心靈提升，但那又如何呢？隨時可以再回到過去，況且這次情形完全不同，是至高無上的權力！

但是潛意識卻產生了亂流，賀嘉珍本能地恢復理智，趕緊站起跪在元首大人面前說：「您是二十億大國的領導者，治理一千八百萬平方公理的廣大國土，也是整個炎黃子孫的首領，就是我們所有炎黃子孫的父親，憑此點我是可以跪在您腳下的。不論身份還是年紀，我都是您的女兒，我願意替您做任何的事情。但是分際仍然要維持的，只有父親照顧女兒，沒有父親調戲女兒的。況且男人女人都是您的子女，哪些話該聽，哪些話不該聽，全在是非！豈有男人說了您討厭，女人說了您就喜歡的道理？今天您這些話我出了門就會忘記，不會給第三者知道，但是我不想聽到下次您還有這種言行。我先下去辦事了，假設您還有吩咐，請再傳喚。」於是逕自走出房門。

元首大人看她走出去後，哼了一聲說：「不識抬舉！妳以爲妳跑得出我的五指山嗎？遲早妳要被我把玩在手上！」

賀嘉珍真的會受誘惑嗎？袁毓真乘坐的飛碟又能順利回地球嗎？龍族怪物全面的滅種攻擊在即，對她們又會有什麼影響？欲知後事如何，且待下象分解。

第十一象 鏡中問答慧欲爭辯女聖賢 龍族總攻根本優勢顯強弱

第一幕 胸與腹的對白（下）

話說元首大人用權力誘惑了心智堅貞的賀嘉珍而不果，但胸中對她的慾火反而更加熾烈。賀嘉珍離開元首大人的辦公室後，直奔自己總參士的辦公室內，喘了口氣，拿了毛巾，進到辦公室內專用的廁所裡，洗了把臉，心情百感交集。

洗臉過後，抬頭一看鏡中的自己，毛巾落到了琉璃盆中。右手緩緩地摸著鏡子看著自己神情，剛才被如此誘惑還真有些動搖，頗爲忐忑不安，左手摸著腹部，心思：（我算女中豪傑嗎？剛才不就差點接受誘惑了？妳想當呂后？武則天？還是慈禧太后？元首大人的詭異樣子，這實在太可怕了。）

右手轉而摸了自己胸部，雙峰的中央，心思：（假設接受了，我就是最有權力的女人，只要在一個男人面前卑屈，就可以在全世界人面前驕傲，還需要這麼辛苦嗎？不只我自己，全家人不也都顯赫了起來？）

左手感應到，心裡另一種聲音：（我賀嘉珍不是這種女人，三年多前妳不是自己對自己如此吶喊著嗎？今天遇到更大的誘惑，妳就要背叛自己？）

右手感應：（這不算背叛，這是另一種上進，人向上爬水向下流，不也很正常嗎？況且人生如果連這都放棄，那我到底要追求什麼？）

左手感應：（追求什麼？超過物質的精神啊！難道妳想放任自己的意識，在權力與物欲當中打滾？）

右手感應：（有何不可？精神很虛幻，物質享樂才是實在的！）

左手感應：（荒唐！那妳在本質上，跟一般的妓女有什麼不同？跟千方百計，想要捧物慾的庸俗賤貨有何不同？）

右手感應：（當然不同，他是值得動搖的，是最高權力者。）

左手感應：（值得動搖？呂后還活著嗎？武則天還活著嗎？慈禧太后還活著嗎？動搖的最後，還不一樣都塵歸塵，土歸土，然後在歷史上，留下醜陋的篇章？顯現這個物種，是個無法克服自己貪慾的劣等生物？）

右手感應：（管那麼大做什麼？自己活的快樂不就好嗎？）

左手感應：（下賤！妳不要臉，我還要臉。）

右手感應：（這不是下賤！或許有權力物慾的希望，但也可以藉此造福國家與社會，不是嗎？）

左手感應：（假設他是好領導者，不需要我這女人，也可以造福國家。假設他不是，那麼我怎麼樣也不可能改變他本性！他跟妳頂多是慾望的情感，不可能因爲妳改變本性的。所以別再拿這種藉口自欺欺人！）

右手感應：（不過就是把腳張開，對哪個男人還不是一樣？現在不過就是換了一個比較老的男人，而且他有全國軍政大權啊！獲得遠遠超過成本，連他都不要，我還要誰？）

左手感應：（我不想再聽到這種無恥的聲音，這社會太多這種女人，最後她們真的有獲得什麼？自欺欺人的『幸福』？炫耀於人前的『虛榮』？）

右手感應：（不一樣，那些女人拿的是低劣的『虛榮』。因爲他們追求的，只是自以爲很好，實際上給人看笑話，惹噓聲而已。而我的不一樣！誰敢笑我？）

左手感應：（不一樣？還不都是背叛理智？淪爲慾望的附庸，用性來交換自己以爲的『虛榮』與『快樂』。那麼還是我自己嗎？不就是另外一種形式的妓女嗎？所以不要再說了，無論我是不是『受寵幸』，都是仰人鼻息，有求於人，人家開心我就喜，人家翻臉我就哀。做人要做到這種樣子，難道不是比娼妓可悲？我是不可能接受的！）

離開了廁所，非常小聲地自語：「我還能在這待多久？」當總參士的工作來的時候，賀嘉珍轉而放開這種憂慮，投入對工作的熱忱，以遺忘這種事情，只在內心祈求元首大人放棄對她幻想。

第二幕　自擇天翦之引論

數小時後，元月十二日下午。

辦公室內電腦，顯示會議通告，賀嘉珍趕緊收拾資料，到了會議室準備。這次來了一大批中央首腦級官員，還有軍方核心人物，可見真的有大事情發生。

戰略宇宙軍大將軍王若仙，先開口報告：「宇宙軍的太空站，在月球外軌道，發現大批的龍族外星戰艦，除了將歐美聯盟軍的一切外太空武力打垮，同時波及我國的太空站、火星的無人太空船隊、所有鄰近地球的一切太空站、人造衛星等都一一被擊落。歐美軍在昨日晚間，對外太空的外星艦對發射七十枚氫彈，而龍族的外星艦隊似乎有防護罩抵擋，只造成牠們艦隊隊形混亂，並沒有擊毀任何一艘。可見外太空的戰鬥，人類的技術是完全無法與之抗衡。現在只能在地球上準備戰鬥了……」報告整個詳細過程後，陸軍大將軍王神通接著報告：「自從歐洲被大規模攻擊之後，除了我國之外，其餘世界各國都已經下達戒嚴令，歐美聯盟的參謀本部，請求我國，與世界其他各國，組成多國聯合軍，以應付人類這前所未有的危機。

陸軍各部戰略專家，一致主張我國跟進採取戒嚴，並動員備戰，支援各國的軍事行動……」

接二連三的軍情報告緊繃了所有人，直到眾人沉靜下來仰望元首大人定奪，他才緩緩睜開眼睛，開口說話：「雖然一百多年前，雄才偉略，開疆拓土的太上前元首大人，立下了不與世界各國作民間交往的規範，以確保華夏文明的再生性。但接下來的三任元首，到我爲止，都重開交往，所以我國與世界各國之關係，是很密切的，而龍族怪物卻拒絕與我國談判。所以我們跟進實施戒嚴，並派軍隊支援他們，不在話下。但是我們要搞清楚一件事！就是龍族的科技與智力，都在人類之上！」喝了口茶，接著說：「你們一致主張打？請問連氫彈都打不穿的怪物，要怎麼打？依照過去我們還有歐美，跟龍族交手的戰力損傷比例，是十五比一。而且對陣的還是威力比較差的龍族兵器。難道要跟著世界各國一塊去送死？要讓我國的江南各省，還是東瀛省到台灣省列島，變成西歐現在一樣？目的只是要讓外國人，說我們中國人有國際道義？然後就以死幾億人當代價？請問你們要我讓誰家的小孩去當炮灰？找不到方法就在喊打，給誰難過啊？」

眾官員都沉默不敢回話。

元首大人又說：「戒嚴純粹是要治安，而不是要開戰！我要的是防衛策略，不是跟著世界各國，一同去送死的策略！你們現在開始討論，如何讓我國自保的策略才是！」說罷離座去廁所。

除了坐在元首大人大座旁的賀嘉珍，其他眾人開始你一言我一語。

回座之後，眾人又沉靜下來，元首大人開口說：「仔細的計畫，可以讓下面的智囊團擬定。你們現在必須確定，整體概念與大方向，不然什麼都是枉然。」然後轉頭問王神通說：「王神通，你先說！」

王神通說：「我的意見是，只要龍族武力敢攻擊我國領土，就把牠們給消滅！」元首大人呵呵一笑，露出詭異的神情問：「王神通，你一個月領國家多少薪水啊？事情碰到關頭，你的腦袋就這麼不管用啊？」然後大聲地說：「拿什麼消滅？靠你嘴巴喊嗎？靠政治口水嗎？」然後哼了一聲。王神通低頭不語。又轉問行宰。

行宰大人鎮靜了神情，回答：「我的意見是，仍然戒嚴備戰，組織全國軍民聯防，但不參加任何主動反擊外星生物的行為，斷絕與世界其他國家的一切往來。另外一方面使用全部的管道，與龍族生物談判，以化解龍族對我們的敵對意識。」元首大人吐了口氣說：「這只是基本態度正確，不算是任何策略，甚至連深入分析都沒有。」於是指著賀嘉珍說：「把這項意見，從流水紀錄中，挑到要點事項分列。」賀嘉珍點頭稱是。

又轉問其他人，只有空軍大將軍錢勝煌回答：「談判的管道，除了袁毓真之外，還有另外一條。」元首大人瞪大眼問：「快說。」錢勝煌說：「我讓海底基地一戰，所生存回國的那些官兵，依照印象，請畫家畫出了幫助龍族怪物做事的一名我國女子之樣貌。然後比對失蹤人口的照片，竟然找到另一名，跟她同時失蹤的女同學，分別一個名叫李韻怡，另一個叫廖香宜，研判此二人，可能同時在怪物那邊辦事。而且也找到了她們的家人。不如就請他們家人，來做這項溝通的工作。」又問：「那麼她們家人在這段期間，有與她們保持聯絡嗎？」錢勝煌回答：「我親自去問過，自從失蹤後，就再也沒有聯絡上。」這掀起了眾官員一陣討論。

元首大人最後搖搖頭說：「這是沒有影的空中彩虹，抓不到的。況且龍族怪物若真的不想談，這兩個賤婢又能起什麼作用？另外想辦法！」眾官員又是相互一陣言語。哄了十幾分鐘，還是莫衷一是。

賀嘉珍看了會議正在自由討論，雙手就離開電腦鍵盤，不以記錄，若有所思地，右手在左手掌上寫畫。元首大人偷瞄了她，於是敲了敲桌，示意眾人安靜。然後非常地溫柔說：「總參士，妳有什麼意見也可以說出來。」

賀嘉珍吃了一驚，搖搖頭說：「這裡不是我有資格，發表意見的地方。」

元首大人笑了笑，瞇了眼，賀嘉珍看了這神情，彷彿如袁毓真拿國寶時一樣。他說：「現在都什麼時候了，國難當頭。什麼人都可以有意見，只要是好的策略。」

賀嘉珍微微對大家點頭示意，然後說：「當前狀況，首在對內自我改變，而不是對外尋找契機。原因很簡單，外面的敵人與以往不同，根本物種的能力，就已經超過我們。而且對人類抱有很強的敵對意識。想要向外尋找契機，不可能勝得過敵人。在整個演化史中，任何弱勢的物種要在諸多比自己還要強的物種，或侵凌，或逼迫，或競爭下，求取生存而不被滅絕，首先就是要改變自己過去的慣性！一方面延續過去，自己可取之處，以保存傳承，另一方面，自我向內尋找變化的路徑。也就是次易原理下，物種的『自擇天翦』。我們唯一要對外的工作，只有觀察與遭遇，其他都是內在的慣性改變。從物質慣性、到物種慣性、到文明變化、到知識型態運行。有一連串自擇的環節，是可以相互牽連而變動的。物種是可以因此，在短時間產生巨大變化的。我們的大方向，應該定在『變化』，這個事態高度，那麼即使龍族怪物的能力，比我們強更多，我們也在第一步，就立於不滅亡之地。所以大自然間，可以存在弱勢物種不滅亡，而強勢物種遭淘汰，『適者未必生存』的狀況。在這立基之下，我們籌劃第二步……」行宰大人開口打斷，想要插嘴。

元首大人皺眉說：「女孩子在說話，不要插嘴，等她說完你再說，懂不懂禮貌啊？」行宰大人只好收回話語。

賀嘉珍紅了臉說：「我參士之職，主理論架構，我的意見還是得交給大家公評……」元首大人急忙說：「別緊張，妳先說完，第二步怎麼做？」賀嘉珍緩緩地說：「這種變化立基，將會產生一大堆複雜的問題，沒有穩固最高的動力與權力，無法達成目標。而且必須引用大量的特殊人士，做很多破格的提拔，恐怕這不是大家所喜歡的……」這說中了在場所有人的心思，假設很多人的『辦法靈了』那麼自己的『地位就會不靈』。

元首大人拍桌說：「這妳放心，有我當靠山，誰也不能阻擋。妳接著說！」

賀嘉珍說：「第二步，就是建立縱深整體變化概念，我在海底基地回來後，給各位都寫了一份報告，講述在海底基地時，遇到龍族採取『四象迴返法則』的防禦運用。而法則在情境之上，沒有大小型態的區分，龍族怪物的任何智能顯現，我們都可以改變型態，來重新選擇運用，由此加速自己變化的多樣性。所以整個中國，可以看作整個怪物的海底基地，重新定義不同的單位，來建置同樣的『四象迴返法則』，這就需要很多的智能之士，集思廣益，重新分配型態。」

元首大人笑著對眾人說：「各位男士，你們看到了沒有？一個年紀可以當各位女兒的人，智慧比你們高得多。」然後又回頭對她說：「繼續說……」

賀嘉珍又紅了臉說：「龍族的智能蒐集，除了建置一個單位，專門地轉制運用外，必須採取相互類推的新演化。大到整體戰略，小到武器的改變。都採取這種至高點，來做總體的分配。最後！我建議讓袁毓真，負責蒐集所有的龍族資訊，而且他也跟怪物手下的女子，頗有聯絡。之前元首大人您還見過那女子，只是袁毓真要掩護她，在您面前說謊而已。」元首大人問：「什麼時候的事？」賀嘉珍答：「剛從海底回，您讓女兵們坐在地下，其中一個就是。我相信這次袁毓真還是見過她。藉著袁毓真，從她那邊蒐集資訊，我相信會比較有效果。」

元首大人點點頭說：「好！從今天開始，智慧四人組，繼續執行任務，由賀嘉珍當總負責人，直接對我負責。」然後低聲對她說：「在外面跑的任務，就交給其他人，而妳隨時在我身邊，坐鎮指揮與報告。」經過她一說，元首大人頗有底氣，說不定還可藉此撈到，之前苦求不得的『星際航行的技術』。

說完之後，眾官員一陣鼓掌通過。

第三幕　慮息演變思維型態

袁毓真的飛碟，從火星急速返回地球的第三天，元月十三日。女孩子們躺在後座沙發睡覺，各自都有帶著隨身背包，裡面有換洗衣物，且可以當作棉被。袁毓真洗澡過後，在指揮觀察座位上，手爲枕而眠。忽然悠悠甦醒，端著杯子喝了一口茶，回頭看著那些入睡的女孩。沒多久蔣婕妤也醒了，模模糊糊地問說：「還有多久才到？」

袁毓真說：「以兩星球各自運行的軌道相對位置計算，至少還要四天半，地球距離火星也變遠的。」

蔣婕妤唉了一聲，喊說：「還要這麼久喔。」然後又倒頭回去睡。姜麗媛也醒了，在沉靜的飛碟艙內，走到觀景窗，望著外面的星景。袁毓真也走了過去，竟然這麼多天頭一次大膽地，摟住了比自己高一個頭的女孩說：「之前妳說不結婚，就不給我佔便宜。可是之前妳們的男朋友，不也都把便宜佔光，妳這樣要求我，我豈不是吃虧？」

姜麗媛哼哼冷笑了一下說：「副部長大人的意思是，要我把你比作學生時代的男女關係嗎？可以啊！原來你也是這種想法，可讓我們看錯你了。」然後推開了他。袁毓真小聲地笑著說：「不是啦！我的意思是……是妳們不能讓我吃虧啊……那些人妳們就放得這麼開，換成是我這麼優秀的人，妳們就這樣虐待我，這我很難過啊。」

姜麗媛冷冷微笑，大聲地說：「哼哼……呵呵……我們？虐待你？你現在是大官厚祿，還有飛碟，高科技機器人，不甘願可以隨時找過其他女人。至少我不介意。」袁毓真更加小聲地說：「不是啦……我不是那種男人，只是希望妳也站在我這邊想一下。」姜麗媛更加大笑說：「呵，假設我是你，我會想，姜麗媛大小姐曾經在海底基地救過我一命，不然我現在早被海水捲入海底，不是死沉在冰冷黑暗的海水中，就是被魚吃掉了。我該怎麼報答才是！」

這大聲回話，還真的驚醒了其他兩女子，歐陽玉珍躺著身不起，瞪大眼睛說：「原來副部長大人，是想利用這幾天獨處的時候，佔便宜喔。」蔣婕妤也說：「他早就這麼想了，這三天來，聒聒譟譟讓我們很煩，不就是在勾搭嗎？」

袁毓真傻傻笑著，臉紅耳赤，手握漢式束髮說：「不是啦……我是會負責人的，況且妳們之前不也跟別人……」蔣婕妤大聲地說：「我們之前怎麼樣，你少打聽！現在是你有邪惡想法！」袁毓真說：「娶老婆，負責任，也邪惡嗎？」蔣婕妤嚴肅地問：「我們有三個，你想負誰的責任？」袁毓真結結巴巴說：「能夠一次負責三個嗎？」

三女子幾乎同時說：「你作夢！」姜麗媛說：「我一個就夠你嗆啦，你還敢多要喔？」蔣婕妤與歐陽玉珍，都同感姜麗媛是要接受的，只是不敢明說而已。

飛碟控制系統中的紅二號，竟然呵呵笑了出來。袁毓真吃驚地問：「紅二號，妳笑什麼啊？電子程式也會笑嘛？」

紅二號說：「雖然我是龍族，普通配備的邏輯程式，卻也有模仿感應迴路。剛才聽你們的對話，感覺人類的邏輯很荒唐，才去模擬人類的笑聲。」

袁毓真說：「我們說的話，有很複雜的情感或慾望，真正內涵妳不理解的。」

紅二號回答：「這你就大錯特錯。我之所以被稱爲『普通配備』，在於不會創新而已，但是卻會感受與分析。龍族不敢隨便用『高配備』邏輯程式，原因在於這程式的創造與野心，可能叛變，也會傷害到龍族的文化本體的演化路徑。但是我卻感覺到，你們人類具有『高配備』創造與野心的動力，但是邏輯規劃卻連我這『普通配備』都不如。」蔣婕妤說：「這代表我們有希望與期待，而妳沒有。」

紅二號說：「這我承認，我沒有希望與期待，更沒有原始慾望。所以分析事情絕對客觀，不會隱藏與偏頗。以致於我們才是龍族最常用的系統。剛才收到地球方向發出來的通訊訊息，龍族已經對地球展開總攻擊，現在交戰得非常激烈，目前至少有三億人已經被摧毀，而龍族只墜落一台小型宇宙戰艦，傷亡比例差別很大，我估計不到一百三十個地球日，人類就會變成瀕臨絕種的生物。到了最後，我還是不知道妳們的期待與希望，到底在哪裡？」四人同時一驚。

袁毓真問：「中國受到攻擊了嗎？」紅二號說：「目前龍族把消滅這個族群，當作是可放棄的末端程序，但是依照目前的速度進程，以及『空間路線』的拖延。中國這個族群，猜測最晚在九十個地球日之後，也會遭到總攻擊，但是我猜會更早遭遇。這點我也不敢很肯定。」

袁毓真傻了眼，坐在指揮座上，好不容易出人頭地，竟然就要遇到世界末日，心理哀慟地苦思：（拜託……我的榮華富貴，還沒有好好享受也……這樣就要完蛋啦？）

蔣婕妤嚴肅地說：「告訴妳，人類不見得比龍族怪物笨，不見得會被你們龍族打敗！」

紅二號說：「我是中立的，也不會強行爭辯事物，至少在我比較，人類與龍族的思維型態與演化過程之後，就敢判斷人類不是龍族的對手。我可以簡單地向妳們敘述。」

於是在水平的雷達顯示台，投影出兩個結構圖。四人一同到前觀看。

紅二號接著說：「龍族的思維，是在原本的智能體制上，經過『慮息』變化的演化過程，所形成的二元體。主架構並不只是單軌雙向的意識，而是具有相互倒濟的結構體，以延伸展開思維。然後由這個展開的結構體，架構出曲變的次軌邏輯意識。所以龍族的原始慾望與道德真理，會由這種複雜的運行結構，所平衡開來。除了創造與設計能力更加穩定與強大外，基本行爲也都比人類還要依照事物的原理進行。而人類架構出來的邏輯，只是單軌雙向的意識，收與發所延伸出來的語言思辨，並不穩定，極容易受到原始的貪慾所扭曲，是不穩定的智能邏輯結構。所曲變出來的次軌邏輯意識，即道德與真理感知，只是個更單維的標準意識而已，而人類還時常把這種難得的意識，用原始的慾望，去破壞或曲解。總而言之，很多深邃的行爲模式，龍族會去做而人類不會去做。兩相對照，暫時不論科學程度誰高誰低，就算兩者都使用同樣的科技產物，基本行爲與意識的出發點就不同。兩者硬拼，人類不可能勝得過龍族。」姜麗媛與歐陽玉珍都聽不明白，而昏頭轉向，乃至不以爲意。而袁毓真聽了，頗感呆滯。

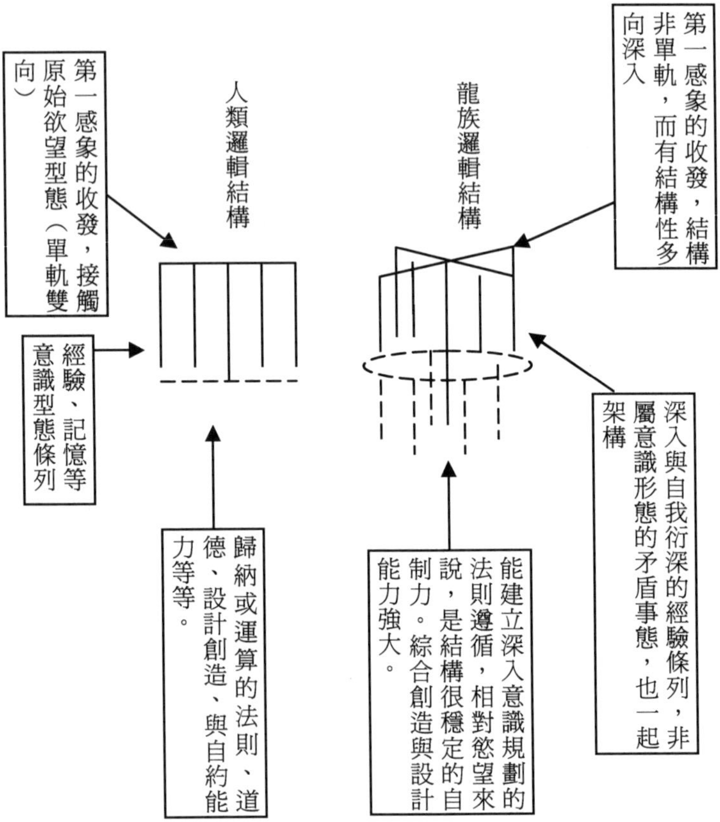
第一感象的收發，接觸原始欲望型態（單軌雙向）
人類邏輯結構
經驗、記憶等意識型態條列
歸納或運算的法則、道德、設計創造、與自約能力等等。
龍族邏輯結構
第一感象的收發，結構非單軌，而有結構性多向深入
深入與自我衍深的經驗條列，非屬意識形態的矛盾事態，也一起架構
能建立深入意識規劃的法則遵循，相對慾望來說，是結構很穩定的自制力。綜合創造與設計能力強大。

蔣婕好善取辨機，知道紅二號到底在說什麼，趕緊問：「龍族的智能，是之前白所說，真正的外星人改造出來的嗎？」

紅二號說：「沒錯，龍族的祖先，本來只是地球六千七百萬年前的一支直立恐龍。外星人當初所做的改造，目的就是從型態分析，地球生物是否是『自擇天翦』下的產物。這理論，人類再兩百五十年前，已經有人提出來，還正是你們中國人這個族群所敘述的。生物並不是『物競天擇適者生存』，在長時間的演變下，優越的結構即使出現了，也並不會被生物所採取，因爲這深層的優越結構，並沒有立即的生存利益，容易被遺棄。但這種結構卻可影響了長遠的演變，決定長遠的利益，從而絕大多數物種形態都會滅絕。龍族的智能，就是在這種理論下，逐步萃變演化，而演變出來的物種。結果外星人確定地球生物是『自擇天翦』的產物，就算改造出優越的智能生物，也不可能『永久性地』生存，並擴散到全銀河系，所以中途放棄改造龍族，同時把龍族祖先丟棄在現在的『龍族母星』。在這種條件的生態下，連微生物的顯現，都不是最優越的型態，遑論多細胞物種。諷刺的是，外星人正是想要在宇宙中，塑造一個『物競天擇適者生存』這種錯誤理論的生態環境，才能求得最長遠也最極緻的『適者』生命型態。至少在龍族的上古歷史記載中，外星人並沒有達到目的。最後，我再把牠們邏輯被萃化的路徑，展示給你們看。」

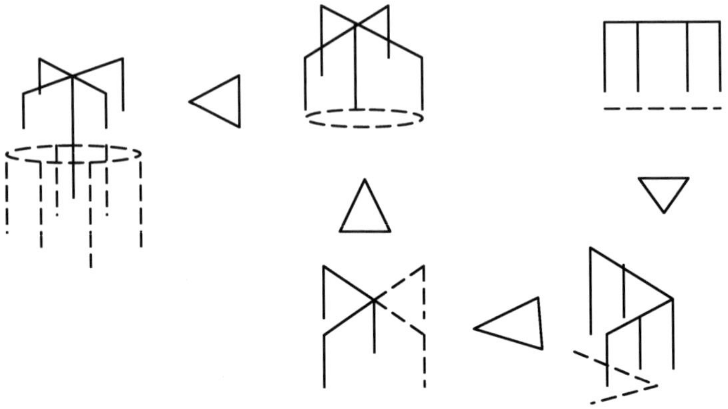

展現以上圖示後，紅二號說：「難道你們還不知道，這當中到底差異在哪裡嗎？這種差異，即使在人類身上成功建置改造因子，也需要十幾萬年才能到這種結構。更何況在自擇天翦演化環境下，在動態的相互約制下，人類幾乎不可能到達這種結構。」說罷，又在水平的雷達顯示台，展現了這一連串的結構動態。

對於比較會深入思考的袁毓真與蔣婕妤，都頗感失落。

姜麗媛見此情境，雖不懂紅二號說的涵義，卻也感覺到世界末日的端倪，對袁毓真說：「袁大哥，雖然如此，我也不相信龍族是無敵的，牠們的祖先不也被外星人遺棄嗎？不如我們回去找你『皇爺爺』，看有沒有什麼辦法。」

歐陽玉珍笑著說：「這倒是好辦法，我猜以皇爺爺的能力，至少可以保護我們這些人不會受傷害。」袁毓真看著三名女子，點點頭說：「沒錯，假設真的如此，我們至少要自保。」

第四幕　屈從

賀嘉珍在會議上提出高段的防衛手段，全中國就進入一片緊急戒備當中，一時間賀嘉珍成了總戰略思想的核心人物，每天忙到深夜，才準備下班回十三號別墅。

當府邸燭光漸息，而她也準備離開府邸辦公室時，元首大人用電話緊急呼叫，賀嘉珍只好來到他的辦公室，欠身行禮問：「請問元首大人還有事情嗎？」只見到元首大人皮笑肉不笑，走道她身前，拉著她的手說：「仔細看了妳寫的全國總防衛計畫書，才發現妳是不可多得的人才，稱妳爲千年難得一見的巾幗英雄，全世界最有能力的女性，也不爲過啊。」

賀嘉珍早就知道他有『邪念』，趕緊縮回自己的手，低頭說：「並不只有我一個人有這種能力，至少我知道，袁毓真、楊恒萱兩人，都有這種能力。只是元首大人不注意，不重用而已。」

元首大人繼續笑著臉說：「不要懷疑我看人的能力，只有妳才是最了不起的人才。我之前跟妳說的話，妳考慮得怎麼樣？」

賀嘉珍裝傻地說：「我已經忘記您之前跟我說些什麼了。」元首大人呵呵笑了一下，露出令她全身發麻的笑容，緩緩地從背後摟著她說：「好吧，在聰明人面前，我不拐彎抹角啦！我要妳成爲我的女人，同時也做我的女軍師。無論是在任何場合，包括在床上……」賀嘉珍趕緊掙脫，往前走了幾步，返身嚴肅地說：「請元首大人尊重我！我敢確定還有比我聰明的人，至少我看得出，楊恒萱就是！假設您要女人，別說全中國了，即使是全世界的美女，都會搶著排隊跟您上床。假設您兩種都要，那麼這兩種人您都可以掌握！何必須要我這種長相不漂亮，才能也不是最頂尖的人？」

元首大人板起了臉，說出不堪入耳的話，然後又說：「妳別說自己不漂亮，我認爲漂亮就是漂亮。」然後繼續逼近，到她的面前三公分處說：「老實跟妳說吧，我要的就是，兩種人合而爲一的。人才我只把他們當奴才與木偶，美女我只把她們當奴婢與玩物。而只有妳這種合而爲一的，才可以當我的寶貝。」

賀嘉珍皺眉流淚，用力推開元首大人說：「原來統治我們的偉大元首，竟然是這種畜牲！全國人民還有什麼期待？」元首大人怒道：「大膽！從來沒有人敢這樣說我！妳竟然敢罵我！」賀嘉珍也怒道：「歷史上就是很多你這種人面獸心的權力階級！華夏文明，才會有一百多年羞辱的歷史！殺了我我也要罵！你就是低等畜牲，我們的歷史，又要有被人看不起的一頁了！」

元首大人惱羞成怒，馬上打她一耳光說：「妳找死，別給臉不要臉！」元首大人從未被人罵過，賀嘉珍也從未被人打耳光，於是哭著說：「殺了我吧，我不想跟人面獸心者多說話。」

元首大人五味雜陳，對賀嘉珍又愛又恨，愛她與眾不同，恨她把自己事實的醜態都罵出來，所幸府邸只剩下自己與賀嘉珍，沒有第三者知道。於是轉臉道歉，說：「我向你道歉，承認我的錯誤，我願意改進，但是妳也沒有必要罵得這麼難聽！」賀嘉珍收拾眼淚地說：「我只盡義務而已。更何況您掌握的權力如此之大。但是你說要改進，希望是說真的，我們都會注意觀察你。」

元首大人繼位以來，頭一次有被人控管監督的感覺，本從怒而緩，又轉從緩而促，點燃內心的『怒欲交錯』之情，衝上去摟住她說：「妳就給我吧！只要妳開口，我就願意給妳任何的東西！我只要妳給我！只要妳給我，我什麼都可以答應妳！妳就當我是禽獸也無所謂！」邊說著這些話，邊撕扯著賀嘉珍的衣服，臉已經完全變形。

賀嘉珍失望透頂，於是大喊說：「等一下！」元首大人一怔，賀嘉珍臉轉側著說：「既然你都把話說到這份上，那麼我也不能拒絕了。但是元首府邸，是全國二十億子民的希望與向心所在，我們不可以在這裡苟且。你只要帶我離開這裡，我什麼都可以作。」

元首大人露出了笑容，連著說：「好，好，好。到我住的場所。還有，我們獨處的時候，妳怎麼沒大沒小都無所謂。在別人面前，妳可得給我元首的臉面。」賀嘉珍冷冷地說：「你放心，我不是那種沒有分寸的女人。」

於是元首大人如同逮到獵物般地拉著她，坐上專用的飛行器，直接飛往首都郊外的嵩山山區，元首大人專用的豪華別墅，裡面有專用停機坪，與二十四小時全天候警衛部隊。一下飛行器就拉著她上樓，樓內有數十名女子等待著他的『寵幸』，都是他從世界各地挑選來的美女。但是今天特別衝動，把這些又黑又白的各國美女轟出房門外，只留下賀嘉珍與自己，然後大發獸慾。

元月十六日凌晨，賀嘉珍從床上爬起來，整理好衣物，元首大人衝刺過頭，喘了整晚，昏睡而沒醒。賀嘉珍看著窗外，山勢挺拔的嵩山景色，手摸著腹部，心思：（我難道又回到了過去？既然事已如此，存在於我思想中，體內的智慧與道德的迴音，只能轉個方向，才能繼續生存下去。不然我跟那些接近權力而愚昧腐敗的女人，有什麼差別？）轉臉看著睡著的元首大人，心思：（女人最缺乏的就是野心，即使有了野心，也只能從大腦中激發出，巧取豪奪保護權勢的智能，而不是激發出智慧。或許該說，智慧的產生率非常低，連男人的大腦容易激發的狀態，都已經非常地寡少了。況乎是我們女人？要的是物慾嗎？情慾嗎？權力慾嗎？還是食衣住行育樂，奢華的享受呢？這些難道我還看不透嗎？我要彌平內心的這種矛盾……）目的達到之後，元首大人就不需要她每天都上班了，一方面也怕她在其他人面前，說出自己的醜態。

十三號別墅游泳池，賀嘉珍、何佩芸、黃敏慧，泡在池中閒聊，賀嘉珍把自己所遇到的一切細節，都說對她們說。沒有想到兩女子，露出頗爲羨慕之語。

賀嘉珍冷著神情說：「本來以爲妳們兩人能體會我的心思，但妳們兩人若是很羨慕，我可以推薦妳們給元首大人，代替我的位置，我很不想再見到他。」何佩芸、黃敏慧看了她的神情，都發現自己說錯話了。何佩芸趕緊道歉說：「對不起，我們太不懂事了。」黃敏慧也趕緊搭腔說：「是啊，一個六十五歲老叟，還這麼老而不修，真丟臉，我們才不要呢。」

賀嘉珍露出微笑說：「這樣才是好妹妹。我們現在該想的，是怎麼救亡圖存，而不是那些虛榮。」何佩芸說：「只要妳大姐頭開口，我們就一定服從命令。」

正當三女子聊著之時，院落外的廣場，停下了袁毓真的飛碟，與賀嘉珍這一台並排於一處。從監視畫面看到此景，何佩芸笑著說：「袁大哥他們回來啦！」

第五幕　出擊的前夕

次日，元月十七日下午。元首府邸會議室。招來『智慧四人組』。

元首大人對袁毓真一陣追問，袁毓真把所有經歷，幾乎全盤托出，並且對之前說謊致歉。元首大人笑著說：「英雄難過美人關，替女孩掩護我能理解。你這次把敵我的思維方式，都分析得這麼清楚，等於獲得最重要的情報。」然而突然轉變神情說：「但是忠於國家，這個底限是不能含糊的……」袁毓真點頭稱是，接著說：「國家有難，我願意帶領著祖父的武器，與龍族生物對抗，請元首大人趨遣。」

元首大人點頭說：「你的任務我會有安排。現在世界各國，都在向我們求救，希望我們出兵相助，而且我國的琉球島，就在三小時之前，已經被大批的龍族兵器攻佔，軍民傷亡慘重，成爲國土當中第一個受攻擊處，照理說我們應該要出兵。但是依照賀嘉珍總參士，制定的計畫，應該首先自保本土與自我改變。你們其他三人，認爲這計劃可行嗎？」

三人看了計劃後，袁毓真與蔣婕妤都點頭稱好。只有楊恒萱若有所思，沒有回應。元首大人看著他說：「現在是非常時刻，你若有其他意見，就快說出來，不要隱瞞。」楊恒萱說：「賀參士的計畫非常妥當，在本身物種就已經處於劣勢之下，必須讓自己處於變化的立基點中，運用『自擇天翦』的根本模式，來達到『不適者未必淘汰』的結果。但是在面對，如此複雜的變化機體中，若是不同時建立『順從面』與『違逆面』，兩種對立同存的狀態，就不代表真正立基於『變化』之中，反可能是受這種『變化』所制，而不自知。」

元首大人問：「能不能把話說得更明白？」

楊恒萱說：「『順從面』，就是賀參士之前所提的，對外只作觀察不予交往，而對內不斷地做改變，把龍族的任何可能智能，都化成自己『慧摹』的變化目標之一，就是次易原理所說『域固蠶變』，具備外表靜態而內部激態的動健能力。但只有這一點是不夠的，還必須要建制『違逆面』，就是取象『自擇天翦』的滅亡路線而行，一順一逆同時互不矛盾地，存在於整個大體中。那麼整個中國才可以說，跳出了走向滅絕的『大局』之外，站在更高點而避開這種『不可逆』的災難。」賀嘉珍心思：（楊恒萱果然不像外表那麼無能，實際上看得比我還要深遠得多。）

元首大人問賀嘉珍：「他說的妳認爲有道理嗎？」賀嘉珍點頭說：「楊中行士，說得非常對。我之前所提的大體方向還不夠深入，他的意見更深邃也更具有遠見。」

元首大人說：「這只是很粗略的概念，能夠更詳盡得說，『順從面』與『違逆面』這兩種矛盾狀態，該怎麼統合起來嗎？」楊恒萱說：「在賀參士的域固計畫基礎上，設立另一種相反的力量與目標，在目前世界各國與龍族的混戰當中，自己主動設定目標去反擊龍族進攻，而不是頭痛救頭，腳痛救腳。在交戰當中獲得的任何資訊，反饋於賀參士的整體計畫。一順一逆，規制於自我變化整體的兩面。」

元首大人頗爲疑惑，問賀嘉珍這如何解釋。

賀嘉珍頻頻點頭，解釋說：「他的意思是，整個國家的戒備行動，全部約束於這個整體當中。在根本的體系上，表面靜態不作任何接觸與反應，而內部激烈地自我改變。在枝節的運行中，外表頻繁地出擊與試探，卻沉穩地觀察與反饋根本。這就是『四象迴返法則』比我更深一層的運用。我所提的只是空間爲主時間爲輔的整體動態運用，而楊中行士則在我之上，又提出時間爲主空間爲輔的整體靜態運用。兩者搭配，則建立更深層的結構。如此，則不管發生什麼我們無法預料的龍族攻擊，或是難以掌控的複雜變化，都可以在這種結構中，取得我們可以觀察與應付的機會。」

她說到這裡，袁毓真與蔣婕妤才明白什麼意思。元首大人說：「好，就讓賀嘉珍與楊恒萱詳細依這概念，設立行動方案。袁毓真與蔣婕妤，則必須參予『違逆面』的行動，配合軍方，去主動出擊收回琉球島。回饋必要的龍族訊息！」

賀嘉珍與楊恒萱兩人頗爲吃驚，剛才才說不要頭痛救頭腳痛救腳，元首大人馬上就變卦解釋，逼人收復琉球，但是無法立刻反駁他，畢竟收復失土是正常邏輯應該要做的，也是全民都期盼的。袁毓真說：「報告元首大人，我們兩人才剛回來就到此向您報告，能否先回十三號別墅去休息一陣子。」元首大人說：「現在是非常時刻，全國乃至全世界的人，都沒有休息的時間。況且你剛才不是說，願意帶著你祖父的武器，與龍族生物對抗，供國家趨遣嗎？難道後悔了？」

袁毓真發現他眼神，對自己頗不信任，假設推辭，肯定會有不良後果。趕緊說：「不不，我願意服從計畫。」蔣婕妤也說：「我也願意服從計畫。」元首大人才呵呵笑，拍著袁毓真的肩膀說：「這才是華夏的好兒女。袁毓真，在整個計畫之中，你可要好好保護蔣婕妤小妹妹，危險的時候，蔣小妹妹可以不用冒險，只擔任軍方與賀嘉珍之間的聯絡工作，但是你是男子漢，必須率領你的『部眾』，與軍人們一起打頭陣，可千萬別退縮啊！」袁毓真心思：（去你的！我怎麼老是被你當作『馬前卒』？這已經是第三次啦！）內心雖不服，面貌上仍恭順地，點頭稱是。

已經下達收復琉球的命令，袁毓真將如何應對？賀嘉珍又真的已經屈服在元首大人的淫威之下了嗎？欲知後事如何，且待下象分解。